LUIZ ROBERTO DANTE

Livre-docente em Educação Matemática pela Universidade Estadual Paulista "Júlio de Mesquita Filho" (Unesp-SP), *campus* de Rio Claro.
Doutor em Psicologia da Educação: Ensino da Matemática pela Pontifícia Universidade Católica de São Paulo (PUC-SP).
Mestre em Matemática pela Universidade de São Paulo (USP).
Licenciado em Matemática pela Unesp-SP, Rio Claro.
Pesquisador em Ensino e Aprendizagem da Matemática pela Unesp-SP, Rio Claro.
Ex-professor do Ensino Fundamental e do Ensino Médio na rede pública de ensino.
Autor de várias obras de Educação Infantil, Ensino Fundamental e Ensino Médio.

MATEMÁTICA

editora ática

Presidência: Mario Ghio Júnior
Direção editorial: Lidiane Vivaldini Olo
Gerência editorial: Viviane Carpegiani
Gestão de área: Ronaldo Rocha
Edição: Carlos Eduardo Marques (editor), Darlene Fernandes Escribano (assistente editorial)
Planejamento e controle de produção: Flávio Matuguma, Juliana Batista, Felipe Nogueira e Juliana Gonçalves
Revisão: Kátia Scaff Marques (coord.), Brenda T. M. Morais, Daniela Lima, Malvina Tomáz e Ricardo Miyake
Arte: André Gomes Vitale (ger.), Catherine Saori Ishihara (coord.), Claudemir Camargo Barbosa (edição de arte)
Diagramação: Typegraphic
Iconografia e tratamento de imagem: Denise Kremer e Claudia Bertolazzi (coord.), Fernanda Gomes (pesquisa iconográfica) e Fernanda Crevin (tratamento de imagens)
Licenciamento de conteúdos de terceiros: Roberta Bento (ger.), Jenis Oh (coord.), Liliane Rodrigues, Flávia Zambon e Raísa Maris Reina (analistas de licenciamento)
Ilustrações: Estúdio 22, Giz de Cera, Hélio Senatore e Ricardo J. Souza
Cartografia: Eric Fuzii (coord.) e Robson Rosendo da Rocha
Design: Erik Taketa (coord.) e Talita Guedes da Silva (proj. gráfico e capa)
Ilustração de capa: Barlavento Estúdio
Logotipo: Saulo Dorico

Todos os direitos reservados por Somos Sistemas de Ensino S.A.
Avenida Paulista, 901, 6º andar – Bela Vista
São Paulo – SP – CEP 01310-200
http://www.somoseducacao.com.br

Dados Internacionais de Catalogação na Publicação (CIP)

```
Dante, Luiz Roberto
    Projeto Ápis : Matemática : 1º ao 5º ano / Luiz
Roberto Dante. -- 4. ed. -- São Paulo : Ática, 2020.
    (Projeto Ápis ; vol. 1 ao 5)

Bibliografia

1. Matemática (Ensino fundamental) Anos iniciais I.
Titulo II. Série

20-1345                                    CDD 372.7
```

Angélica Ilacqua - Bibliotecária - CRB-8/7057

2022
Código da obra CL 750414
CAE 721290 (AL) / 721294 (PR)
ISBN 9788508195688 (AL)
ISBN 9788508195695 (PR)
4ª edição
5ª impressão
De acordo com a BNCC.

Impressão e acabamento: Bercrom Gráfica e Editora

APRESENTAÇÃO

COM ESTE LIVRO, VOCÊ VAI CONHECER MELHOR O MUNDO DOS NÚMEROS, DAS FIGURAS GEOMÉTRICAS, DAS MEDIDAS, DAS TABELAS E DOS GRÁFICOS, OU SEJA, VOCÊ VAI ENTRAR NO MUNDO DA MATEMÁTICA E SE APROPRIAR DELE.

NESTE LIVRO VOCÊ VAI ENCONTRAR ATIVIDADES, JOGOS, BRINCADEIRAS, DESAFIOS E SITUAÇÕES PARA PENSAR, RESOLVER E ATÉ INVENTAR.

ESPERO QUE GOSTE, AFINAL, ESTE LIVRO FOI FEITO PARA VOCÊ COM MUITO CARINHO.

UM ABRAÇO FORTE.

O AUTOR

CONHEÇA SEU LIVRO

VEJA A SEGUIR COMO SEU LIVRO DE MATEMÁTICA ESTÁ ORGANIZADO. DEPOIS, COM UM COLEGA, FOLHEIE O LIVRO E DESCUBRA TUDO O QUE ESTÁ APRESENTADO NESTAS PÁGINAS.

ABERTURA DE UNIDADE
ESTE LIVRO É DIVIDIDO EM 8 UNIDADES.

PARA INICIAR
ATIVIDADES QUE POSSIBILITAM A VOCÊ UM PRIMEIRO CONTATO COM O QUE SERÁ ESTUDADO NA UNIDADE.

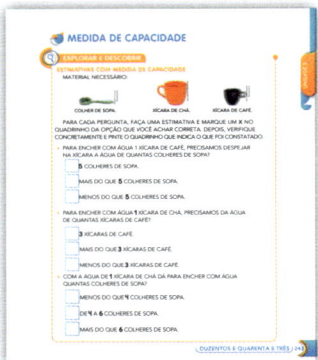

EXPLORAR E DESCOBRIR
ATIVIDADES CONCRETAS E DE EXPERIMENTAÇÃO QUE O INCENTIVAM A INVESTIGAR, REFLETIR, DESCOBRIR, SISTEMATIZAR E CONCLUIR AS SITUAÇÕES PROPOSTAS.

TECENDO SABERES
SEÇÃO INTERDISCIPLINAR QUE INCENTIVA A REFLEXÃO SOBRE A IMPORTÂNCIA DA SUA ATUAÇÃO COMO CIDADÃO PARTICIPATIVO E INTEGRADO À SOCIEDADE.

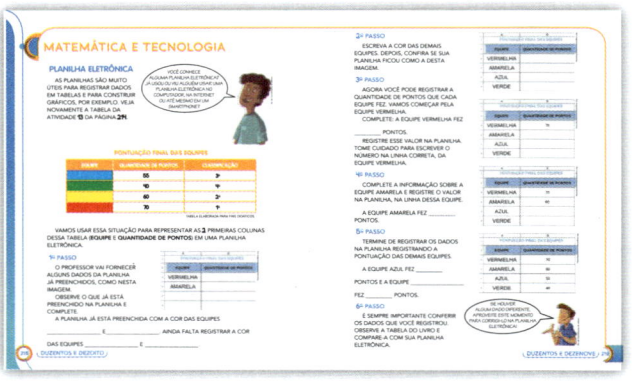

MATEMÁTICA E TECNOLOGIA
SEÇÃO PARA EXPLORAR A TECNOLOGIA, INTRODUZINDO O USO DE CALCULADORA E DE *SOFTWARES* LIVRES.

BRINCANDO TAMBÉM APRENDO
INCENTIVA O TRABALHO COOPERATIVO POR MEIO DE ATIVIDADES LÚDICAS.

COM A PALAVRA...
ENTREVISTA COM UM PROFISSIONAL QUE USA CONCEITOS DA MATEMÁTICA NO DIA A DIA.

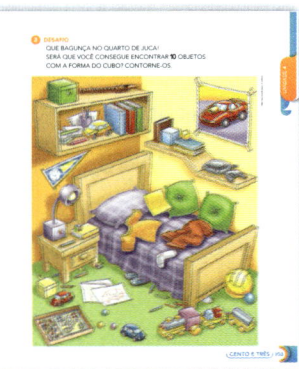

DESAFIO
ATIVIDADES DE MAIOR COMPLEXIDADE PARA TESTAR SEU CONHECIMENTO E SUA CRIATIVIDADE.

GLOSSÁRIO
PEQUENO DICIONÁRIO ILUSTRADO DE TERMOS MATEMÁTICOS PARA VOCÊ CONSULTAR SEMPRE QUE PRECISAR.

VAMOS VER DE NOVO?
ATIVIDADES PARA REVER E FIXAR CONCEITOS ESTUDADOS NA UNIDADE E EM UNIDADES ANTERIORES.

MATERIAL COMPLEMENTAR
ACOMPANHA O LIVRO DO ALUNO:

CADERNO DE ATIVIDADES

ÁPIS DIVERTIDO

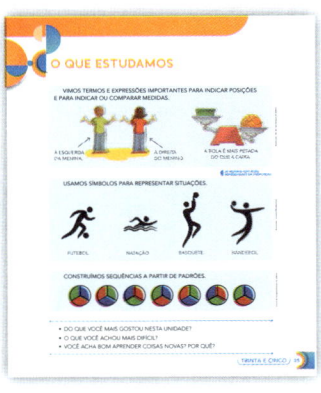

O QUE ESTUDAMOS
RESUMO DOS PRINCIPAIS CONTEÚDOS DA UNIDADE.

ÁPIS DIVERTIDO
MATERIAIS PARA DESTACAR, MONTAR, MANIPULAR, APRENDER E SE DIVERTIR.

CADERNO DE ATIVIDADES
APRESENTA ATIVIDADES PARA APRENDER MAIS SOBRE OS CONTEÚDOS DE CADA UNIDADE.

ÍCONES

 ATIVIDADE EM GRUPO

 ATIVIDADE EM DUPLA

 PESQUISE

 ATIVIDADE ORAL

 CALCULADORA

SUMÁRIO

O MUNDO DA MATEMÁTICA 10

EU E A MATEMÁTICA 12

UNIDADE 1 — VOCABULÁRIO FUNDAMENTAL 14

PARA INICIAR 16
NA FRENTE, ATRÁS, EM CIMA, EMBAIXO, … 17
TECENDO SABERES 20
TERMOS RELACIONADOS A MEDIDAS 23
MESMO SENTIDO OU SENTIDOS CONTRÁRIOS 25
SÍMBOLOS, SINAIS E CÓDIGOS 27
SEQUÊNCIAS E PADRÕES 29
ORIENTAÇÃO: DIREITA E ESQUERDA 30
FORMANDO GRUPOS 31
BRINCANDO TAMBÉM APRENDO 32
MAIS ATIVIDADES 33
VAMOS VER DE NOVO? 34
O QUE ESTUDAMOS 35

UNIDADE 2 — NÚMEROS ATÉ 10 36

PARA INICIAR 38
QUANTIDADES 39
REPRESENTAÇÃO DE QUANTIDADES 42
NÚMEROS ATÉ 6 44
BRINCANDO TAMBÉM APRENDO 55
NÚMEROS ATÉ 10 56
TECENDO SABERES 62
BRINCANDO TAMBÉM APRENDO 67
NÚMEROS E MEDIDAS 68
VAMOS VER DE NOVO? 71
O QUE ESTUDAMOS 73

UNIDADE 3 — A ORDEM DOS NÚMEROS ... 74

- PARA INICIAR ... 76
- NÚMERO MAIOR E NÚMERO MENOR ... 77
- BRINCANDO TAMBÉM APRENDO ... 83
- TECENDO SABERES ... 84
- NÚMEROS EM ORDEM CRESCENTE OU EM ORDEM DECRESCENTE ... 86
- NÚMEROS ORDINAIS ... 90
- VAMOS VER DE NOVO? ... 94
- O QUE ESTUDAMOS ... 95

UNIDADE 4 — FIGURAS GEOMÉTRICAS ... 96

- PARA INICIAR ... 98
- SÓLIDOS GEOMÉTRICOS ... 99
- ROLA OU NÃO ROLA? ... 106
- FIGURAS GEOMÉTRICAS PLANAS ... 107
- VAMOS VER DE NOVO? ... 120
- O QUE ESTUDAMOS ... 121

UNIDADE 6 — ADIÇÃO E SUBTRAÇÃO 140

PARA INICIAR 142
SITUAÇÕES DE ADIÇÃO 143
REPRESENTAÇÃO DA ADIÇÃO 145
TECENDO SABERES 148
MANEIRAS DE EFETUAR A ADIÇÃO 150
PROBLEMAS 154
BRINCANDO TAMBÉM APRENDO 156
SITUAÇÕES DE SUBTRAÇÃO 157
REPRESENTAÇÃO DA SUBTRAÇÃO 160
MANEIRAS DE EFETUAR A SUBTRAÇÃO 162
A RELAÇÃO ENTRE ADIÇÃO E SUBTRAÇÃO 166
MATEMÁTICA E TECNOLOGIA 168
MAIS ATIVIDADES COM ADIÇÃO E SUBTRAÇÃO 170
VAMOS VER DE NOVO? 173
O QUE ESTUDAMOS 175

UNIDADE 5 — NOSSO DINHEIRO 122

PARA INICIAR 124
AS NOTAS (CÉDULAS) E AS MOEDAS 125
ATIVIDADES COM DINHEIRO 127
BRINCANDO TAMBÉM APRENDO 131
TECENDO SABERES 132
MAIS ATIVIDADES COM DINHEIRO 134
VAMOS VER DE NOVO? 137
O QUE ESTUDAMOS 139

UNIDADE 7 — NÚMEROS ATÉ 100 176

- PARA INICIAR 178
- A DEZENA 179
- OS NÚMEROS DE 10 A 12 181
- DÚZIA E MEIA DÚZIA 185
- OS NÚMEROS DE 13 A 19 186
- BRINCANDO TAMBÉM APRENDO 194
- OS NÚMEROS DE 20 A 29 195
- TECENDO SABERES 200
- OS NÚMEROS ATÉ 39 202
- OS NÚMEROS ATÉ 99 E DEPOIS O 100 (CEM) 208
- MATEMÁTICA E TECNOLOGIA 218
- MAIS ATIVIDADES 220
- VAMOS VER DE NOVO? 224
- O QUE ESTUDAMOS 227

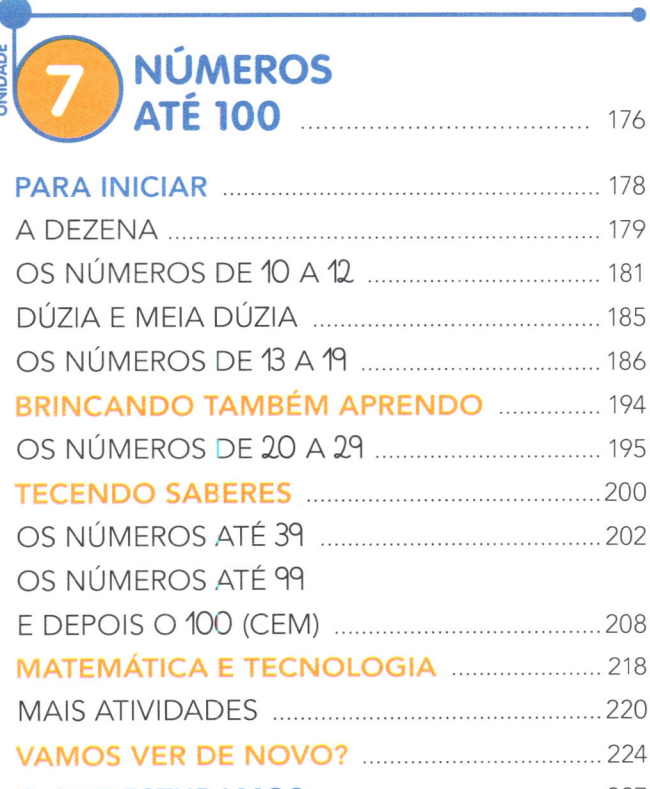

UNIDADE 8 — GRANDEZAS E MEDIDAS 228

- PARA INICIAR 230
- GRANDEZAS E MEDIDAS NO DIA A DIA 231
- MEDIDA DE COMPRIMENTO 234
- MEDIDA DE MASSA ("PESO") 239
- MEDIDA DE CAPACIDADE 243
- MEDIDA DE INTERVALO DE TEMPO 246
- TECENDO SABERES 250
- COM A PALAVRA... 252
- OUTRAS ATIVIDADES COM GRANDEZAS E MEDIDAS 253
- VAMOS VER DE NOVO? 259
- O QUE ESTUDAMOS 263

- MENSAGEM DE FIM DE ANO 264
- VOCÊ TERMINOU O LIVRO! 265
- GLOSSÁRIO 266
- BIBLIOGRAFIA 271

O MUNDO DA MATEMÁTICA

EU USO A MATEMÁTICA TODO DIA!

E VOCÊ, JÁ VIU ESTAS CENAS EM ALGUM LUGAR?

FIGURAS

GRÁFICOS

GRÁFICO ELABORADO PARA FINS DIDÁTICOS.

NÚMEROS

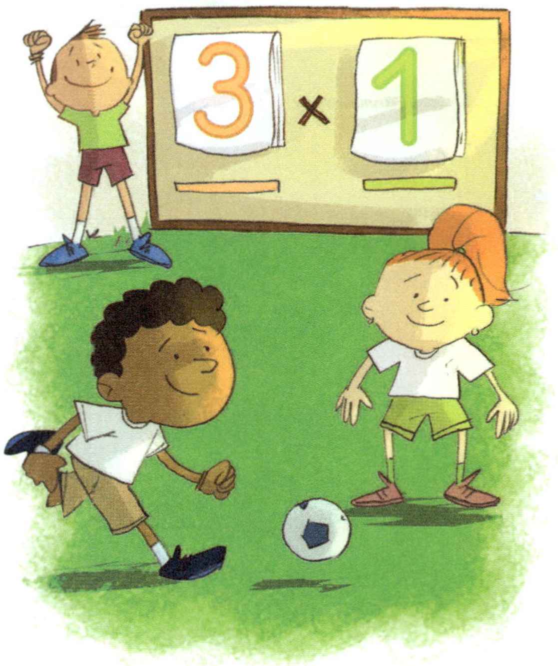

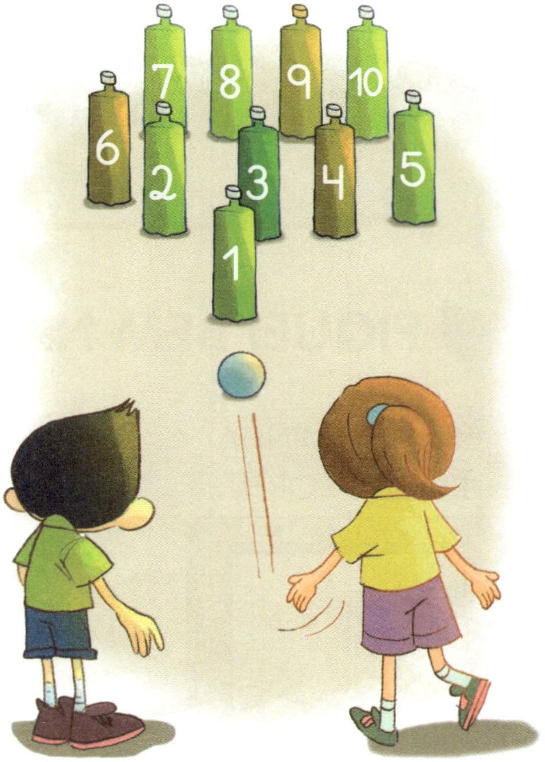

Ilustrações: Giz de Cera/Arquivo da editora

MEDIDAS

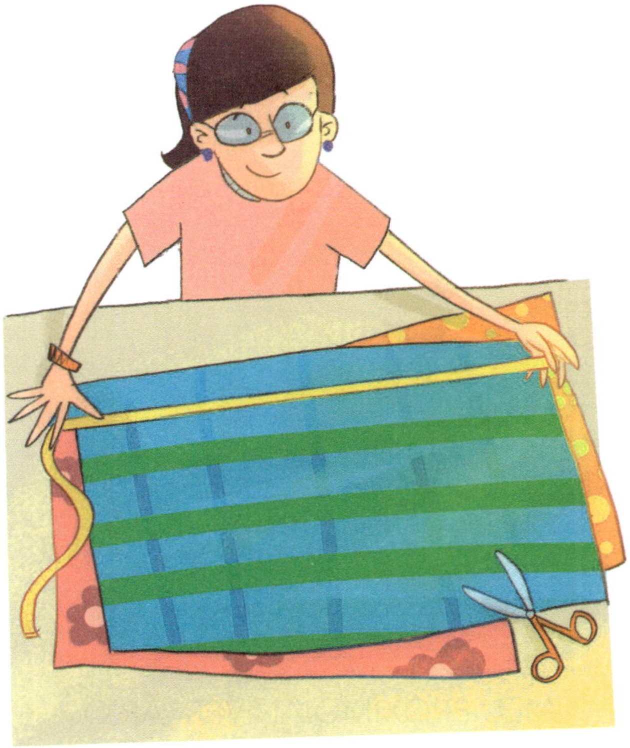

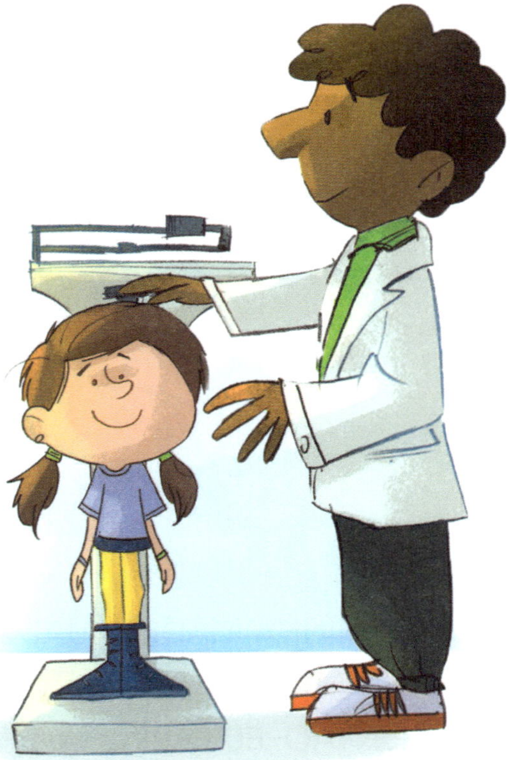

Ilustrações: Giz de Cera/Arquivo da editora

EU E A MATEMÁTICA

FIQUEI BEM NA FOTO?

ESTA É A MINHA FOTO 3 POR 4.

MEU PRIMEIRO NOME É:

_____.

MEU PRIMEIRO NOME TEM _____ LETRAS.

A DATA DO MEU ANIVERSÁRIO É:

DIA _____

DO MÊS DE _____.

A MINHA IDADE ATUAL É _____ ANOS.

ENTÃO, EU FAREI _____ ANOS NO MEU PRÓXIMO ANIVERSÁRIO.

VEJA: NA MESA DE ANIVERSÁRIO ACIMA FALTA O BOLO!

ESCOLHA O BOLO DE QUE VOCÊ MAIS GOSTA E DESENHE NELE UMA VELINHA PARA CADA ANO DE VIDA QUE VOCÊ TERÁ EM SEU PRÓXIMO ANIVERSÁRIO!

O NÚMERO DO MEU TÊNIS É _____.

O NÚMERO DA RESIDÊNCIA ONDE EU MORO É _____.

NELA MORAM _____ PESSOAS.

PARA INICIAR

É MUITO IMPORTANTE SABER O SIGNIFICADO DE TERMOS OU EXPRESSÕES RELACIONADOS À MATEMÁTICA.

NESTA UNIDADE, VAMOS USAR MUITOS TERMOS E EXPRESSÕES. POR EXEMPLO, **NA FRENTE**, **ATRÁS**, **NO MEIO**, **À DIREITA** E **EM CIMA**.

- ANALISE A CENA DAS PÁGINAS DE ABERTURA DESTA UNIDADE. CONVERSE COM OS COLEGAS E RESPONDAM ÀS QUESTÕES A SEGUIR.

AS IMAGENS NÃO ESTÃO REPRESENTADAS EM PROPORÇÃO.

NA FILA DO ESCORREGADOR, QUAL É A COR DA CAMISETA DA CRIANÇA QUE ESTÁ **NA FRENTE** DAS DEMAIS CRIANÇAS?

EM CIMA DA ÁRVORE ESTÁ O PASSARINHO OU A BOLA?

NO TANQUE DE AREIA, QUAL CRIANÇA ESTÁ **MAIS PERTO** DO BEBEDOURO: A CRIANÇA COM BONÉ OU A CRIANÇA SEM BONÉ?

NO BALANÇO, A CRIANÇA COM UM LAÇO NO CABELO ESTÁ **À DIREITA** OU **À ESQUERDA** DA OUTRA CRIANÇA?

- CONVERSE COM OS COLEGAS SOBRE MAIS ESTAS QUESTÕES.

    A) EM QUAIS SITUAÇÕES DO DIA A DIA AS PESSOAS USAM AS PALAVRAS OU EXPRESSÕES ABAIXO? DÊ EXEMPLOS.

    | EMBAIXO. | MAIS CURTO. | MAIS PESADO. |

    | ATRÁS. | À DIREITA. | MAIS LONGE. |

    B) OBSERVE OS EMPILHAMENTOS AO LADO. QUAL É A COR DO EMPILHAMENTO **MAIS ALTO**?

    C) E QUAL É A COR DO EMPILHAMENTO **MAIS BAIXO**?

NA FRENTE, ATRÁS, EM CIMA, EMBAIXO, ...

1 CHICO BENTO E ROSINHA ESTÃO FAZENDO UM PASSEIO.

MAURICIO DE SOUSA. ILUSTRAÇÃO DA CAPA DO LIVRO **CHICO BENTO 50 ANOS**, 2012.

A) ATIVIDADE ORAL EM GRUPO (TODA A TURMA)
O PROFESSOR PERGUNTA E A TURMA RESPONDE.

- QUEM ESTÁ **EM CIMA** DO BURRINHO?
- QUEM ESTÁ **NA FRENTE** DO BURRINHO?
- QUEM ESTÁ **ATRÁS** DO CHICO BENTO?

B) FAÇA UM **X** NO QUE ESTÁ EMBAIXO DO CHICO BENTO.

SUGESTÃO DE...
LIVRO
EM FRENTE À MINHA CASA.
MARIANNE DUBUC.
SÃO PAULO: WMF MARTINS FONTES, 2010.

2 ANA, BETO E RUI GOSTAM DE BRINCAR DE CORRER! PINTE A CAMISETA DE CADA CRIANÇA DE ACORDO COM A LEGENDA.

- 🔵 A CRIANÇA QUE ESTÁ **NA FRENTE** DAS OUTRAS CRIANÇAS.
- 🔴 A CRIANÇA QUE ESTÁ **ATRÁS** DAS OUTRAS CRIANÇAS.
- 🟡 A CRIANÇA QUE ESTÁ **ENTRE** AS OUTRAS CRIANÇAS.

3 **ATIVIDADE ORAL EM GRUPO (TODA A TURMA)** VEJA O DESENHO DE UMA CENA NA CASA DE LÚCIA.

O PROFESSOR PERGUNTA E VOCÊ RESPONDE COM OS COLEGAS.

A) O QUE ESTÁ EM CIMA DA MESA?

B) O QUE ESTÁ EMBAIXO DA MESA?

C) O QUE ESTÁ NA FRENTE DE LÚCIA?

D) O QUE ESTÁ ATRÁS DA POLTRONA?

E) LÚCIA ESTÁ EM CIMA DO QUÊ?

4 OBSERVE O DESENHO DA SALA DE AULA DE JOANA VISTA DE CIMA.

A) PINTE AS CARTEIRAS USANDO AS CORES INDICADAS.

- 🔵 A CARTEIRA QUE ESTÁ **MAIS LONGE** DA PORTA.
- 🟡 A CARTEIRA QUE ESTÁ **MAIS PERTO** DA MESA DA PROFESSORA.
- 🟤 A CARTEIRA QUE ESTÁ **MAIS PERTO** DA JANELA CINZA.
- 🟠 AS CARTEIRAS QUE ESTÃO **ENTRE** AS CARTEIRAS QUE VOCÊ PINTOU DE AMARELO E DE AZUL.

B) AGORA, TRACE DOIS CAMINHOS DIFERENTES PARA IR DA CARTEIRA QUE VOCÊ PINTOU DE AZUL ATÉ A JANELA CINZA.

SUGESTÃO DE...
LIVRO
EM CIMA E EMBAIXO.
JANET STEVENS.
SÃO PAULO: ÁTICA, 2000.

TECENDO SABERES

CONTAÇÃO DE HISTÓRIAS

MUITAS CRIANÇAS GOSTAM DE OUVIR HISTÓRIAS DOS MAIS VARIADOS ASSUNTOS. POR EXEMPLO, SOBRE ANIMAIS, VIAGENS, HERÓIS E CONTOS DE FADAS.

PODEMOS LER UM LIVRO COM UMA HISTÓRIA. TAMBÉM PODEMOS CRIAR OS PERSONAGENS E AS AÇÕES ENQUANTO CONTAMOS A HISTÓRIA.

O IMPORTANTE É QUE EXPLORAMOS NOSSA IMAGINAÇÃO QUANDO OUVIMOS OU CONTAMOS UMA HISTÓRIA!

1 **ATIVIDADE ORAL EM GRUPO (TODA A TURMA)**

A) VOCÊ GOSTA DE OUVIR HISTÓRIAS? QUAL É SUA HISTÓRIA PREFERIDA? CONTE PARA OS COLEGAS.

B) VOCÊ CONSEGUE SE LEMBRAR DE QUEM CONTOU ESSA HISTÓRIA PARA VOCÊ?

C) DE QUAL PARTE DESSA HISTÓRIA VOCÊ MAIS GOSTA? DESENHE-A EM UMA FOLHA DE PAPEL SULFITE. DEPOIS, MOSTRE O DESENHO PARA OS COLEGAS.

D) TODOS OS COLEGAS GOSTAM DA MESMA HISTÓRIA QUE VOCÊ?

E) COMO VOCÊ COSTUMA REAGIR QUANDO ALGUÉM TEM UMA PREFERÊNCIA DIFERENTE DA SUA?

2 O HÁBITO DE CONTAR HISTÓRIAS!
ATIVIDADE ORAL EM GRUPO

A) VOCÊ SABIA QUE ANTIGAMENTE NÃO EXISTIAM NEM A ESCRITA NEM OS LIVROS DE HISTÓRIAS? COMO VOCÊ ACHA QUE AS HISTÓRIAS ERAM CONTADAS?

B) VEJA A IMAGEM AO LADO.

NESSA IMAGEM, PODEMOS VER UM *GRIOT*, TAMBÉM CONHECIDO COMO **GUARDIÃO DA PALAVRA**.

OS *GRIOTS* VIVEM EM ALGUNS PAÍSES DA ÁFRICA E SÃO RESPONSÁVEIS POR TRANSMITIR ORALMENTE AS HISTÓRIAS E A TRADIÇÃO DO PRÓPRIO POVO PARA AS NOVAS GERAÇÕES.

GRIOT JALI MADI KAYATEH, DE GÂMBIA (ÁFRICA OCIDENTAL). FOTO DE 2007.

• **GUARDIÃO:** PROTETOR, QUE DEFENDE.

SE NÃO EXISTISSEM OS **CONTADORES DE HISTÓRIAS**, MUITAS HISTÓRIAS SERIAM ESQUECIDAS COM O PASSAR DOS ANOS.

VOCÊ ACHA QUE É IMPORTANTE CONHECER A HISTÓRIA DO PRÓPRIO POVO? POR QUÊ?

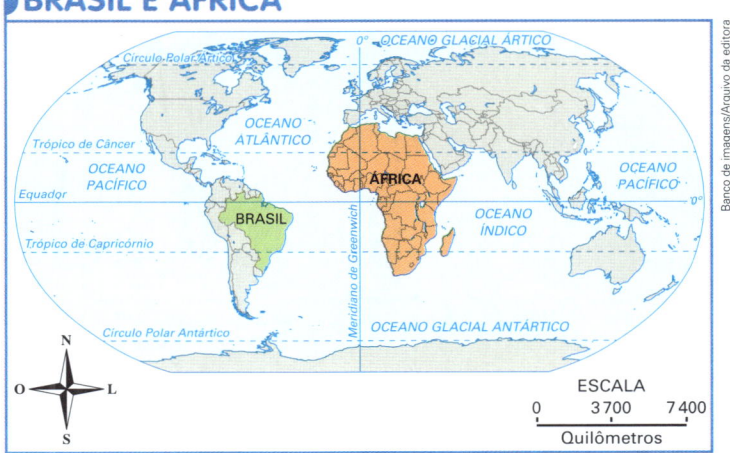

BRASIL E ÁFRICA

C) VAMOS FAZER COMO OS *GRIOTS*?

DESCUBRA UMA HISTÓRIA QUE ACOMPANHA UM FAMILIAR HÁ BASTANTE TEMPO. ESCUTE A HISTÓRIA COM ATENÇÃO PARA QUE VOCÊ POSSA RECONTÁ-LA PARA OS COLEGAS.

3 **AGORA É A SUA VEZ DE INVENTAR UMA HISTÓRIA!**
ATIVIDADE ORAL EM GRUPO

OBSERVE A CENA ABAIXO E INVENTE UMA HISTÓRIA COM OS COLEGAS. USEM EXPRESSÕES QUE VOCÊS ESTUDARAM, COMO **EMBAIXO**, **EM CIMA**, **ENTRE**, **NA FRENTE**, **ATRÁS**, **AO LADO**, **PERTO** E **LONGE**. DEPOIS, PINTE A CENA. DEIXE TUDO BEM ALEGRE, BEM **COLORIDO**!

TERMOS RELACIONADOS A MEDIDAS

1) MEDIDA DE COMPRIMENTO

OBSERVE AS ÁRVORES DAS FOTOS ABAIXO.
MARQUE UM **X** NO QUADRINHO DA ÁRVORE **MAIS ALTA**.
DEPOIS, MARQUE UMA • NO QUADRINHO DA ÁRVORE **MAIS BAIXA**.

2) MEDIDA DE INTERVALO DE TEMPO

MARQUE UM **X** NO QUADRINHO DA CENA QUE SE PASSA ÀS 10 HORAS DA MANHÃ, OU SEJA, **DURANTE O DIA**.
DEPOIS, MARQUE UMA • NO QUADRINHO DA CENA QUE SE PASSA ÀS 10 HORAS DA NOITE, OU SEJA, **DURANTE A NOITE**.

AS IMAGENS NÃO ESTÃO REPRESENTADAS EM PROPORÇÃO.

3) MEDIDA DE TEMPERATURA

PINTE O QUADRINHO DE CADA CENA DE ACORDO COM A LEGENDA.

● MEDIDA DE TEMPERATURA MENOR (**MAIS FRIO**).
● MEDIDA DE TEMPERATURA MAIOR (**MAIS QUENTE**).

4 MEDIDA DE MASSA ("PESO")

A) CONTORNE A FRUTA **MAIS PESADA** NA PESAGEM DA IMAGEM AO LADO.

B) PENSE NAS FRUTAS DE CADA ITEM ABAIXO E PINTE O QUADRINHO DA FRUTA **MAIS LEVE**.

- MELÃO E PÊSSEGO
- ABACAXI E BANANA
- MAÇÃ E JACA
- PERA, CEREJA E CAQUI

5 MEDIDA DE CAPACIDADE

PINTE DE VERMELHO A JARRA NA QUAL **CABE MAIS** ÁGUA.
DEPOIS, PINTE DE LARANJA A JARRA NA QUAL **CABE MENOS** ÁGUA.

6 MEDIDA DE ÁREA

ASSINALE COM UM **X** O QUADRINHO QUE INDICA A PLANTAÇÃO QUE OCUPA A **MAIOR PARTE** DA IMAGEM DO TERRENO ABAIXO.

☐ PLANTAÇÃO DE ALFACE (VERDE).

☐ PLANTAÇÃO DE TOMATE (VERMELHO).

MESMO SENTIDO OU SENTIDOS CONTRÁRIOS

OS MENINOS ESTÃO CAMINHANDO NO...
... MESMO SENTIDO.

AS MENINAS ESTÃO CAMINHANDO EM...
... SENTIDOS CONTRÁRIOS.

AS IMAGENS NÃO ESTÃO REPRESENTADAS EM PROPORÇÃO.

1 **QUEM QUER ÁGUA DE COCO?**

DESENHE SETAS AZUIS NO CAMINHO QUE LEVA LUCAS ATÉ O CARRINHO DE ÁGUA DE COCO. DEPOIS, DESENHE SETAS VERMELHAS NO CAMINHO QUE LEVA MARA ATÉ O BANCO.

2 O CAMINHO DE DUDU

A) SIGA CADA PERCURSO COM O DEDO, SEMPRE NO SENTIDO DAS SETAS, E DESCUBRA O CAMINHO QUE LEVA DUDU ATÉ A CHEGADA. DEPOIS, PINTE AS SETAS DESSE PERCURSO.

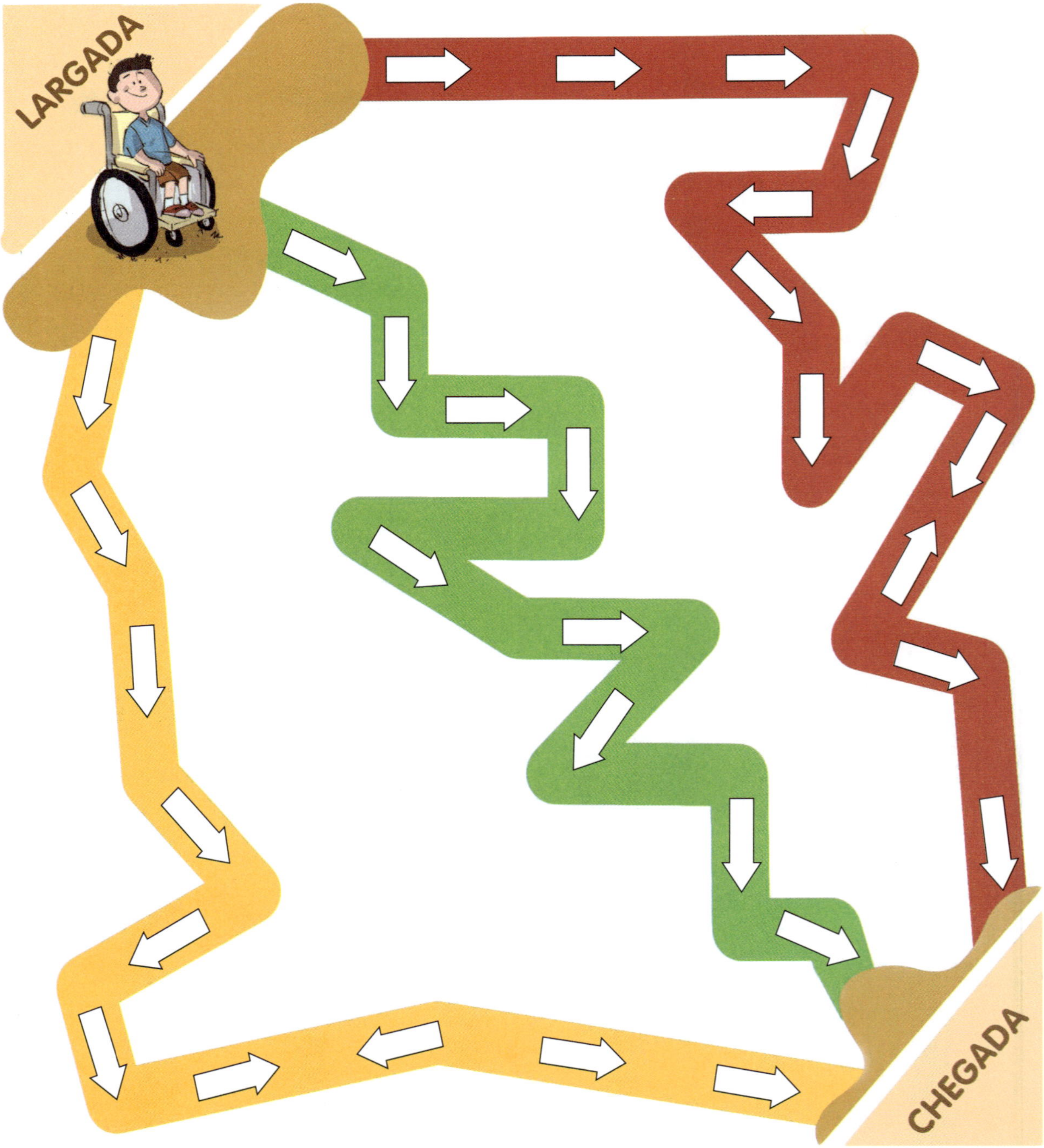

Giz de Cera/Arquivo da editora

B) **ATIVIDADE ORAL** VOCÊ CONSEGUIU DESCOBRIR O CAMINHO? VERIFIQUE SE OS CAMINHOS QUE OS COLEGAS ENCONTRARAM COINCIDEM COM O QUE VOCÊ DESCOBRIU.

SÍMBOLOS, SINAIS E CÓDIGOS

1 MARCELA E OS AMIGOS RECORTARAM FOTOS DE ALGUNS SÍMBOLOS E DE ALGUNS OBJETOS.
LIGUE A FOTO DE CADA SÍMBOLO À FOTO DO OBJETO CORRESPONDENTE.

AS IMAGENS NÃO ESTÃO REPRESENTADAS EM PROPORÇÃO.

2 **ATIVIDADE ORAL** VOCÊ CONHECE ESTES SÍMBOLOS? O QUE CADA UM DELES INDICA?

3 CIDADANIA: DE OLHO NO TRÂNSITO!

VAMOS APRENDER COMO O SEMÁFORO FUNCIONA?
OBSERVE A CENA E FAÇA A ATIVIDADE A SEGUIR.

PINTE CADA SEMÁFORO ABAIXO DE ACORDO COM A POSIÇÃO E A COR INDICADAS.

EM SEGUIDA, ASSINALE COM UM **X** O QUE TODO MOTORISTA DEVE FAZER EM CADA CASO.

AS IMAGENS NÃO ESTÃO REPRESENTADAS EM PROPORÇÃO.

A LUZ DE CIMA. — A LUZ DO MEIO. — A LUZ DE BAIXO.

PARAR. / AGUARDAR. / SEGUIR.
PARAR. / AGUARDAR. / SEGUIR.
PARAR. / AGUARDAR. / SEGUIR.

SEQUÊNCIAS E PADRÕES

PINTA DAQUI, PINTA DALI

ATIVIDADE ORAL EM DUPLA OBSERVE COMO COMEÇOU CADA SEQUÊNCIA DE IMAGENS. DESCUBRA UM PADRÃO (OU UMA REGULARIDADE) E CONTINUE PINTANDO A SEQUÊNCIA USANDO O MESMO PADRÃO. DEPOIS, EXPLIQUE PARA UM COLEGA O PADRÃO (OU A REGULARIDADE) QUE VOCÊ DESCOBRIU.

A) O CHAPÉU DOS PALHAÇOS.

AS IMAGENS NÃO ESTÃO REPRESENTADAS EM PROPORÇÃO.

B) AS JANGADAS.

C) OS BALÕES.

ORIENTAÇÃO: DIREITA E ESQUERDA

O CARRO ESTÁ VIRANDO PARA A **DIREITA**.

A MULHER ESTÁ SAINDO DO CARRO PELO LADO **ESQUERDO**.

AS IMAGENS NÃO ESTÃO REPRESENTADAS EM PROPORÇÃO.

1 PINTE DE VERDE A CAMISETA DA CRIANÇA QUE ESTÁ À DIREITA DA OUTRA CRIANÇA.

2 COM QUAL PÉ A CRIANÇA CHUTOU A BOLA? MARQUE COM UM **X**.

☐ PÉ DIREITO.

☐ PÉ ESQUERDO.

3 VAMOS BRINCAR DE PASSAR A BOLA?
ATIVIDADE EM GRUPO BRINQUE COM OS COLEGAS.
NÃO DEIXE A BOLA CAI I I I
\ \ \ \ / / / / I R R R R!

PASSA A BOLA, PASSA A BOLA
PARA O SEU AMIGO
PASSA A BOLA, PASSA A BOLA
PARA A SUA AMIGA
PASSA A BOLA, PASSA A BOLA
SÓ PARA A DIREITA
PASSA A BOLA, PASSA A BOLA
SÓ PARA A ESQUERDA
NÃO DEIXE A BOLA CAIR

FORMANDO GRUPOS

A TURMA DE AMIGOS ESTÁ REUNIDA. VAMOS SEPARÁ-LOS EM GRUPOS? COM A AJUDA DE UM ADULTO, DESTAQUE AS PEÇAS DA PÁGINA 3 DO **ÁPIS DIVERTIDO** PARA COLAR NESTA PÁGINA.

LAURA.   PEDRO.   MÁRIO.   LÚCIA.   MATEUS.   PAULA.   MÍRIAM.   LUCAS.

A) EM UM GRUPO FICAM AS CRIANÇAS COM BONÉ E NO OUTRO GRUPO FICAM AS CRIANÇAS SEM BONÉ.

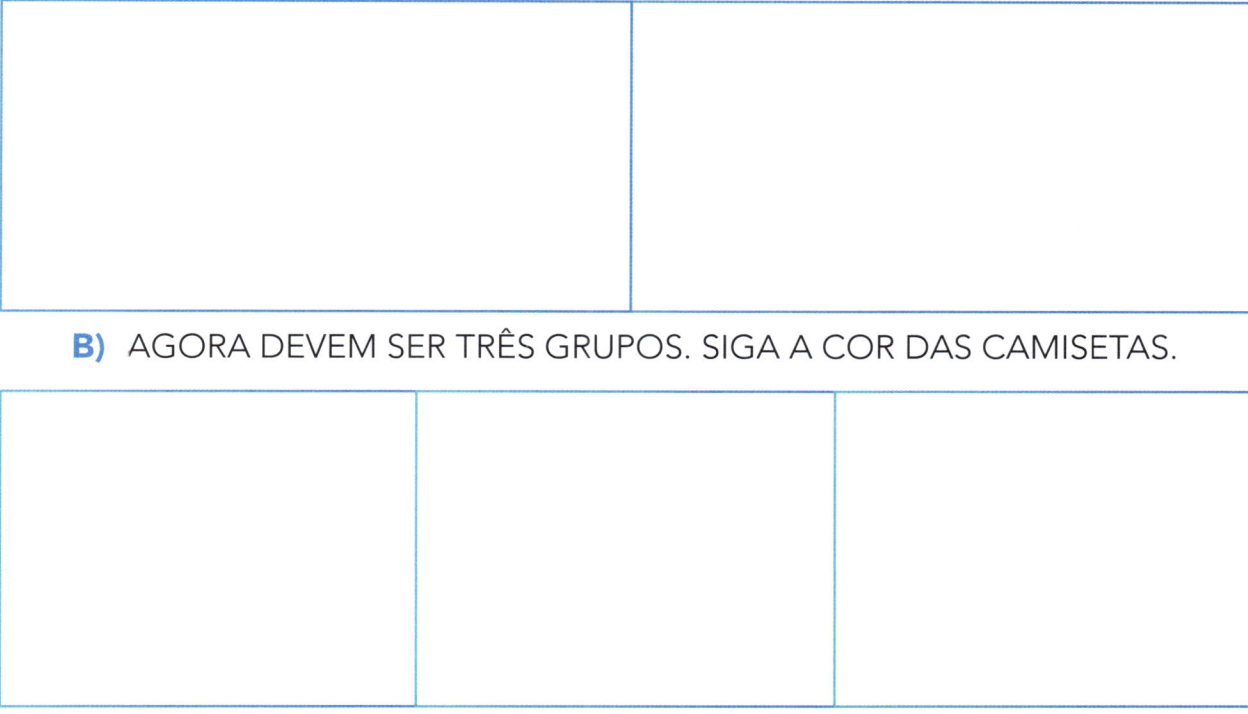

B) AGORA DEVEM SER TRÊS GRUPOS. SIGA A COR DAS CAMISETAS.

C) USE O ESPAÇO ABAIXO PARA FORMAR DOIS OU MAIS GRUPOS. VOCÊ ESCOLHE COMO VAI AGRUPAR.

BRINCANDO TAMBÉM APRENDO

JOGO PARA 5 PARTICIPANTES.

JOGO DAS ESTÁTUAS

O PROFESSOR DÁ O COMANDO PARA CADA GRUPO. OS ALUNOS DEVEM FICAR COMO ESTÁTUAS NA POSIÇÃO QUE ELE FALAR.

QUEM ERRAR A POSIÇÃO SAI DO JOGO.

O ÚLTIMO ALUNO QUE SOBRAR EM CADA GRUPO SERÁ O VENCEDOR.

COMANDOS

- MÃO DIREITA PARA BAIXO E MÃO ESQUERDA PARA CIMA.
- PÉ ESQUERDO NO CHÃO E PÉ DIREITO LEVANTADO.
- MÃO ESQUERDA NA ORELHA DIREITA.
- UM DEDO DA MÃO DIREITA NA ORELHA ESQUERDA.
- MÃO ESQUERDA NO JOELHO ESQUERDO.
- PÉ DIREITO NO JOELHO ESQUERDO.
- MÃO DIREITA NO COTOVELO ESQUERDO.
- MÃO ESQUERDA TAPANDO O OLHO DIREITO.
- UM DEDO DA MÃO DIREITA NA PONTA DO NARIZ.
- MÃO DIREITA NO OMBRO DIREITO E MÃO ESQUERDA NA TESTA.

MAIS ATIVIDADES

1 **ATIVIDADE EM GRUPO** JUNTE-SE A 2 COLEGAS E COMPARE A MEDIDA DE COMPRIMENTO DA ALTURA DE CADA UM DE VOCÊS 3. DEPOIS, REGISTRE OS 3 NOMES AQUI.

_____   _____   _____

O MAIS BAIXO.   O MAIS ALTO.

2 CONTORNE OS ANIMAIS QUE ESTÃO **À ESQUERDA** DO  .

AS IMAGENS NÃO ESTÃO REPRESENTADAS EM PROPORÇÃO.

3 OBSERVE OS GIZES DE CERA QUE PEDRO ESTÁ USANDO. DEPOIS, COMPLETE A FRASE INDICANDO AS CORES.

O GIZ DE COR _____ É **MAIS FINO**

DO QUE O GIZ DE COR _____,
MAS É **MAIS GROSSO** DO QUE O GIZ

DE COR _____.

4 **ATIVIDADE ORAL** CITE UMA PESSOA OU UM OBJETO EM CADA ITEM.

A) ESTÁ NA SUA FRENTE.

B) ESTÁ À SUA ESQUERDA.

C) ESTÁ MAIS PERTO DA PORTA DA SALA DE AULA DO QUE VOCÊ.

D) É MAIS ALTO DO QUE VOCÊ.

E) É MAIS NOVO DO QUE VOCÊ.

F) ESTÁ ENTRE VOCÊ E O PROFESSOR.

VAMOS VER DE NOVO?

1 PINTE DE AZUL OS CARROS QUE ESTÃO INDO NO MESMO SENTIDO. DEPOIS, PINTE DE AMARELO O CARRO QUE ESTÁ INDO NO OUTRO SENTIDO (NO SENTIDO CONTRÁRIO).

AS IMAGENS NÃO ESTÃO REPRESENTADAS EM PROPORÇÃO.

2 OBSERVE COMO COMEÇOU A SEQUÊNCIA DE QUADRADINHOS E COMPLETE MANTENDO UM PADRÃO (OU UMA REGULARIDADE).

3 PINTE AS BANDEIRAS AO LADO DE ACORDO COM A LEGENDA.

- 🔵 BANDEIRA NA MÃO DIREITA.
- 🟢 BANDEIRA NA MÃO ESQUERDA.

4 ASSINALE COM UM **X** A POSIÇÃO CORRETA DA CAIXA MARROM.

- ☐ EM CIMA DAS OUTRAS CAIXAS.
- ☐ ENTRE AS OUTRAS CAIXAS.
- ☐ EMBAIXO DAS OUTRAS CAIXAS.

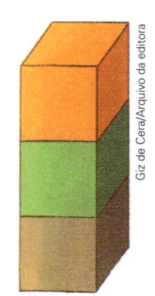

O QUE ESTUDAMOS

VIMOS TERMOS E EXPRESSÕES IMPORTANTES PARA INDICAR POSIÇÕES E PARA INDICAR OU COMPARAR MEDIDAS.

À ESQUERDA DA MENINA.

À DIREITA DO MENINO.

A BOLA É MAIS PESADA DO QUE A CAIXA.

AS IMAGENS NÃO ESTÃO REPRESENTADAS EM PROPORÇÃO.

USAMOS SÍMBOLOS PARA REPRESENTAR SITUAÇÕES.

FUTEBOL.　　NATAÇÃO.　　BASQUETE.　　HANDEBOL.

CONSTRUÍMOS SEQUÊNCIAS A PARTIR DE PADRÕES.

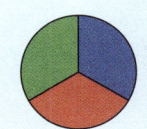 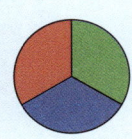 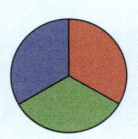 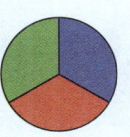 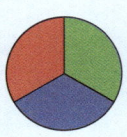 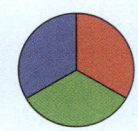 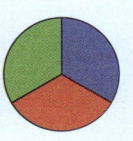

- DO QUE VOCÊ MAIS GOSTOU NESTA UNIDADE?
- O QUE VOCÊ ACHOU MAIS DIFÍCIL?
- VOCÊ ACHA BOM APRENDER COISAS NOVAS? POR QUÊ?

- COM QUAL JOGO AS CRIANÇAS ESTÃO BRINCANDO?
- VOCÊ JÁ BRINCOU COM ESTE JOGO?
- QUAIS ANIMAIS APARECEM NESTA CENA?

PARA INICIAR

OS NÚMEROS ESTÃO PRESENTES EM MUITAS SITUAÇÕES DO DIA A DIA. POR ISSO, PRECISAMOS CONHECER OS NÚMEROS MUITO BEM!

NESTA UNIDADE, VAMOS ENTENDER, ESCREVER E LER OS NÚMEROS ATÉ DEZ (10).

- ANALISE A CENA DAS PÁGINAS DE ABERTURA DESTA UNIDADE. CONVERSE COM OS COLEGAS E RESPONDAM ÀS QUESTÕES A SEGUIR.

QUANTAS CRIANÇAS HÁ NA CENA? E QUANTOS ADULTOS?

QUAL É O ÚLTIMO NÚMERO DO JOGO?

QUAL NÚMERO ESTÁ AO LADO DO 8?

SE CHEGAR MAIS 1 CRIANÇA, ENTÃO QUANTAS CRIANÇAS FICARÃO NA CENA?

AS IMAGENS NÃO ESTÃO REPRESENTADAS EM PROPORÇÃO.

- CONVERSE COM OS COLEGAS SOBRE MAIS ESTAS QUESTÕES.

   A) EM QUAIS SITUAÇÕES DO DIA A DIA USAMOS NÚMEROS? CITE PELO MENOS 2 EXEMPLOS.

   B) VOCÊ SABE LER OS NÚMEROS ABAIXO, NESTA ORDEM?

   | 1 | 2 | 3 | 4 | 5 | 6 | 7 | 8 | 9 | 10 |

   C) QUAL PROFISSÃO VOCÊ CONHECE QUE USA MUITO OS NÚMEROS?

   D) EM QUAL DOS VASOS AO LADO HÁ MAIS FLORES?

VASOS COM FLORES.

QUANTIDADES

1 JOGO DE TRILHA

LAURA E PEDRO ESTÃO JOGANDO TRILHA.

NA PRIMEIRA JOGADA, LAURA LANÇOU O DADO, QUE FICOU ASSIM:

PARA CADA PONTO OBTIDO NA FACE DE CIMA DO DADO, , LAURA AVANÇOU UMA CASA NA TRILHA. AS CASAS PINTADAS NA TRILHA INDICAM AS CASAS QUE ELA AVANÇOU NESSA JOGADA.

VEJA AGORA COMO FICOU O DADO NO PRIMEIRO LANÇAMENTO DE PEDRO.

A) PINTE AS CASAS QUE PEDRO AVANÇOU NA TRILHA NESSA RODADA.

B) LAURA E PEDRO AVANÇARAM A MESMA QUANTIDADE DE CASAS NA TRILHA?

☐ SIM.   ☐ NÃO.

C) ATIVIDADE ORAL EM GRUPO COMO VOCÊ PERCEBEU SE LAURA E PEDRO AVANÇARAM A MESMA QUANTIDADE DE CASAS? CONVERSE COM OS COLEGAS.

D) ATIVIDADE EM DUPLA AGORA, COM A AJUDA DE UM ADULTO, DESTAQUEM E MONTEM O DADO, OS PEÕES E A TRILHA DAS PÁGINAS 5 A 10 DO **ÁPIS DIVERTIDO**. CONVIDE UM COLEGA PARA O JOGO DE TRILHA. AS REGRAS DO JOGO SERÃO DADAS PELO PROFESSOR.

2 CAROL FEZ UMA FILEIRA DE CAIXAS COM CARRINHOS.
ANDRÉ FEZ UMA FILEIRA DE CAIXAS COM BOLAS.

A) LIGUE AS CAIXAS QUE TÊM A **MESMA QUANTIDADE** DE OBJETOS.

B) CONTORNE A CAIXA COM CARRINHOS QUE SOBROU.

C) DESENHE NA CAIXA AO LADO A QUANTIDADE DE BOLAS CORRESPONDENTE AOS CARRINHOS DA CAIXA QUE SOBROU.

3 QUANTIDADES E GRÁFICO

AS IMAGENS NÃO ESTÃO REPRESENTADAS EM PROPORÇÃO.

AS CRIANÇAS FORAM AO PARQUE E TIRARAM FOTOS.

A) OBSERVE AS FOTOS E PINTE OS QUADRINHOS NO GRÁFICO. PINTE UM QUADRINHO PARA CADA CRIANÇA QUE APARECE EM CADA FOTO.

CRIANÇAS NO PARQUE

FOTO							
A	☐	☐	☐	☐	☐	☐	☐
B	☐	☐	☐	☐	☐	☐	☐
C	☐	☐	☐	☐	☐	☐	☐
D	☐	☐	☐	☐	☐	☐	☐
E	☐	☐	☐	☐	☐	☐	☐
F	☐	☐	☐	☐	☐	☐	☐

QUANTIDADE DE CRIANÇAS

GRÁFICO ELABORADO PARA FINS DIDÁTICOS.

B) AGORA, COMPLETE. A FOTO COM MAIS CRIANÇAS É A FOTO _____.

A FOTO COM MENOS CRIANÇAS É A FOTO _____.

REPRESENTAÇÃO DE QUANTIDADES

HÁ MUITO TEMPO, OS PASTORES USAVAM PEDRINHAS PARA REPRESENTAR A QUANTIDADE DE OVELHAS QUE ELES TINHAM. PARA CADA OVELHA QUE SE AFASTAVA, O PASTOR COLOCAVA UMA PEDRINHA NA CESTA. QUANDO CADA OVELHA RETORNAVA, ELE TIRAVA DA CESTA UMA PEDRINHA. NO FINAL DO DIA, SE SOBRASSEM PEDRINHAS NA CESTA, ERA SINAL DE QUE FALTAVAM OVELHAS.

OUTRAS FORMAS DE REPRESENTAÇÃO DE QUANTIDADES TAMBÉM FORAM USADAS. OBSERVE.

AS IMAGENS NÃO ESTÃO REPRESENTADAS EM PROPORÇÃO.

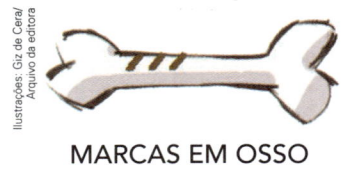
MARCAS EM OSSO (OU EM MADEIRA).

GRAVETOS.

NÓS EM CORDA.

1 CONTORNE AS REPRESENTAÇÕES AO LADO QUE INDICAM A QUANTIDADE DE OVELHAS NA CENA ACIMA.

2 AGORA, CRIE MAIS UMA FORMA DE REPRESENTAR ESSA QUANTIDADE E INDIQUE NO QUADRO AO LADO.

3 OS NÚMEROS APARECEM EM MUITOS LUGARES E EM MUITAS SITUAÇÕES. OBSERVE A CENA ABAIXO.

A) CONTORNE NESTA CENA UM NÚMERO QUE VOCÊ SABE O QUE SIGNIFICA.

B) ATIVIDADE ORAL EM GRUPO TROQUE IDEIAS COM OS COLEGAS SOBRE OS NÚMEROS QUE CADA UM CONTORNOU.

NÚMEROS ATÉ 6

AS IMAGENS NÃO ESTÃO REPRESENTADAS EM PROPORÇÃO.

CRIANÇA EMPINANDO PIPA.

1 UM

CRIANÇAS BRINCANDO NA AREIA.

2 DOIS

1 COPIE O TRAÇADO DOS NÚMEROS UM (1) E DOIS (2).

2 QUANTOS BRINQUEDOS HÁ EM CADA QUADRO? ESCREVA O NÚMERO NO QUADRINHO.

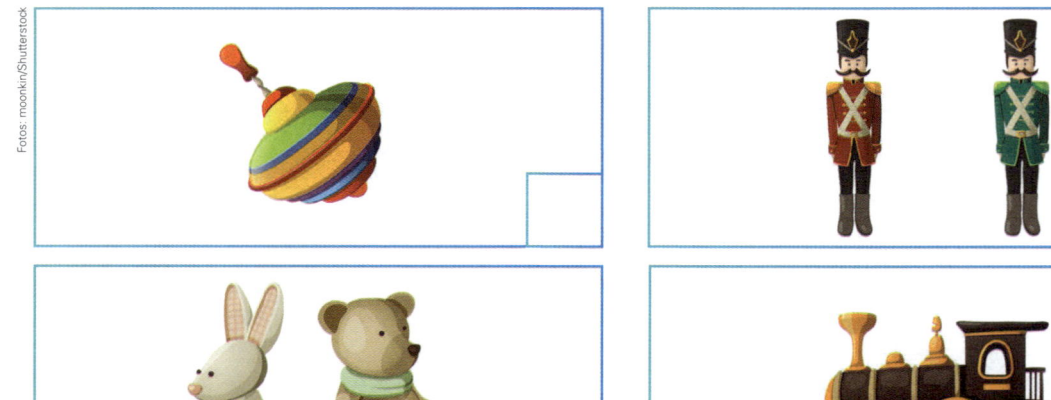

3 **ATIVIDADE ORAL EM GRUPO** OBSERVE SEU CORPO. CONVERSE COM OS COLEGAS SOBRE O QUE VOCÊ OBSERVOU. DEPOIS, REGISTRE UM EXEMPLO DO QUE CADA UM TEM NESSAS QUANTIDADES.

A) 1 (UM OU UMA) _____.

B) 2 (DOIS OU DUAS) _____.

FILHOTES DE TIGRE SIBERIANO.

TRÊS

DIGA TRÊS VEZES, SEM TOMAR FÔLEGO E SEM TROPEÇAR: "TRÊS PRATOS DE TRIGO PARA TRÊS TIGRES TRISTES".

UNIDADE 2

1 COPIE O TRAÇADO DO NÚMERO TRÊS (3).

3 . . . .

2 QUANTOS ANOS? COMPLETE DESENHANDO AS VELINHAS E ESCREVENDO OS NÚMEROS.

AS IMAGENS NÃO ESTÃO REPRESENTADAS EM PROPORÇÃO.

☐   2   ☐

_____   _____   TRÊS.

3 QUANTOS DEDOS A MENINA ESTÁ MOSTRANDO? ESCREVA OS NÚMEROS.

NA MÃO ESQUERDA: _____ DEDOS.

NA MÃO DIREITA: _____ DEDO.

NAS 2 MÃOS JUNTAS: _____ DEDOS.

QUARENTA E CINCO

4 QUEM TEM MEDO DO LOBO MAU?

OS PORQUINHOS CONSTRUÍRAM AS CASAS DELES NO MEIO DA FLORESTA.

OBSERVE A IMAGEM E RESPONDA ESCREVENDO NÚMEROS.

A) HÁ QUANTOS PORQUINHOS NA IMAGEM? _____ PORQUINHOS.

B) E QUANTOS PÁSSAROS? _____ PÁSSAROS.

C) QUANTOS LOBOS? _____ LOBO.

D) QUANTAS CASAS? _____ CASAS.

AS IMAGENS NÃO ESTÃO REPRESENTADAS EM PROPORÇÃO.

5 É HORA DO LANCHE!

OBSERVE A CENA, FAÇA DESENHOS E ESCREVA NÚMEROS.

A) QUANTAS CRIANÇAS APARECEM NESTA CENA? _____ CRIANÇAS.

B) DESENHE 1 DELICIOSA FRUTA PARA CADA CRIANÇA.

C) QUANTAS FRUTAS VOCÊ DESENHOU? _____ FRUTAS.

6 DESAFIO

ATIVIDADE ORAL EM GRUPO OBSERVE COMO COMEÇOU A SEQUÊNCIA DE CORES. DESCUBRA UM PADRÃO (OU UMA REGULARIDADE) E CONTINUE PINTANDO USANDO O MESMO PADRÃO. DEPOIS, CONTE PARA OS COLEGAS QUAL PADRÃO (OU REGULARIDADE) VOCÊ DESCOBRIU.

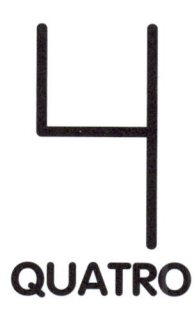

QUATRO PERNAS DA CADEIRA
QUATRO PATAS DO CAVALO
QUATRO LADOS DE UMA MESA
QUATRO CANTOS DO GALO

1 COPIE O TRAÇADO DO NÚMERO QUATRO (4).

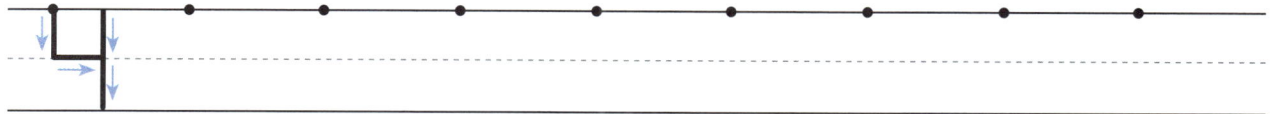

2 CONTORNE OS GRUPOS DE 4 OBJETOS.

GRUPO DE LÁPIS.   GRUPO DE APONTADORES.

GRUPO DE CLIPES.   GRUPO DE BORRACHAS.

GRUPO DE RÉGUAS.

3 RESPONDA ESCREVENDO UM NÚMERO: QUANTOS GRUPOS VOCÊ CONTORNOU ACIMA? _____ GRUPOS.

4 FIGURAS GEOMÉTRICAS E NÚMEROS

CONTE E COMPLETE COM NÚMEROS.

A)

_____ PONTAS OU VÉRTICES.

_____ LADOS.

B)

_____ PONTAS OU VÉRTICES.

_____ LADOS.

5 VAMOS TIRAR UMA FOTO?

OBSERVE A IMAGEM E, DEPOIS, RESPONDA COM NÚMEROS.

UM, DOIS, TRÊS E QUATRO
ESTÁ PRONTO O SEU RETRATO

A) QUANTOS ADULTOS HÁ NA IMAGEM? _____ ADULTO.

B) QUANTAS CRIANÇAS TÊM O CABELO CURTO? _____ CRIANÇAS.

C) QUANTAS CRIANÇAS TÊM O CABELO COMPRIDO? _____ CRIANÇA.

D) QUANTAS CRIANÇAS HÁ NA IMAGEM? _____ CRIANÇAS.

6 VAMOS BRINCAR?

ATIVIDADE ORAL EM DUPLA DÊ A MÃO PARA UM COLEGA E CONTEM JUNTOS NO RITMO: 1, 2, 3, 4.

1, 2, 3, 4; 1, 2, 3, 4
DÊ A MÃO PARA O COLEGA
E CAMINHE LADO A LADO
O REGENTE DESSA HISTÓRIA
É A SOLA DO SAPATO
1, 2, 3, 4; 1, 2, 3, 4

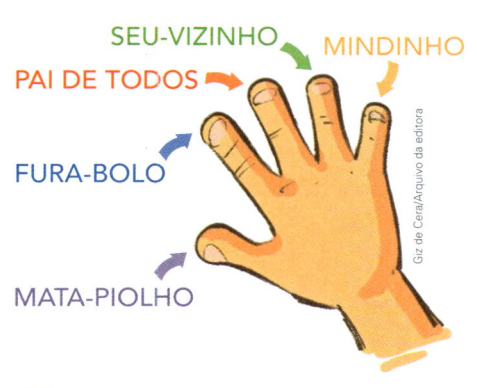 

CONTE AGORA, MEU AMIGO,
CONTE COM MUITA ATENÇÃO.
CINCO DEDOS DIFERENTES,
CINCO DEDOS EM UMA MÃO.

UNIDADE 2

1 COPIE O TRAÇADO DO NÚMERO CINCO (5).

2 QUANTOS ANIMAIS HÁ EM CADA GRUPO? ESCREVA O NÚMERO NO QUADRINHO.

QUARENTA E NOVE 49

3 DESLOCAMENTOS

O GATINHO VAI ATÉ O PRATO DE LEITE PELO CAMINHO VERDE.
O RATINHO VAI ATÉ O QUEIJO PELO CAMINHO AZUL.
COMPLETE ABAIXO PARA DESCREVER OS DESLOCAMENTOS
DO GATINHO E DO RATINHO.

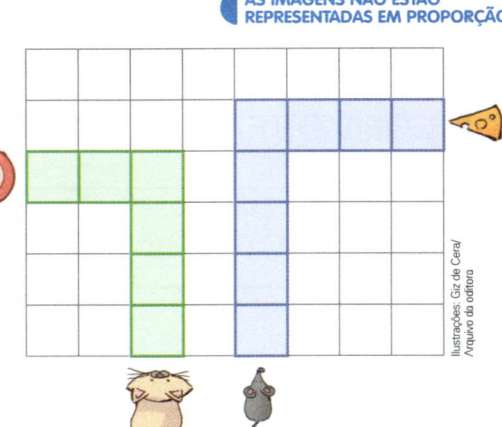

AS IMAGENS NÃO ESTÃO REPRESENTADAS EM PROPORÇÃO.

GATINHO
- ANDAR _____ QUADRADINHOS.
- VIRAR À _____
  E ANDAR _____ QUADRADINHOS.

RATINHO
- ANDAR _____ QUADRADINHOS.
- VIRAR À _____
  E ANDAR _____ QUADRADINHOS.

4 CUBINHOS COLORIDOS E NÚMEROS

A) AJUDE ANA A PINTAR OS CUBINHOS.
EM CADA CONSTRUÇÃO, PINTE DE VERDE 5 CUBINHOS
E DE AMARELO OS CUBINHOS QUE SOBRARAM.

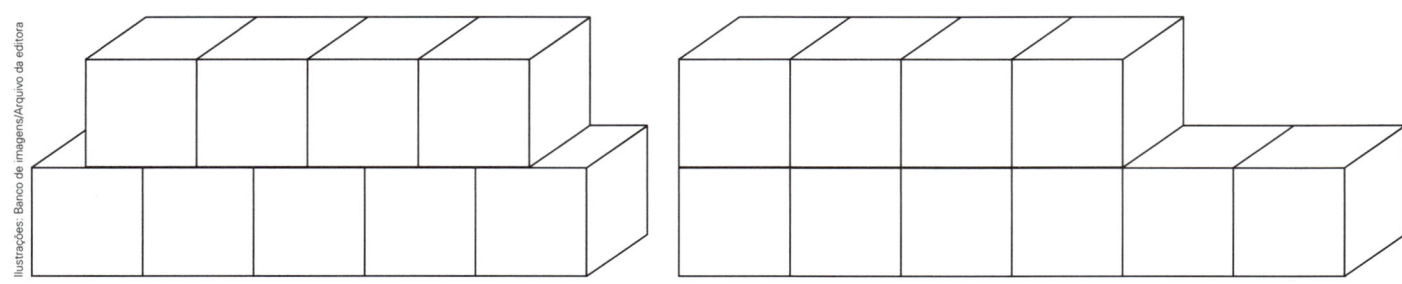

B) CONTORNE A CONSTRUÇÃO QUE TEM 5 CUBINHOS AMARELOS.

C) AGORA, OBSERVE A CONSTRUÇÃO QUE VOCÊ **NÃO** CONTORNOU.
COMPLETE: NESSA CONSTRUÇÃO HÁ _____ CUBINHOS EM CIMA
E _____ CUBINHOS EMBAIXO.

5 PESQUISA, GRÁFICOS E NÚMEROS

A) ASSINALE COM UM **X** QUAL DESTAS 5 CORES VOCÊ PREFERE.

B) OS ALUNOS DA TURMA DE IVO TAMBÉM FORAM CONSULTADOS. OS RESULTADOS FORAM REGISTRADOS EM UM GRÁFICO. MARQUE NAS ETIQUETAS DO GRÁFICO O NÚMERO DE VOTOS PARA CADA COR.

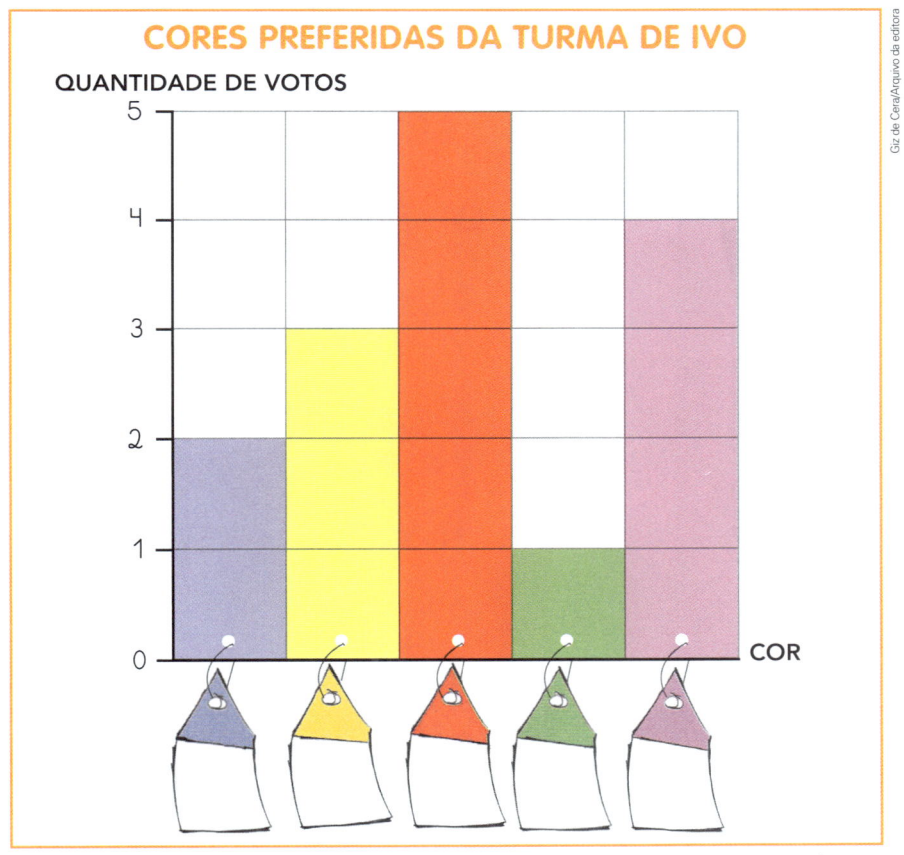

GRÁFICO ELABORADO PARA FINS DIDÁTICOS.

C) PINTE COM A COR MAIS VOTADA PELA TURMA DE IVO:

D) PINTE COM A COR MENOS VOTADA:

E) PINTE COM A COR QUE TEVE EXATAMENTE 3 VOTOS:

PRA DIZER QUE NÃO TENHO AS AMORAS QUE EU QUERO POSSO USAR AQUELE REDONDO, O TAL DO NÚMERO ZERO

1 COPIE O TRAÇADO DO NÚMERO ZERO (0).

2 ESCREVA O NÚMERO DE LÁPIS QUE HÁ EM CADA CAIXA. O PRIMEIRO NÚMERO JÁ ESTÁ ESCRITO.

AS IMAGENS NÃO ESTÃO REPRESENTADAS EM PROPORÇÃO.

1

3 CIDADANIA: RUAS LIMPAS, LIXO ZERO

A) ESCREVA O NÚMERO DE LATINHAS QUE VOCÊ VÊ FORA DO CESTO DE LIXO EM CADA CENA.

2 (DUAS.)   _____ (_____)   _____ (_____)

B) **ATIVIDADE ORAL EM GRUPO (TODA A TURMA)** CRIE UMA HISTÓRIA PARA ESSAS CENAS E CONTE PARA A TURMA.

4 ATENÇÃO! O FOGUETE VAI SUBIR!

COMPLETE.

CINCO (5)

   QUATRO (4)

      TRÊS (3)

         DOIS (_____)

           UM (_____)

              ZERO (_____)!

AS IMAGENS NÃO ESTÃO REPRESENTADAS EM PROPORÇÃO.

5 É HORA DE DESENHAR BOLINHAS COLORIDAS NOS VIDROS!

EM CADA VIDRO, DESENHE BOLINHAS NA QUANTIDADE INDICADA. AS CORES VOCÊ ESCOLHE.

3 (TRÊS.)   5 (CINCO.)   0 (ZERO.)   4 (QUATRO.)

6 ATIVIDADE ORAL VOCÊ JÁ OUVIU FALAR EM "ZERO HORA"? SABE O QUE É ISSO? POR QUE É CHAMADA ASSIM?

UM, DOIS, TRÊS, QUATRO, CINCO, SEIS, O QUE TEM DE DIFERENTE NO ALMANAQUE DO CHINÊS?

AS IMAGENS NÃO ESTÃO REPRESENTADAS EM PROPORÇÃO.

1 COPIE O TRAÇADO DO NÚMERO SEIS (6).

2 QUANTOS  HÁ EM CADA CENA? ESCREVA O NÚMERO.

3 ESTIMATIVA

A) ANA TEM 6 FLORES E 2 VASOS.
ELA VAI COLOCAR A MESMA QUANTIDADE DE FLORES EM CADA VASO. QUANTAS FLORES VOCÊ ACHA QUE FICARÃO

EM CADA VASO? _____ FLORES.

B) DESENHE AS FLORES, CONTE, CONFIRA SUA ESTIMATIVA E REGISTRE.

☐ ACERTEI.   ☐ ERREI.

VASOS.

BRINCANDO TAMBÉM APRENDO

JOGO PARA 2 PARTICIPANTES.

JOGO DE PALITINHOS

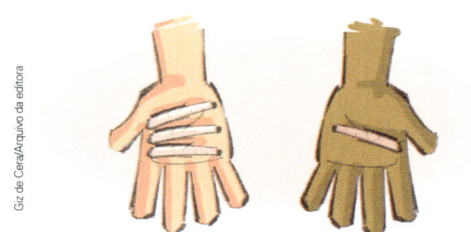

MATERIAL
- 6 PALITOS (3 PARA CADA JOGADOR)

AS IMAGENS NÃO ESTÃO REPRESENTADAS EM PROPORÇÃO.

TOTAL DE PALITOS NESTA JOGADA: 4

CADA JOGADOR PODE ESCONDER NA MÃO FECHADA 1, 2 OU 3 PALITOS, OU ENTÃO MANTER A MÃO VAZIA (0 PALITO).

ENTÃO, CADA JOGADOR TENTA ADIVINHAR QUANTOS PALITOS HÁ NAS MÃOS DOS 2 JOGADORES JUNTOS.

EM SEGUIDA, OS 2 JOGADORES ABREM AS MÃOS E CONFEREM OS PALITOS. QUEM ACERTAR A QUANTIDADE DE PALITOS MARCA 1 PONTO, COLOCANDO UM **X** NA TABELA.

O PRIMEIRO QUE MARCAR **X** NA TABELA 5 VEZES SERÁ O VENCEDOR. VEJA UM EXEMPLO DE JOGADA.

TABELA DE PONTUAÇÃO

NOME	MARCA				

TABELA ELABORADA PARA FINS DIDÁTICOS.

VENCEDOR: _____

NÚMEROS ATÉ 10

VEJA QUANTOS CACHORRINHOS!
A DONA DELES É A BETE
TODOS SÃO DA MESMA RAÇA
E O NÚMERO DELES É SETE

CACHORROS DA RAÇA LULU-DA-POMERÂNIA.

AS IMAGENS NÃO ESTÃO REPRESENTADAS EM PROPORÇÃO.

1 COPIE O TRAÇADO DO NÚMERO SETE (7).

2 PINTE APENAS 7 PORQUINHOS.

3 VOCÊ SABIA QUE AS CORES DO ARCO-ÍRIS SÃO VERMELHO, LARANJA, AMARELO, VERDE, AZUL-CLARO, AZUL-ESCURO E VIOLETA?

A) TERMINE DE PINTAR ESTE ARCO-ÍRIS.

B) QUANTAS CORES O ARCO-ÍRIS TEM? _____ CORES.

4 EU VOU, EU VOU, PRA CASA AGORA EU VOU...

A) COMPLETE: ESTA CENA É DE UMA HISTÓRIA INFANTIL CHAMADA

BRANCA DE NEVE E OS _____ ANÕES.

B) QUANTOS PASSARINHOS HÁ NA CENA? _____ PASSARINHOS.

C) DESENHE MAIS PASSARINHOS NA CENA ATÉ COMPLETAR 1 PASSARINHO PARA CADA ANÃO.

D) QUANTOS PASSARINHOS VOCÊ DESENHOU? _____ PASSARINHOS.

E) ESCREVA QUANTAS LETRAS O NOME DE CADA ANÃO DESSA HISTÓRIA TEM.

AS IMAGENS NÃO ESTÃO REPRESENTADAS EM PROPORÇÃO.

MESTRE.
 6

SONECA.

DENGOSO.

DUNGA.

ZANGADO.

FELIZ.

ATCHIM.

OITO, OITO, OITO, OITO
VEM O SOM LÁ DA LAGOA
OITO SAPOS, OITO PATOS
NADAM JUNTOS NUMA BOA

AS IMAGENS NÃO ESTÃO REPRESENTADAS EM PROPORÇÃO.

1 COPIE O TRAÇADO DO NÚMERO OITO (8).

2 QUANTAS FRUTAS HÁ EM CADA CAIXA? ESCREVA O NÚMERO.

3 VAMOS DESENHAR?

VOCÊ ESCOLHE O QUE VAI DESENHAR, MAS A QUANTIDADE DEVE SER 8 (OITO).

4 SEQUÊNCIAS E NÚMEROS

A) COMECE DO ZERO (0) E COMPLETE A SEQUÊNCIA DE 1 EM 1 ATÉ CHEGAR AO OITO (8).

| 0 | 1 | | | | | | | |

B) AGORA, FAÇA O CAMINHO INVERSO (DO 8 AO 0).

| 8 | | | | | | | | |

5 VAMOS BRINCAR DE DESCOBRIR AS DIFERENÇAS NESTAS CENAS?

A) DESCUBRA E CONTORNE AS 8 DIFERENÇAS.

B) ATIVIDADE ORAL CONFIRA COM OS COLEGAS SE TODOS DESCOBRIRAM AS 8 DIFERENÇAS.

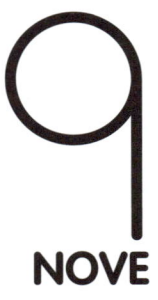

QUANTAS VOZES?
NOVE VOZES.
QUANTAS VEZES?
NOVE VEZES.

1 COPIE O TRAÇADO DO NÚMERO NOVE (9).

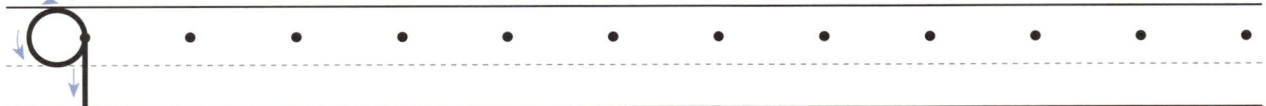

2 OBSERVE AS CRIANÇAS NOS BALANÇOS DO PARQUE E ESCREVA OS NÚMEROS.

AS IMAGENS NÃO ESTÃO REPRESENTADAS EM PROPORÇÃO.

A) QUANTOS BALANÇOS HÁ NA CENA? _____ BALANÇOS.

B) QUANTAS CRIANÇAS HÁ PARA CADA BALANÇO? _____ CRIANÇAS.

C) ENTÃO, QUANTAS CRIANÇAS HÁ NO TOTAL? _____ CRIANÇAS.

3 ESCOLHA UM ANIMAL OU UM OBJETO. DESENHE-O 9 VEZES NO ESPAÇO AO LADO.

4 ESCREVA AS SEQUÊNCIAS (DO 0 AO 9 E DEPOIS DO 9 AO 0).

A) ☐ ☐ ☐ ☐ ☐ ☐ ☐ ☐ ☐ ☐

B) ☐ ☐ ☐ ☐ ☐ ☐ ☐ ☐ ☐ ☐

5 PESQUISA E GRÁFICO

ATIVIDADE EM DUPLA

AS IMAGENS NÃO ESTÃO REPRESENTADAS EM PROPORÇÃO.

A) ESCOLHAM 9 PESSOAS QUE NÃO SEJAM DE SUA TURMA E FAÇAM UMA PESQUISA.

PERGUNTEM A CADA PESSOA DE QUAL DESTAS FRUTAS ELA MAIS GOSTA. MARQUEM OS VOTOS EM UMA FOLHA, DA MANEIRA QUE PREFERIREM.

● CAJU.   ● BANANA.   ● GOIABA.   ● ABACAXI.

B) AGORA, PINTEM NO GRÁFICO 1 QUADRINHO PARA CADA VOTO. USEM AS CORES DAS LEGENDAS ACIMA.

FRUTAS PREFERIDAS

GRÁFICO ELABORADO PARA FINS DIDÁTICOS.

C) RESPONDA: QUAL FOI A FRUTA MAIS VOTADA? _____

D) QUANTOS VOTOS ELA TEVE? _____ VOTOS.

E) QUANTAS PESSOAS DISSERAM GOSTAR MAIS DE CAJU?
_____ PESSOAS.

TECENDO SABERES

AS IMAGENS NÃO ESTÃO REPRESENTADAS EM PROPORÇÃO.

CIDADANIA

1 OBSERVE TODAS AS CENAS COM BASTANTE ATENÇÃO. PENSE NAS **ATITUDES** QUE ESTÃO SENDO RETRATADAS.

A) **ATIVIDADE ORAL** VOCÊ JÁ VIU CENAS PARECIDAS COM AS DA PÁGINA AO LADO?

B) QUAIS CENAS MOSTRAM ATITUDES QUE DEVEMOS PRATICAR? ASSINALE-AS.

C) QUANTAS CENAS VOCÊ ASSINALOU? _____ CENAS.

D) **ATIVIDADE ORAL EM GRUPO (TODA A TURMA)** OS COLEGAS ASSINALARAM AS MESMAS CENAS QUE VOCÊ? CONVERSE COM ELES SOBRE O QUE CADA CENA REPRESENTA E, JUNTOS, JUSTIFIQUEM AS CENAS ASSINALADAS.

2 **ATIVIDADE ORAL EM GRUPO (TODA A TURMA)** CONTE PARA OS COLEGAS SOBRE SUAS ATITUDES **NO TRÂNSITO**.

A) VOCÊ TEM O HÁBITO DE ATRAVESSAR NA FAIXA DE PEDESTRES?

B) VOCÊ COSTUMA ANDAR DE BICICLETA? SE SIM, NORMALMENTE UTILIZA OS EQUIPAMENTOS DE SEGURANÇA?

C) E QUANDO ANDA DE CARRO, VOCÊ SEMPRE SENTA NO BANCO DE TRÁS E UTILIZA O CINTO DE SEGURANÇA?

D) O QUE PODE ACONTECER QUANDO DESRESPEITAMOS ESSAS REGRAS BÁSICAS DE TRÂNSITO?

3 OBSERVE:

Pablo Prat/Shutterstock

A) ESSA IMAGEM BUSCA TRANSMITIR UMA MENSAGEM? SE SIM, QUAL?

B) QUAIS ELEMENTOS FORAM UTILIZADOS PARA "ESCREVER" ESSA MENSAGEM?

C) VOCÊ COMPREENDEU FACILMENTE O QUE ESSA MENSAGEM QUERIA DIZER?

D) AGORA É A SUA VEZ! UTILIZE A MESMA LINGUAGEM DO EXEMPLO PARA CRIAR UM "RECADO" SOBRE OS CUIDADOS NO TRÂNSITO. EM SEGUIDA, COMPARTILHE COM OS COLEGAS E O PROFESSOR.

10 DEZ

AGORA VOU APRENDER
A CONTAR DE ZERO A DEZ
TENHO DEZ DEDOS NAS MÃOS
E TAMBÉM DEZ DEDOS NOS PÉS

1 COPIE O TRAÇADO DO NÚMERO DEZ (10).

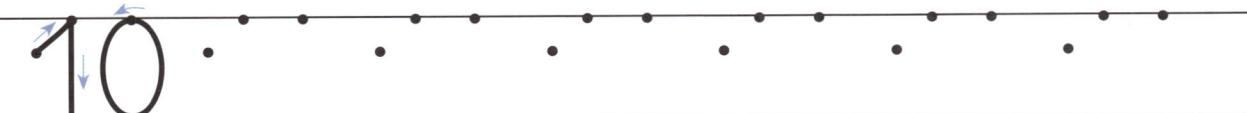

2 OBSERVE OS BALÕES DA FESTA DE MARINA.

AS IMAGENS NÃO ESTÃO REPRESENTADAS EM PROPORÇÃO.

BALÕES.

COMPLETE COM NÚMEROS.

BALÕES AZUIS: _____ BALÕES.

BALÕES VERDES: _____ BALÕES.

BALÕES ROSA: _____ BALÕES.

TOTAL DE BALÕES: _____ BALÕES.

3 **DISTRIBUINDO CARRINHOS**

A) BETO TINHA 10 CARRINHOS. ELE COLOCOU 6 CARRINHOS NO SAQUINHO DA ESQUERDA. DESENHE.

B) BETO COLOCOU O RESTANTE DOS CARRINHOS NO SAQUINHO DA DIREITA. QUANTOS CARRINHOS ELE COLOCOU NO SAQUINHO DA DIREITA? _____ CARRINHOS.

C) DESENHE OS CARRINHOS NO SAQUINHO DA DIREITA.

D) REGISTRE O NÚMERO DE CARRINHOS.

SAQUINHO DA ESQUERDA: _____ CARRINHOS.

SAQUINHO DA DIREITA: _____ CARRINHOS.

NO TOTAL: _____ CARRINHOS.

SESSENTA E QUATRO

4 ESCREVA A SEQUÊNCIA DOS NÚMEROS DE 0 A 10.

5 VAMOS CANTAR?

AS IMAGENS NÃO ESTÃO REPRESENTADAS EM PROPORÇÃO.

UM, DOIS, TRÊS INDIOZINHOS
QUATRO, CINCO, SEIS INDIOZINHOS
SETE, OITO, NOVE INDIOZINHOS
DEZ NUM PEQUENO BOTE

FORAM NAVEGANDO PELO RIO ABAIXO
QUANDO UM JACARÉ SE APROXIMOU
E O PEQUENO BOTE DOS INDIOZINHOS
QUASE, QUASE VIROU
MAS NÃO VIROU!

CANTIGA POPULAR.

A) COMPLETE COM NÚMEROS.

_____, _____, _____ INDIOZINHOS

_____, _____, _____ INDIOZINHOS

_____, _____, _____ INDIOZINHOS

_____ NUM PEQUENO BOTE

B) QUANTAS LETRAS HÁ NA PALAVRA

JACARÉ? _____ LETRAS.

C) DESENHE 10 PEIXINHOS NO RIO DA CENA AO LADO.

6 TABELA E REGISTRO

O PAI DE RAFAEL FAZ PICOLÉS COM SUCOS DE FRUTAS. OBSERVE A TABELA ABAIXO E DESCUBRA QUANTOS PICOLÉS ELE FEZ DE CADA SABOR E NO TOTAL. CADA TRACINHO CORRESPONDE A 1 PICOLÉ.

PICOLÉS COM SUCOS DE FRUTAS

FRUTA	REGISTRO COM TRACINHOS	REGISTRO COM NÚMEROS
MORANGO	I I I	_____
UVA	I I I I I	_____
ABACAXI	I I	_____

TABELA ELABORADA PARA FINS DIDÁTICOS.

A) REGISTRE NA TABELA O NÚMERO DE PICOLÉS DE CADA FRUTA.

B) DE QUAL FRUTA O PAI DE RAFAEL FEZ MAIS PICOLÉS? _____

C) DE QUAL FRUTA ELE FEZ MENOS PICOLÉS? _____

D) ESCREVA O NÚMERO TOTAL DE PICOLÉS QUE O PAI DE RAFAEL FEZ.

_____ PICOLÉS.

7 PESQUISA, TABELA E REGISTRO

A) ESCOLHA 10 PESSOAS E FAÇA COM ELAS UMA PESQUISA COM A PERGUNTA A SEGUIR. ANOTE AS RESPOSTAS EM UMA FOLHA.

> QUAL DESTES SABORES DE SUCO VOCÊ PREFERE: LARANJA, UVA, MORANGO OU ABACAXI?

B) AGORA, REGISTRE AS RESPOSTAS DA PESQUISA NESTA TABELA.

SUCOS FAVORITOS

SABOR	REGISTRO COM TRACINHOS	REGISTRO COM NÚMEROS
LARANJA		
UVA		
MORANGO		
ABACAXI		

TABELA ELABORADA PARA FINS DIDÁTICOS.

BRINCANDO TAMBÉM APRENDO

TRAVA-LÍNGUAS

AS IMAGENS NÃO ESTÃO REPRESENTADAS EM PROPORÇÃO.

INICIALMENTE TODOS OS ALUNOS COMPLETAM COM O NÚMERO DE IMAGENS EM CADA QUADRO.

DEPOIS, DEVEM LER, SEM ERRAR NEM TRAVAR NA LEITURA.

_____ QUEIJOS.

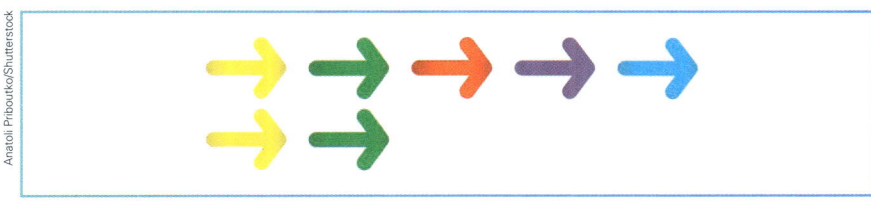

_____ SETAS.

_____ CIRCOS.

_____ TRONOS.

_____ NOTAS.

_____ SELOS.

NÚMEROS E MEDIDAS

AS IMAGENS NÃO ESTÃO REPRESENTADAS EM PROPORÇÃO.

1 **MEDIDA DE COMPRIMENTO**

OBSERVE E RESPONDA COM OS NÚMEROS.

A) A MEDIDA DE DISTÂNCIA ENTRE AS 2 ÁRVORES CORRESPONDE A QUANTOS PASSOS DE RUI? _____ PASSOS.

B) A MEDIDA DE COMPRIMENTO DA LATERAL DA MESA CORRESPONDE A QUANTOS PALMOS DE MÍRIAM? _____ PALMOS.

C) A MEDIDA DE DISTÂNCIA ENTRE OS 2 VASOS CORRESPONDE A QUANTOS PÉS DE LAURA? _____ PÉS.

2 MEDIDA DE INTERVALO DE TEMPO

O PRIMEIRO RELÓGIO ABAIXO ESTÁ INDICANDO 3 HORAS PORQUE O PONTEIRO MENOR ESTÁ NO NÚMERO 3 E O PONTEIRO MAIOR ESTÁ NO NÚMERO 12. O PONTEIRO MENOR DE UM RELÓGIO INDICA AS HORAS. ENTÃO, QUAL HORÁRIO OS OUTROS RELÓGIOS ESTÃO INDICANDO?

3 HORAS. _____ HORAS. _____ HORAS. _____ HORAS.

3 MEDIDA DE MASSA ("PESO")

AS IMAGENS NÃO ESTÃO REPRESENTADAS EM PROPORÇÃO.

A) ATIVIDADE ORAL EM GRUPO OS PRATOS NESTA BALANÇA ESTÃO EQUILIBRADOS. CONVERSE COM OS COLEGAS SOBRE O QUE ISSO SIGNIFICA E, DEPOIS, COMPLETE COM NÚMEROS.

O "PESO" DE _____ LARANJAS É IGUAL AO "PESO" DE _____ LIMÕES.

B) AGORA, PENSE, CALCULE E COMPLETE: O "PESO" DE 4 LARANJAS É IGUAL AO "PESO" DE _____ LIMÕES.

4 MEDIDA DE CAPACIDADE

ATIVIDADE ORAL EM GRUPO A ÁGUA DE COCO QUE CABE EM 1 GARRAFA DÁ PARA ENCHER EXATAMENTE 4 COPOS QUE ANA TEM NA CASA ONDE MORA. PENSE, CONVERSE COM OS COLEGAS E RESOLVA O PROBLEMA A SEGUIR.

ANA COMPROU 2 DESSAS GARRAFAS DE ÁGUA DE COCO. ELA E AS AMIGAS TOMARAM 5 COPOS. ENTÃO, QUANTOS COPOS ELAS PODEM ENCHER COM A ÁGUA DE COCO QUE SOBROU? _____ COPOS.

5 MARINA MEDIU O COMPRIMENTO DE ALGUNS LÁPIS USANDO CLIPES.

A) ESCREVA QUANTOS CLIPES ELA USOU EM CADA LÁPIS.

AS IMAGENS NÃO ESTÃO REPRESENTADAS EM PROPORÇÃO.

_____ CLIPES.   _____ CLIPES.   _____ CLIPES.

B) OBSERVE A MEDIDA DE COMPRIMENTO DOS 3 LÁPIS. ESCREVA A COR DOS LÁPIS DE ACORDO COM ESSAS MEDIDAS.

_____   _____   _____

LÁPIS MAIS CURTO.   LÁPIS MAIS COMPRIDO.

6 **FAÇA DO SEU JEITO!**

A) OBSERVE AS BANDEJAS COM COPOS IGUAIS, CHEIOS DE ÁGUA. ESCREVA QUANTOS COPOS CADA BANDEJA TEM.

BANDEJA **A**.   BANDEJA **B**.   BANDEJA **C**.

_____ COPOS.   _____ COPOS.   _____ COPOS.

B) AGORA, CALCULE E ESCREVA COM QUANTOS COPOS DE ÁGUA FICARÁ UM RECIPIENTE, INICIALMENTE VAZIO, SE DESPEJARMOS NELE A ÁGUA DOS COPOS DAS BANDEJAS.

- COPOS DAS BANDEJAS **A** E **B**: _____ COPOS.
- COPOS DAS BANDEJAS **A** E **C**: _____ COPOS.
- COPOS DAS BANDEJAS **B** E **C**: _____ COPOS.
- COPOS DAS BANDEJAS **A**, **B** E **C**: _____ COPOS.

VAMOS VER DE NOVO?

1 VEJA O GRÁFICO SOBRE A PREFERÊNCIA DE TIPOS DE LIVRO.

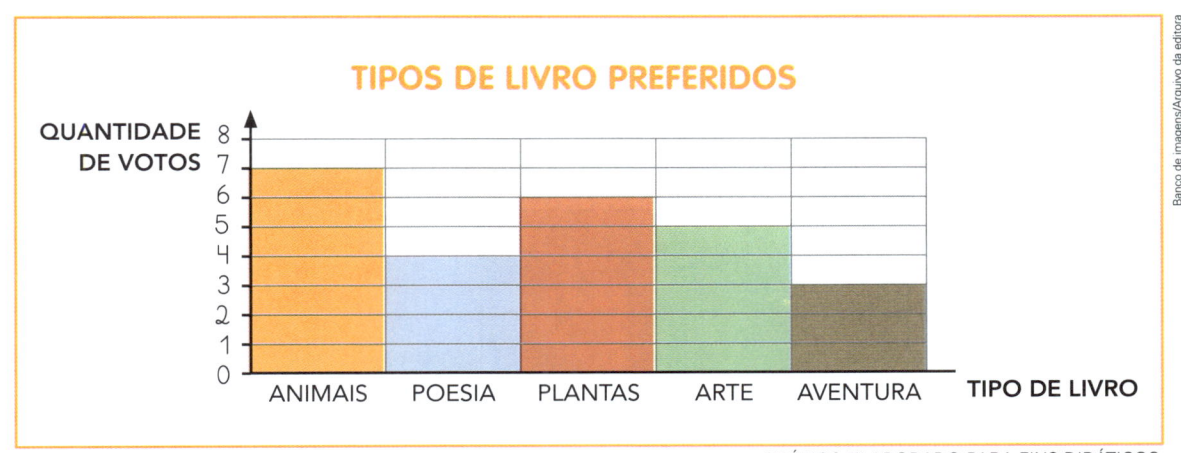

GRÁFICO ELABORADO PARA FINS DIDÁTICOS.

A) QUAL TIPO DE LIVRO FOI O MAIS ESCOLHIDO? _____

B) COMPLETE: OS LIVROS SOBRE PLANTAS RECEBERAM _____ VOTOS.

2 DESENHE PARA QUE FIQUEM 10 BALÕES. DEPOIS, COMPLETE AS FRASES.

HAVIA _____ BALÕES.

FORAM DESENHADOS _____ BALÕES.

FICARAM _____ BALÕES NO TOTAL.

3 OUÇA A LEITURA DO PROFESSOR E ESCREVA O NÚMERO CORRESPONDENTE.

AS IMAGENS NÃO ESTÃO REPRESENTADAS EM PROPORÇÃO.

CARRINHO.   GALINHA.

A) RODAS NO CARRINHO AO LADO: _____ RODAS.

B) JOGADORES EM UM TIME DE BASQUETE: _____ JOGADORES.

C) LETRAS NA PALAVRA **MATEMÁTICA**: _____ LETRAS.

D) PÉS EM UMA GALINHA: _____ PÉS.

4 RECORTE DE UMA REVISTA E COLE ABAIXO UMA PALAVRA DE 8 LETRAS.

5 **É HORA DE DESENHAR E PINTAR!**

◖ AS IMAGENS NÃO ESTÃO REPRESENTADAS EM PROPORÇÃO.

A) DESENHE UMA CASA AMARELA MAIS ALTA DO QUE A CASA AZUL. EM SEGUIDA, DESENHE UMA CASA VERMELHA MAIS BAIXA DO QUE A CASA AZUL.

B) DESENHE UMA ÁRVORE VERDE ENTRE A ÁRVORE AMARELA E A ÁRVORE VERMELHA.

C) DESENHE 1 BOLA ROSA E 1 BOLA AZUL. A BOLA ROSA DEVE ESTAR MAIS PERTO DO MENINO DO QUE A BOLA AZUL.

D) DESENHE NO QUADRO 2 CAIXINHAS: 1 VERDE E 1 AZUL. A CAIXINHA VERDE DEVE ESTAR EM CIMA DA CAIXINHA AZUL.

O QUE ESTUDAMOS

AS IMAGENS NÃO ESTÃO REPRESENTADAS EM PROPORÇÃO.

OBSERVAMOS QUE OS NÚMEROS ESTÃO PRESENTES EM MUITAS SITUAÇÕES DO DIA A DIA.

VIMOS COMO CONTAR, LER E ESCREVER OS NÚMEROS DE 0 A 10.

REPRESENTAMOS UM MESMO NÚMERO DE VÁRIAS MANEIRAS DIFERENTES.

A SEMANA TEM 7 DIAS.

UTILIZAMOS OS NÚMEROS EM ATIVIDADES RELACIONADAS A FIGURAS GEOMÉTRICAS, MEDIDAS, ESTATÍSTICAS, JOGOS, ENTRE OUTRAS.

- DO QUE VOCÊ MAIS GOSTOU NESTA UNIDADE?
- VOCÊ CONSEGUIU FAZER TODAS AS ATIVIDADES?
- VOCÊ DEMOROU MAIS TEMPO EM ALGUMA ATIVIDADE?
- VOCÊ TIROU SUAS DÚVIDAS COM O PROFESSOR?

UNIDADE 3
A ORDEM DOS NÚMEROS

HÁ MAIS PEIXES VERMELHOS DO QUE AMARELOS, POIS 6 É MAIOR DO QUE 3.

TÚNEL VIAGEM AO FUNDO DO MAR

- O QUE VOCÊ VÊ NESTA CENA?
- VOCÊ JÁ VISITOU UM LUGAR COMO ESTE?
- DE QUAIS CORES SÃO OS PEIXINHOS NOS AQUÁRIOS?

DA ESQUERDA PARA A DIREITA, O NÚMERO DE PEIXES VAI AUMENTANDO: 3, 4, 6.

SETENTA E CINCO 75

PARA INICIAR

A TODO MOMENTO ESTAMOS COMPARANDO NÚMEROS, COMO PAULO, OU COLOCANDO NÚMEROS EM ORDEM, COMO MARIA.

NESTA UNIDADE, VAMOS ESTUDAR ALGUMAS SITUAÇÕES QUE ENVOLVEM COMPARAÇÃO E ORDENAÇÃO DE NÚMEROS.

- ANALISE A CENA DAS PÁGINAS DE ABERTURA DESTA UNIDADE. CONVERSE COM OS COLEGAS E RESPONDAM ÀS QUESTÕES A SEGUIR.

HÁ QUANTOS PEIXINHOS DE COR LARANJA NO AQUÁRIO?

HÁ MAIS PEIXINHOS LARANJA OU PEIXINHOS AMARELOS NOS AQUÁRIOS?

QUAL É A ORDEM DO NÚMERO DE PEIXINHOS NOS AQUÁRIOS DA DIREITA PARA A ESQUERDA?

ESSA SEQUÊNCIA VAI DO NÚMERO MENOR PARA O MAIOR OU DO NÚMERO MAIOR PARA O MENOR?

AS IMAGENS NÃO ESTÃO REPRESENTADAS EM PROPORÇÃO.

- CONVERSE COM OS COLEGAS SOBRE MAIS ESTAS QUESTÕES.

  A) QUAL IDADE É MAIOR: A SUA OU A DO PROFESSOR?

  B) QUAL NÚMERO É MENOR: O DE DIAS EM 1 SEMANA OU O DE DEDOS EM 1 MÃO?

  C) QUAIS SÃO AS POSSÍVEIS PONTUAÇÕES QUE PODEMOS OBTER NO LANÇAMENTO DE UM DADO? DIGA OS NÚMEROS COMEÇANDO DA MAIOR PONTUAÇÃO ATÉ CHEGAR À MENOR.

NÚMERO MAIOR E NÚMERO MENOR

EXPLORAR E DESCOBRIR

UM NÚMERO PARA CADA BARRINHA

- VAMOS BRINCAR COM BARRINHAS COLORIDAS?

   A) COM A AJUDA DE UM ADULTO, DESTAQUE AS PEÇAS E O ENVELOPE DAS PÁGINAS 13 A 15 DO **ÁPIS DIVERTIDO**. MONTE O ENVELOPE PARA GUARDAR NELE SUAS BARRINHAS COLORIDAS.

   > VAMOS COMBINAR QUE A BARRINHA BRANCA VALE 1.

   B) PEGUE 1 BARRINHA VERMELHA. DE QUANTAS BARRINHAS BRANCAS VOCÊ PRECISA PARA FORMAR 1 BARRINHA COM A MESMA MEDIDA DE COMPRIMENTO DA VERMELHA? _____ BARRINHAS BRANCAS.

   > ENTÃO, A BARRINHA VERMELHA VALE 2.

   C) AGORA, PEGUE 1 BARRINHA VERDE-CLARA. DE QUANTAS BARRINHAS BRANCAS VOCÊ PRECISA PARA FORMAR 1 BARRINHA COM A MESMA MEDIDA DE COMPRIMENTO DA VERDE-CLARA? _____ BARRINHAS BRANCAS.

   > ENTÃO, A BARRINHA VERDE-CLARA VALE 3.

   D) PEGUE 1 BARRINHA AMARELA. DESENHE E PINTE NO QUADRICULADO ABAIXO ESSA BARRINHA E INDIQUE AQUI QUANTO ELA VALE: _____.

   E) AGORA, PEGUE A BARRINHA QUE VALE 8. DESENHE-A E PINTE-A ABAIXO.

F) REGISTRE AGORA O VALOR CORRESPONDENTE (NÚMERO) DE CADA UMA DAS 10 BARRINHAS. LEMBRE-SE DE QUE A BARRINHA BRANCA VALE 1.

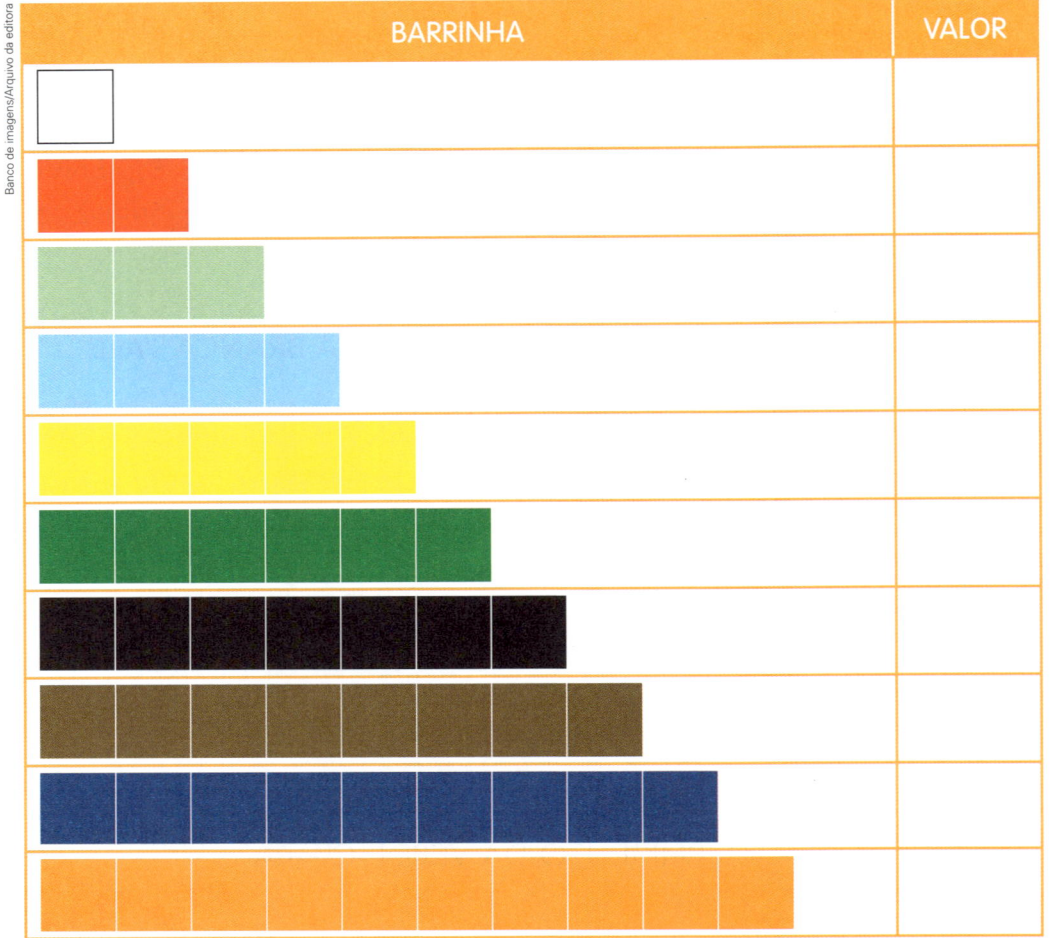

TABELA ELABORADA PARA FINS DIDÁTICOS.

G) PEGUE AS BARRINHAS MARROM E LARANJA, COMPARE A MEDIDA DE COMPRIMENTO DELAS E COMPLETE AS FRASES.

- A MAIOR BARRINHA É A _____, QUE VALE _____.
- A MENOR BARRINHA É A _____, QUE VALE _____.

DIZEMOS NESSE CASO QUE:

| 10 É MAIOR DO QUE 8 | OU | 8 É MENOR DO QUE 10 |.

H) COMPLETE COM **MAIOR** OU **MENOR**. DEPOIS, CONFIRA COMPARANDO A MEDIDA DE COMPRIMENTO DAS BARRINHAS CORRESPONDENTES.

- 6 É _____ DO QUE 5.
- 7 É _____ DO QUE 10.
- 3 É _____ DO QUE 8.
- 4 É _____ DO QUE 2.

1 BOLAS

A) ASSINALE COM UM **X** O QUADRINHO DO GRUPO QUE TEM MAIS BOLAS.

DEZ (10) BOLAS.

SETE (7) BOLAS.

B) COMPLETE: ENTÃO PODEMOS DIZER QUE

_____ É MAIOR DO QUE _____ OU

_____ É MENOR DO QUE _____ .

2 ESTIMATIVA E COMPARAÇÃO

AS IMAGENS NÃO ESTÃO REPRESENTADAS EM PROPORÇÃO.

A) OBSERVE, FAÇA UMA ESTIMATIVA E RESPONDA: SE VOCÊ LIGAR AS MAÇÃS E AS LARANJAS, SEMPRE LIGANDO 1 MAÇÃ COM 1 LARANJA, ENTÃO VÃO SOBRAR MAÇÃS OU LARANJAS? _____

B) FAÇA AS LIGAÇÕES E CONFIRA SE VOCÊ ACERTOU SUA ESTIMATIVA.

C) AGORA, COMPLETE.

SÃO _____ MAÇÃS E _____ LARANJAS.

HÁ MENOS _____ DO QUE _____ , POIS

_____ É MENOR DO QUE _____ .

3 COMPARAÇÃO DE NÚMEROS USANDO A RETA NUMERADA

OBSERVE E USE A RETA NUMERADA ABAIXO.

A) FAÇA UM **X** NO NÚMERO 4 E CONTORNE O NÚMERO 6.

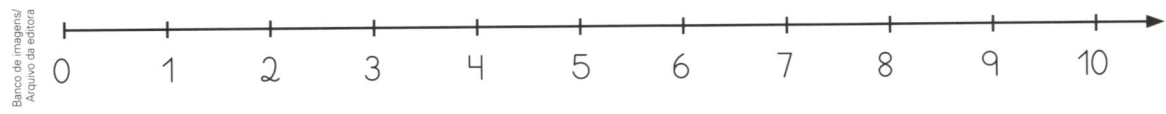

B) LOCALIZE OS NÚMEROS NA RETA NUMERADA ACIMA E COMPLETE CADA AFIRMAÇÃO ABAIXO COM **MAIOR** OU **MENOR**.

- 7 É _____ DO QUE 3.
- 8 É _____ DO QUE 10.
- 5 É _____ DO QUE 7.
- 3 É _____ DO QUE 1.

C) COMPLETE COM OS NÚMEROS DA RETA NUMERADA ACIMA.

- SÃO MENORES DO QUE 4 → _____, _____, _____ E _____.
- FICAM ENTRE 6 E 9 → _____ E _____.
- ESTÁ **IMEDIATAMENTE DEPOIS** DO 8 → _____
- ESTÁ **IMEDIATAMENTE ANTES** DO 8 → _____

4 DESENHE BOLINHAS NOS QUADROS E ESCREVA OS NÚMEROS CORRESPONDENTES. O NÚMERO DO PRIMEIRO QUADRO DEVE SER MAIOR DO QUE O NÚMERO DO SEGUNDO QUADRO.

_____ É MAIOR DO QUE _____.

5 OBSERVE QUANTOS REAIS CADA CRIANÇA TEM.

AS IMAGENS NÃO ESTÃO REPRESENTADAS EM PROPORÇÃO.

BETO. — ANA. — RUI.

A) EM CADA ITEM, PINTE O QUADRINHO DA CRIANÇA QUE TEM A QUANTIA MAIOR. DEPOIS, COMPLETE AS FRASES PARA JUSTIFICAR SUA ESCOLHA.

- BETO — RUI — PORQUE _____ É MAIOR DO QUE _____.
- BETO — ANA — PORQUE _____ É MAIOR DO QUE _____.
- RUI — ANA — PORQUE _____ É MAIOR DO QUE _____.

B) AGORA, ESCREVA O NOME DAS CRIANÇAS EM ORDEM, DE ACORDO COM AS QUANTIAS.

_____ _____ _____
MENOR QUANTIA. MAIOR QUANTIA.

6 **ADIVINHE QUE NÚMERO É!**

É MAIOR DO QUE 4.   É MENOR DO QUE 9.

O NOME DELE TEM MAIS DE 4 LETRAS.

ELE É O NÚMERO _____.

OITENTA E UM 81

7 ESTA PARTIDA ESTÁ BEM DISPUTADA. VAMOS TORCER?

A) QUANTOS GOLS A EQUIPE 🟦 MARCOU?

_____ GOLS.

B) QUANTOS GOLS A EQUIPE 🟥 MARCOU?

_____ GOLS.

C) QUANTOS GOLS JÁ FORAM MARCADOS AO TODO NESSA PARTIDA?

_____ GOLS.

D) QUAL EQUIPE ESTÁ GANHANDO A PARTIDA? ASSINALE COM UM **X**.

☐ 🛡️   ☐ 🛡️

AS IMAGENS NÃO ESTÃO REPRESENTADAS EM PROPORÇÃO.

8 **HORA DA PARLENDA**

A GALINHA DO VIZINHO
BOTA OVO AMARELINHO.
BOTA UM, BOTA DOIS,
BOTA TRÊS, BOTA QUATRO,
BOTA CINCO, BOTA SEIS,
BOTA SETE, BOTA OITO,
BOTA NOVE, BOTA DEZ!

A) OBSERVE A CENA. QUANTOS OVOS HÁ NO NINHO? _____ OVOS.

B) QUANTOS OVOS HÁ NA CESTA? _____ OVOS.

C) QUANTOS OVOS HÁ AO TODO? _____ OVOS.

D) ONDE HÁ MAIS OVOS? MARQUE COM UM **X**.

☐ NO NINHO.   ☐ NA CESTA.

BRINCANDO TAMBÉM APRENDO

JOGO PARA 2 PARTICIPANTES.

EM BUSCA DO NÚMERO MAIOR

EM CADA RODADA, CADA JOGADOR LANÇA O DADO E ESCREVE NO QUADRINHO O NÚMERO DE PONTOS OBTIDO NA FACE VOLTADA PARA CIMA.

O JOGADOR COM O MAIOR NÚMERO DE PONTOS PINTA SEU QUADRINHO. EM CASO DE EMPATE, AMBOS PINTAM SEUS QUADRINHOS.

VEJA O EXEMPLO DE UMA RODADA.

MATERIAL
- 1 DADO
- 2 LÁPIS DE CORES DIFERENTES

AS IMAGENS NÃO ESTÃO REPRESENTADAS EM PROPORÇÃO.

OBTIVE 3. 3 É MENOR DO QUE 5. MARQUEI O 3, MAS NÃO PINTEI MEU QUADRINHO.

3

OBTIVE 5. 5 É MAIOR DO QUE 3. MARQUEI O 5 E PINTEI MEU QUADRINHO!

5

O VENCEDOR É O JOGADOR QUE TIVER MAIS QUADRINHOS PINTADOS APÓS 5 RODADAS.

RODADA: NOME: _____   NOME: _____

1 → ☐   ☐
2 → ☐   ☐
3 → ☐   ☐
4 → ☐   ☐
5 → ☐   ☐

VENCEDOR: _____

TECENDO SABERES

MAÇÃS VERDE E VERMELHA.

FRUTAS E LEGUMES SÃO CONSIDERADOS ALIMENTOS SAUDÁVEIS QUE CONTRIBUEM PARA O CRESCIMENTO E O DESENVOLVIMENTO DO CORPO HUMANO.

VAMOS CONHECER UM POUCO MELHOR UMA FRUTA MUITO SABOROSA: A MAÇÃ.

HÁ MUITAS VARIEDADES DESSA FRUTA: GRANDES, PEQUENAS, VERDES, VERMELHAS, … COM MAÇÃ FAZEMOS CHÁS, SUCOS, BOLOS, SALADAS E OS MAIS DIVERSOS PRATOS.

A MAÇÃ É CULTIVADA EM QUASE TODO O MUNDO HÁ MILÊNIOS, MAS A ORIGEM DELA É DESCONHECIDA.

COMER 1 MAÇÃ POR DIA É ÓTIMO, POIS ELA É CONSIDERADA UMA IMPORTANTE FONTE DE VITAMINAS. O IDEAL É CONSUMI-LA CRUA E COM CASCA (DEPOIS DE BEM LAVADA, É CLARO). É NA CASCA QUE ESTÁ CONCENTRADA A MAIOR PARTE DAS VITAMINAS E DOS SAIS MINERAIS.

1 **ATIVIDADE ORAL** VOCÊ GOSTA DE MAÇÃ?

2 ESCREVA DO SEU JEITO.

A) O NOME DE 2 FRUTAS DE QUE VOCÊ GOSTA.

_____

B) O NOME DE 1 FRUTA DE QUE VOCÊ NÃO GOSTA.

_____

3 "COMER 1 MAÇÃ POR DIA É ÓTIMO, POIS ELA É CONSIDERADA UMA IMPORTANTE FONTE DE VITAMINAS."

A) COMPLETE: EM 1 SEMANA HÁ _____ DIAS. ENTÃO, EM 1 SEMANA DEVO COMER _____ MAÇÃS.

B) DESENHE AS MAÇÃS QUE VOCÊ DEVE COMER EM 1 SEMANA.

4 "COM MAÇÃ FAZEMOS CHÁS, SUCOS, BOLOS, SALADAS E OS MAIS DIVERSOS PRATOS."

A) QUANTAS LETRAS TEM A PALAVRA **SUCOS**? _____ LETRAS.

B) QUANTAS LETRAS TEM A PALAVRA **SALADAS**? _____ LETRAS.

C) COMPLETE COM OS 2 NÚMEROS QUE VOCÊ ESCREVEU.

_____ **É MAIOR DO QUE** _____.

5 ESCREVA A PRIMEIRA LETRA DO NOME DE CADA OBJETO QUE APARECE NAS FOTOS. VOCÊ VAI DESCOBRIR O NOME DA FRUTA DE QUE ANA MAIS GOSTA. DESENHE A FRUTA NO QUADRO.

AS IMAGENS NÃO ESTÃO REPRESENTADAS EM PROPORÇÃO.

6 **ATIVIDADE ORAL EM GRUPO (TODA A TURMA)**
VEJA SÓ O QUE MAGALI ESTÁ COMENDO!
O QUE ACONTECE SE COMERMOS MUITO ESSE
TIPO DE ALIMENTO? CONVERSE COM OS COLEGAS.

7 COM A AJUDA DE UM ADULTO, RECORTE DE JORNAIS E REVISTAS OU PROCURE NA INTERNET IMAGENS DE 3 ALIMENTOS QUE DEVEMOS COMER PARA TER BOA SAÚDE. COLE AS IMAGENS EM UMA FOLHA DE PAPEL SULFITE. DEPOIS, VEJA OS ALIMENTOS QUE OS COLEGAS ESCOLHERAM.

NÚMEROS EM ORDEM CRESCENTE OU EM ORDEM DECRESCENTE

EXPLORAR E DESCOBRIR

DO MENOR PARA O MAIOR (ORDEM CRESCENTE)

- OBSERVE AS FICHAS COM NÚMEROS.

⑦   ⑤   ②   ⑨   ④

VAMOS ORGANIZAR ESSES NÚMEROS DO MENOR PARA O MAIOR.
PARA ISSO, AS BARRINHAS COLORIDAS VÃO AJUDAR.
SEPARE AS QUE REPRESENTAM ESSES NÚMEROS.
ORGANIZE AS BARRINHAS EM PÉ, DA MENOR PARA A MAIOR, DA ESQUERDA PARA A DIREITA.
REGISTRE AS BARRINHAS PINTANDO OS QUADRADINHOS ABAIXO.
DEPOIS, COMPLETE COM OS NÚMEROS QUE ELAS REPRESENTAM.

DO MAIOR PARA O MENOR (ORDEM DECRESCENTE)

- AGORA, VAMOS ORGANIZAR OS NÚMEROS DESTAS FICHAS DO MAIOR PARA O MENOR.

③   ⑧   ②   ⑩   ⑥

SEPARE AS BARRINHAS COLORIDAS QUE REPRESENTAM ESSES NÚMEROS.
ORGANIZE AS BARRINHAS EM PÉ, DA MAIOR PARA A MENOR,
DA ESQUERDA PARA A DIREITA.
REGISTRE AS BARRINHAS PINTANDO OS QUADRADINHOS ABAIXO
E COMPLETE COM OS NÚMEROS QUE ELAS REPRESENTAM.

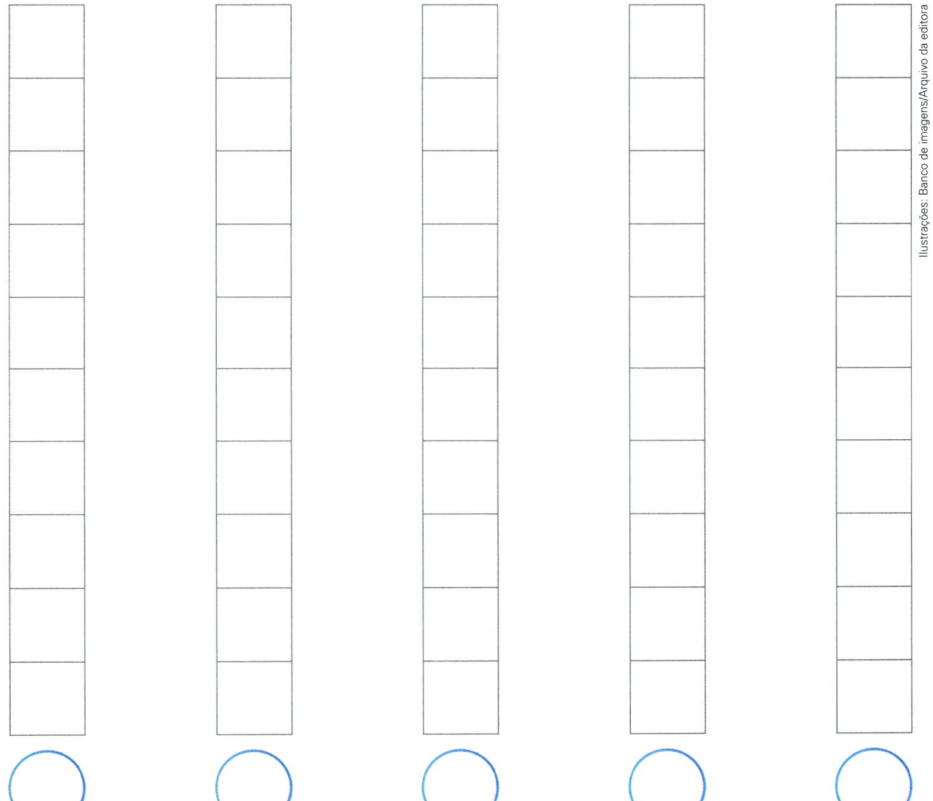

- FINALMENTE, SEM USAR AS BARRINHAS, CONSIDERE OS NÚMEROS DAS FICHAS ⑤, ③, ⑨, ① E ⑧ E ESCREVA-OS EM ORDEM.

   A) DO MENOR PARA O MAIOR → ◯, ◯, ◯, ◯, ◯.

   B) DO MAIOR PARA O MENOR → ◯, ◯, ◯, ◯, ◯.

1 **O ÁLBUM DE BETO**

VAMOS AJUDAR BETO A ORGANIZAR O ÁLBUM DE FIGURINHAS?

DESTAQUE AS FIGURINHAS DA PÁGINA 17 DO **ÁPIS DIVERTIDO** E FAÇA O QUE SE PEDE.

A) SEPARE EM 2 GRUPOS: FIGURINHAS DE ANIMAIS E FIGURINHAS DE FLORES.

B) COLE AS FIGURINHAS DE ANIMAIS SEGUINDO A ORDEM DA MENOR PARA A MAIOR QUANTIDADE. DEPOIS, ESCREVA O NÚMERO QUE REPRESENTA CADA QUANTIDADE DE ANIMAIS.

C) COLE AS FIGURINHAS DE FLORES SEGUINDO A ORDEM DA MAIOR PARA A MENOR QUANTIDADE.

DEPOIS, ESCREVA O NÚMERO QUE REPRESENTA CADA QUANTIDADE DE FLORES.

2 OBSERVE NOVAMENTE O JOGO DA CENA DE ABERTURA DA UNIDADE 2.

A) **ATIVIDADE ORAL** VOCÊ CONHECE ESSE JOGO POR QUAL NOME: **AMARELINHA**, COMO EM SÃO PAULO, **PULAR MACACA**, COMO NO PARÁ, **ACADEMIA**, COMO NO RIO DE JANEIRO, OU OUTRO NOME?

B) ASSINALE COM UM **X** QUAL DESENHO DESSE JOGO VOCÊ USA MAIS.

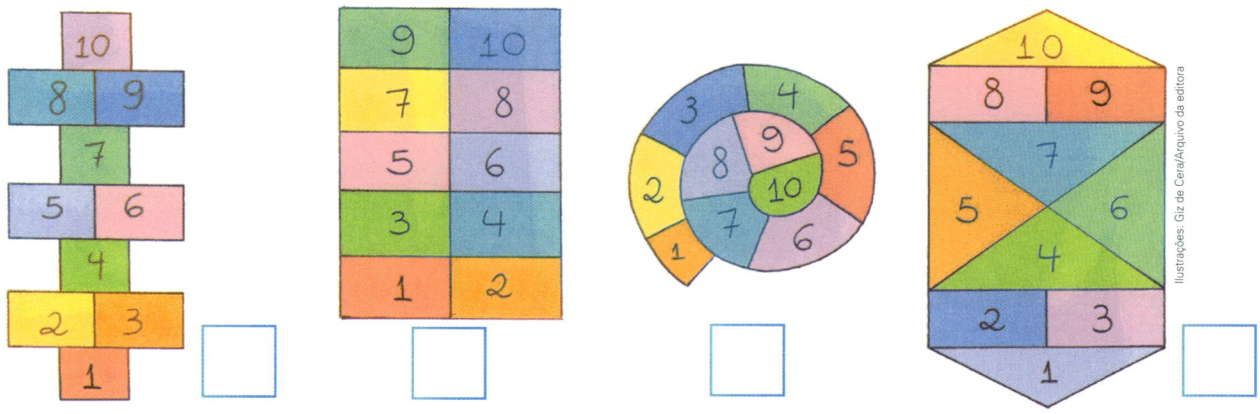

C) AGORA, ESCREVA OS NÚMEROS QUE APARECEM NESSE JOGO NA ORDEM DO MENOR PARA O MAIOR E NA ORDEM DO MAIOR PARA O MENOR.

- _____, _____, _____, _____, _____, _____, _____, _____, _____, _____.
- _____, _____, _____, _____, _____, _____, _____, _____, _____, _____.

3 ESCREVA O NÚMERO DE ELEMENTOS QUE HÁ EM CADA QUADRO DAS SEQUÊNCIAS. DEPOIS, ASSINALE COM UM **X** O QUADRINHO DA SEQUÊNCIA NA QUAL OS NÚMEROS ESTÃO, DA ESQUERDA PARA A DIREITA, NA ORDEM DO MAIOR PARA O MENOR.

AS IMAGENS NÃO ESTÃO REPRESENTADAS EM PROPORÇÃO.

A)

_____ BOLAS.　_____ BOLAS.　_____ BOLAS.　_____ BOLAS.

B)

_____ MAÇÃS.　_____ MAÇÃS.　_____ MAÇÃS.　_____ MAÇÃS.

NÚMEROS ORDINAIS

1 **A CORRIDA ESTÁ TERMINANDO!**

VEJA A POSIÇÃO DE CADA CARRO E PINTE OS QUADRINHOS DO PÓDIO ABAIXO COM A COR DO CARRO CORRESPONDENTE.

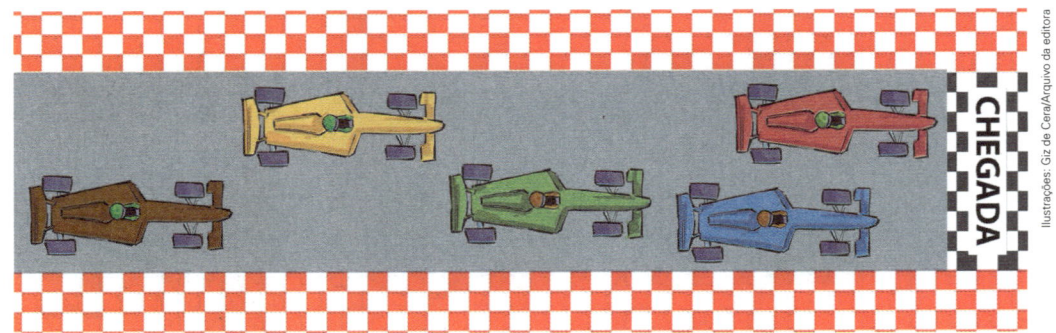

AS IMAGENS NÃO ESTÃO REPRESENTADAS EM PROPORÇÃO.

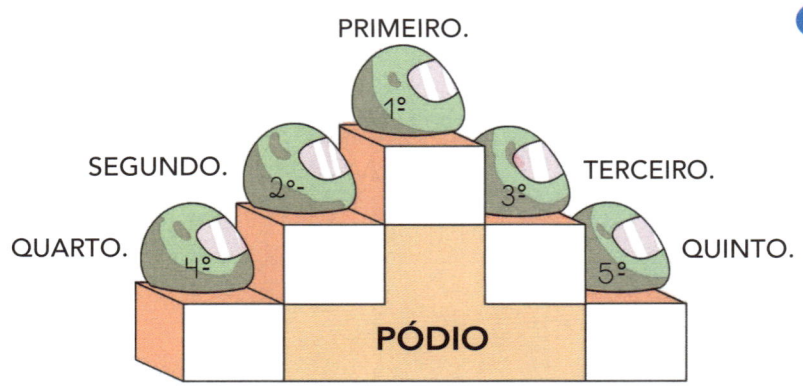

PRIMEIRO. SEGUNDO. TERCEIRO. QUARTO. QUINTO. PÓDIO

2 **DIA DE GINCANA NA ESCOLA**

COMPLETE OS 2 QUADROS DE ACORDO COM A ORDEM DE CHEGADA DAS CRIANÇAS.

OPA! NESTE QUADRO AS IMAGENS DAS CRIANÇAS MUDARAM DE LUGAR!

3 A TURMA DE BETO FOI AO CINEMA.
VEJA A FILA PARA A COMPRA DOS INGRESSOS.

COMPLETE INDICANDO A POSIÇÃO OU PINTANDO COM A COR DA CAMISETA DE CADA ALUNO.

A) O 3º ALUNO DA FILA É O DE ⬜.

> AS IMAGENS NÃO ESTÃO REPRESENTADAS EM PROPORÇÃO.

B) O ALUNO DE 🟫 É O _____ DA FILA.

C) O ALUNO DE 🟦 É O _____ DA FILA.

D) O 7º ALUNO DA FILA É O DE ⬜.

4 MAURO DESENHOU UM BARQUINHO.
PENSE NA ORDEM DAS ETAPAS EM QUE O DESENHO FOI FEITO E ESCREVA 1ª, 2ª, 3ª E 4ª NOS QUADRINHOS. DEPOIS, PINTE COMO QUISER O BARQUINHO QUE ESTÁ PRONTO.

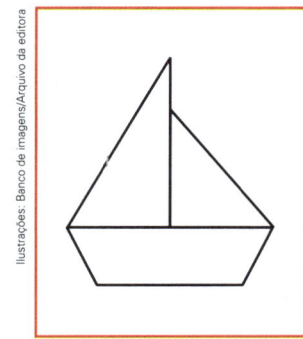 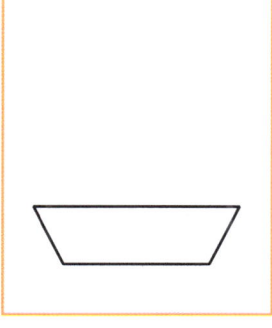 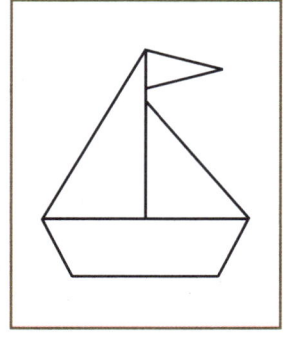 

5 A ORDEM DOS NÚMEROS EM MEDIDAS DE INTERVALO DE TEMPO

• **OS DIAS DA SEMANA**

OBSERVE A ILUSTRAÇÃO ACIMA E COMPLETE AS FRASES.

A) 1 SEMANA TEM _____ DIAS.

B) OS DIAS ÚTEIS DA SEMANA VÃO DE SEGUNDA-FEIRA A SEXTA-FEIRA. EM 1 SEMANA HÁ _____ DIAS ÚTEIS.

C) O PRIMEIRO DIA DA SEMANA É O DOMINGO. O SEGUNDO DIA DA SEMANA É A SEGUNDA-FEIRA.

O SÁBADO É O _____ DIA DA SEMANA.

• **OS MESES DO ANO**

A) ATIVIDADE ORAL EM GRUPO (TODA A TURMA) COM O PROFESSOR E OS COLEGAS, FALE, PAUSADAMENTE, O NOME DOS MESES DO ANO. SIGA A ORDEM, DE JANEIRO ATÉ DEZEMBRO.

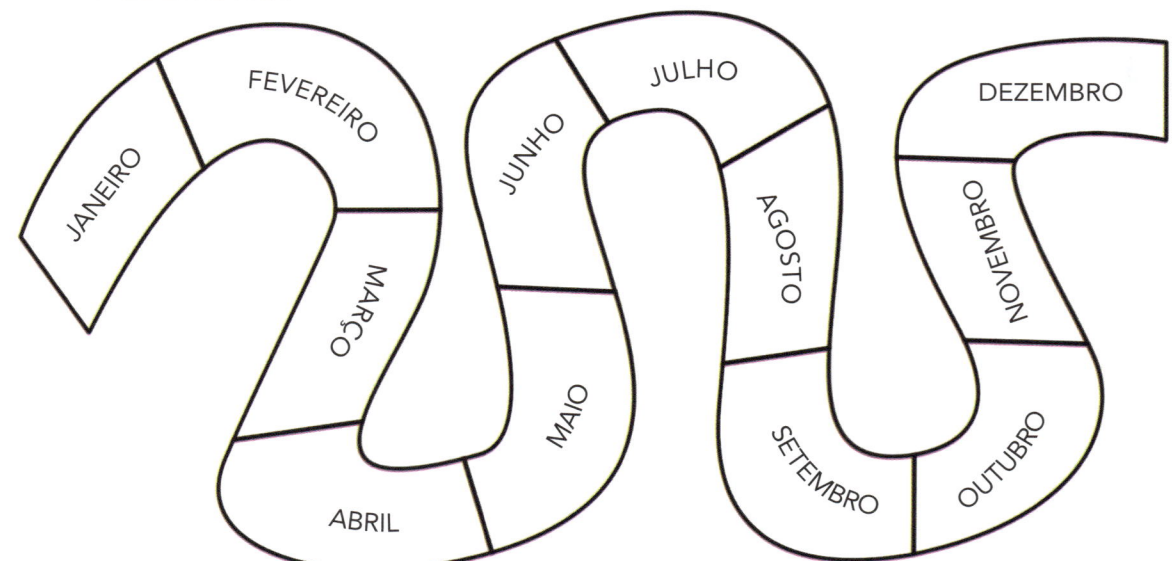

B) AGORA, PINTE OS ESPAÇOS COM AS CORES INDICADAS.

● 1º MÊS.   ● 4º MÊS.   ● 7º MÊS.   ● 10º MÊS.

6 GINCANA, ORDEM DOS NÚMEROS E GRÁFICO

NA ESCOLA DE BETO, 4 EQUIPES PARTICIPARAM DA GINCANA DO 1º ANO. VEJA O NOME E O SÍMBOLO DE CADA EQUIPE.

 EQUIPE VERDE.    EQUIPE AZUL.    EQUIPE ROSA.    EQUIPE MARROM.

ANALISE O GRÁFICO COM A PONTUAÇÃO FINAL DA GINCANA.

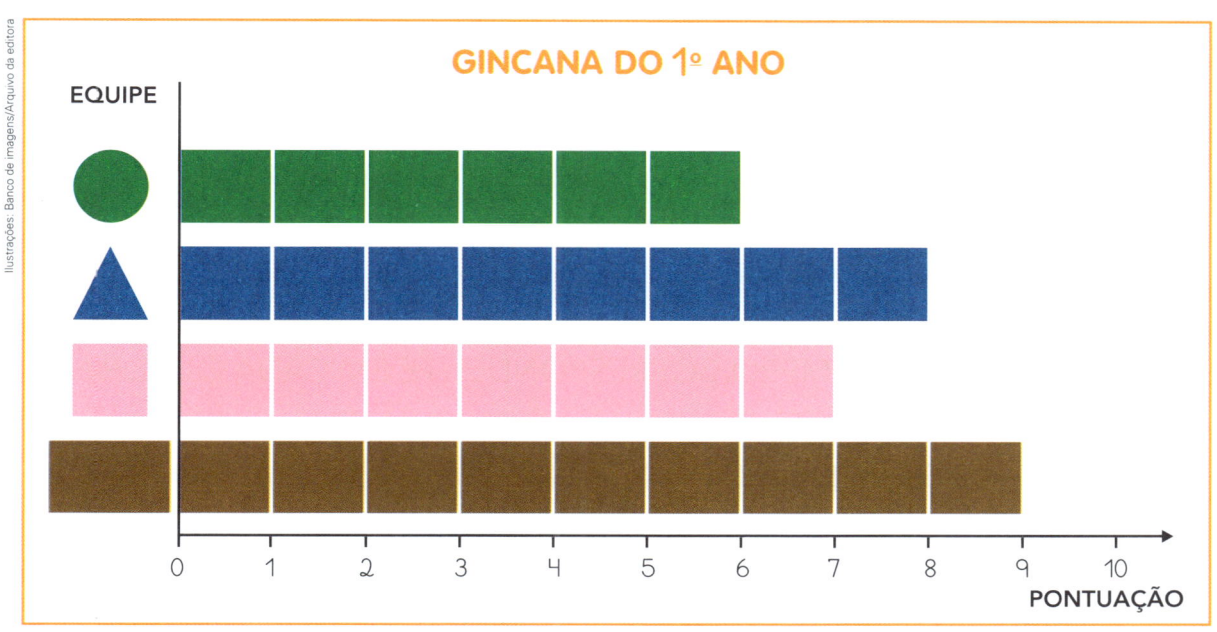

GRÁFICO ELABORADO PARA FINS DIDÁTICOS.

AGORA, COMPLETE CADA ITEM USANDO NÚMEROS ORDINAIS E PINTE O SÍMBOLO DA EQUIPE COM A COR CORRESPONDENTE.

A) EQUIPE QUE FEZ MAIS PONTOS.

ESSA EQUIPE FOI A _____ COLOCADA NA GINCANA.

B) EQUIPE QUE FEZ MENOS PONTOS.

ESSA EQUIPE FICOU NA _____ POSIÇÃO NA GINCANA.

C) EQUIPE QUE FICOU EM 2º LUGAR.

D) EQUIPE QUE FEZ 10 PONTOS.

E) EQUIPE QUE FEZ 7 PONTOS.

VAMOS VER DE NOVO?

1 VAMOS DESCOBRIR O NOME DESTA GATINHA?
OBSERVE ATENTAMENTE OS NÚMEROS E IDENTIFIQUE A SEQUÊNCIA QUE TEM OS NÚMEROS NA ORDEM DO MENOR PARA O MAIOR. DEPOIS, PINTE OS QUADRINHOS DESSA SEQUÊNCIA E ESCREVA O NOME DA GATINHA.

0	1	3	4	7	6	10	LILI.
0	2	4	5	3	8	10	MIMI.
0	3	4	6	7	9	10	FIFI.

GATA.

2 **CAÇA-PALAVRAS**

A) ESCREVA O NÚMERO CORRESPONDENTE EM CADA QUADRINHO COLORIDO.

- DIAS EM 1 SEMANA → ☐
- PREFEITO EM UMA CIDADE → ☐
- PATAS EM UM CACHORRO → ☐
- DEDOS EM CADA PÉ → ☐

B) AGORA, LOCALIZE A PALAVRA QUE REPRESENTA CADA NÚMERO QUE VOCÊ ESCREVEU E PINTE OS QUADRINHOS COM A COR CORRESPONDENTE.

T	R	Ê	S	U	M	F
S	E	T	E	R	E	S
V	E	O	N	O	V	E
U	C	I	N	C	O	I
D	O	I	S	B	S	T
O	Q	U	A	T	R	O

O QUE ESTUDAMOS

COMPARAMOS 2 NÚMEROS DIZENDO SE O PRIMEIRO **É MAIOR DO QUE** O SEGUNDO OU **É MENOR DO QUE** O SEGUNDO, OBSERVANDO QUANTIDADES OU USANDO A RETA NUMERADA.

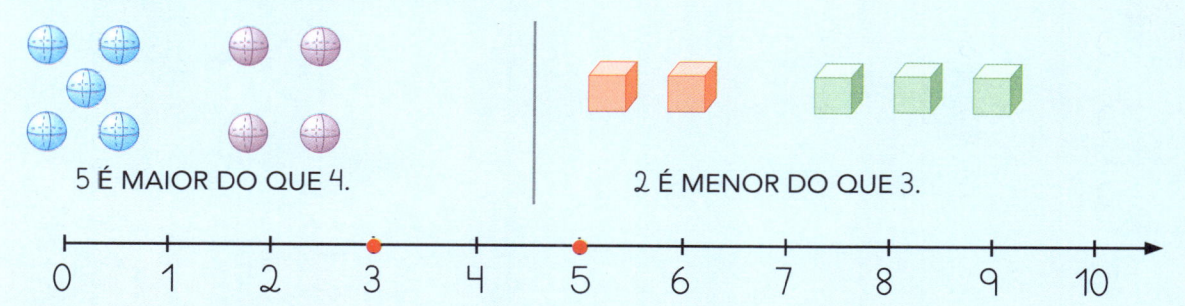

5 É MAIOR DO QUE 4.

2 É MENOR DO QUE 3.

3 É MENOR DO QUE 5, PORQUE O 3 VEM ANTES DO 5 NA RETA NUMERADA QUANDO PARTIMOS DO ZERO (0).

COLOCAMOS OS NÚMEROS NA ORDEM DO MENOR PARA O MAIOR (CRESCENTE) E TAMBÉM NA ORDEM DO MAIOR PARA O MENOR (DECRESCENTE).
3, 5, 6, 7 E 10 ESTÃO NA ORDEM DO MENOR PARA O MAIOR (ORDEM CRESCENTE).

LEMOS E ESCREVEMOS OS NÚMEROS QUE INDICAM ORDEM (NÚMEROS ORDINAIS).

1º (PRIMEIRO) 2º (SEGUNDO) 3º (TERCEIRO) 4º (QUARTO)

- VOCÊ TEM CUIDADO DO SEU MATERIAL ESCOLAR?
- VOCÊ TEM PEDIDO A AJUDA DOS COLEGAS QUANDO TEM DÚVIDAS?
- E TEM AJUDADO QUANDO ELES PRECISAM? É SEMPRE BOM AJUDAR!

UNIDADE 4
FIGURAS GEOMÉTRICAS

- O QUE VOCÊ VÊ NESTA CENA?
- QUAIS OBJETOS ESTÃO PENDURADOS NA PAREDE?
- QUAIS OBJETOS ESTÃO SOBRE A MESA À ESQUERDA NA IMAGEM?

NOVENTA E SETE 97

PARA INICIAR

NOS DIFERENTES AMBIENTES QUE FREQUENTAMOS, VEMOS OBJETOS E CONSTRUÇÕES COM AS MAIS VARIADAS FORMAS.

NESTA UNIDADE, VAMOS TRABALHAR COM VÁRIAS FIGURAS E FORMAS: COMO SÃO, O NOME E O DESENHO DELAS.

- ANALISE A CENA DAS PÁGINAS DE ABERTURA DESTA UNIDADE. CONVERSE COM OS COLEGAS E RESPONDAM ÀS QUESTÕES A SEGUIR.

QUAIS OBJETOS NAS MESAS TÊM A MESMA FORMA DE CADA VELINHA DO BOLO?

O RELÓGIO TEM FORMA QUADRADA, TRIANGULAR OU CIRCULAR?

O PORTA-RETRATOS E A JANELA TÊM A MESMA FORMA? E O COPO E A JARRA TÊM A MESMA FORMA?

O RELÓGIO E CADA PRATINHO TÊM A MESMA FORMA? E TODOS OS CHAPÉUS?

A BOLA E CADA BRIGADEIRO TÊM A MESMA FORMA?

AS IMAGENS NÃO ESTÃO REPRESENTADAS EM PROPORÇÃO.

- CONVERSE COM OS COLEGAS SOBRE MAIS ESTAS QUESTÕES.

A) QUAIS FRUTAS QUE VOCÊ CONHECE TÊM A FORMA PARECIDA COM A DE UMA BOLA?

BOLA.

B) QUAIS OBJETOS DA SALA DE AULA TÊM FORMAS PARECIDAS? CITE 2 DELES.

C) QUAIS DOS OBJETOS ABAIXO TÊM A MESMA FORMA? CONTORNE-OS.

PORTA-RETRATOS.

BANDEIRA.

MOEDA.

PLACA DE SINALIZAÇÃO.

SÓLIDOS GEOMÉTRICOS

EM CASA E NA ESCOLA VEMOS E USAMOS OBJETOS QUE TÊM **FORMAS ESPACIAIS**. ESSES OBJETOS DÃO A IDEIA DE FIGURAS GEOMÉTRICAS CHAMADAS **SÓLIDOS GEOMÉTRICOS**.

AS IMAGENS NÃO ESTÃO REPRESENTADAS EM PROPORÇÃO.

BOLA.

CAIXINHA DE ENFEITE.

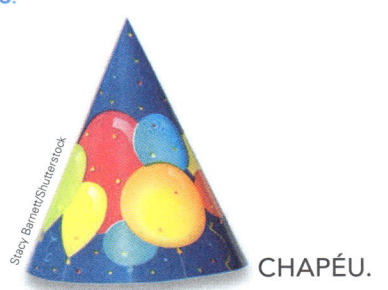
CHAPÉU.

DADO.

CAIXA DE SABÃO EM PÓ.

PILHA.

EXPLORAR E DESCOBRIR

VAMOS ABRIR NOSSA CAIXA DE OBSERVAÇÃO! NELA COLOCAMOS VÁRIOS OBJETOS.

- **ATIVIDADE ORAL EM GRUPO** PEGUE UM DOS OBJETOS E MOSTRE PARA OS COLEGAS.
OS OBJETOS QUE VOCÊ E OS COLEGAS ESCOLHERAM TÊM MUITAS FORMAS DIFERENTES, NÃO É MESMO? QUE TAL SEPARAR OS OBJETOS EM GRUPOS DE ACORDO COM AS FORMAS?

- AGORA, ESCOLHA 2 OBJETOS DA CAIXA QUE TENHAM A MESMA FORMA E ESCREVA O NOME DELES.

_____ E _____.

- **ATIVIDADE ORAL EM GRUPO** FINALMENTE, DESCREVA PARA OS COLEGAS A FORMA DOS OBJETOS QUE VOCÊ ESCOLHEU.

1 LIGUE OS OBJETOS QUE TÊM FORMAS PARECIDAS.

CENOURA.

CAIXA DE PRESENTE.

VELA.

CONE DE TRÂNSITO.

BRINQUEDO DE MADEIRA.

GLOBO TERRESTRE.

ENFEITE DE NATAL.

INSTRUMENTO MUSICAL.

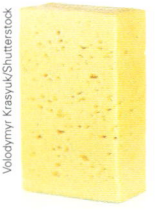
QUEIJO.

TIJOLO.

2 AS FIGURAS GEOMÉTRICAS DESENHADAS ABAIXO SÃO EXEMPLOS DE **SÓLIDOS GEOMÉTRICOS**.

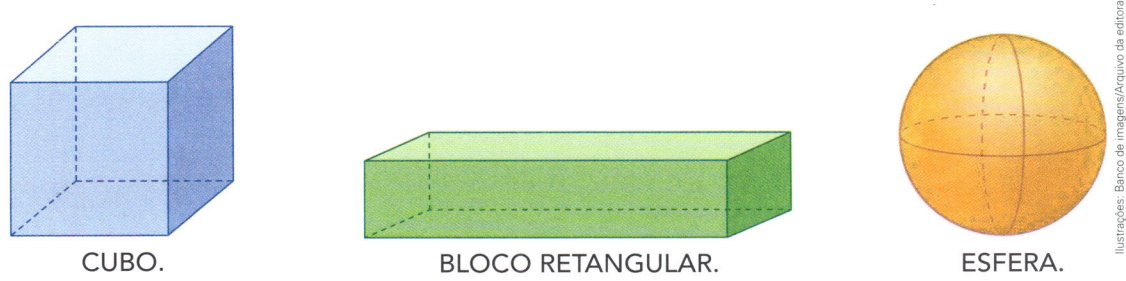

CUBO.   BLOCO RETANGULAR.   ESFERA.

A) OBSERVE A FORMA DE CADA OBJETO ABAIXO E PINTE O QUADRINHO COM A COR DO SÓLIDO GEOMÉTRICO CORRESPONDENTE.

AS IMAGENS NÃO ESTÃO REPRESENTADAS EM PROPORÇÃO.

LARANJA.   BRINQUEDO.   EMBRULHO.

B) DESTAQUE AS FIGURAS DA PÁGINA 19 DO **ÁPIS DIVERTIDO**. OBSERVE A FORMA DE CADA FIGURA E COLE-A NO QUADRO COM A COR DO SÓLIDO GEOMÉTRICO CORRESPONDENTE.

C) ATIVIDADE ORAL EM DUPLA AGORA, CONVERSE COM UM COLEGA SOBRE OUTROS OBJETOS QUE TÊM A FORMA PARECIDA COM A FORMA DOS SÓLIDOS GEOMÉTRICOS COLADOS ACIMA. DEPOIS, ESCREVA O NOME DE 1 OBJETO PARA CADA SÓLIDO.

CUBO: _____

BLOCO RETANGULAR: _____

ESFERA: _____

EXPLORAR E DESCOBRIR

- VEJA SÓ O QUE CARLA CONSTRUIU COM MASSA DE MODELAR: SÓLIDOS GEOMÉTRICOS!
CONSTRUA TAMBÉM SÓLIDOS GEOMÉTRICOS COM MASSA DE MODELAR E COMPARE COM OS DOS COLEGAS.
MÃOS À MASSA!

SÓLIDOS GEOMÉTRICOS CONSTRUÍDOS COM MASSA DE MODELAR.

- COM A AJUDA DE UM ADULTO, MONTE EM SUA CASA OS SÓLIDOS GEOMÉTRICOS ABAIXO USANDO O MATERIAL DAS PÁGINAS 21 A 24 DO **ÁPIS DIVERTIDO**.
LEVE OS SÓLIDOS GEOMÉTRICOS PARA A SALA DE AULA PARA SEREM USADOS EM ATIVIDADES.

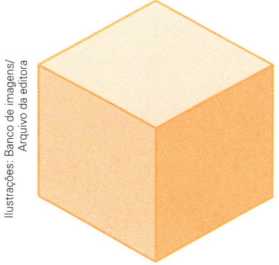 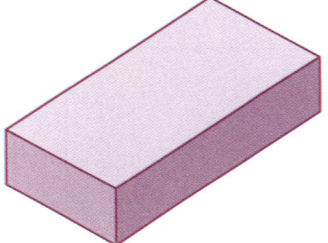

- PEGUE O CUBO QUE VOCÊ MONTOU. VAMOS OBSERVÁ-LO E RESPONDER ÀS PERGUNTAS.

    A) QUANTAS PONTAS OU VÉRTICES O CUBO TEM? _____ PONTAS OU VÉRTICES.

    B) E QUANTAS FACES ELE TEM? _____ FACES.

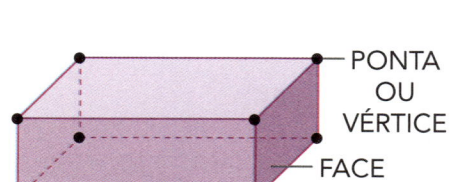

- AGORA É A VEZ DO BLOCO RETANGULAR.

    A) QUANTAS PONTAS OU VÉRTICES ELE TEM? _____ PONTAS OU VÉRTICES.

    B) E QUANTAS FACES? _____ FACES.

3 **DESAFIO**

QUE BAGUNÇA NO QUARTO DE JUCA!
SERÁ QUE VOCÊ CONSEGUE ENCONTRAR 10 OBJETOS
COM A FORMA DO CUBO? CONTORNE-OS.

4 EM CADA QUADRO, CONTORNE O SÓLIDO GEOMÉTRICO **INTRUSO**: A FORMA DELE É DIFERENTE DA FORMA DOS OUTROS SÓLIDOS GEOMÉTRICOS.

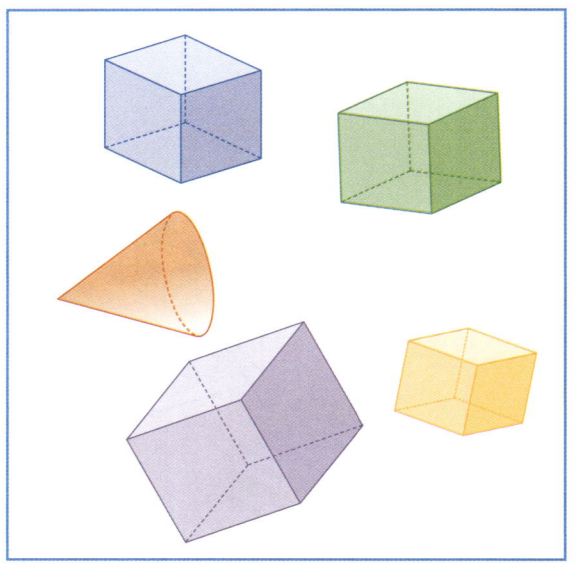

5 SÓLIDOS GEOMÉTRICOS E NÚMEROS

A) OBSERVE OS SÓLIDOS GEOMÉTRICOS E, DEPOIS, COMPLETE A TABELA COM OS NÚMEROS.

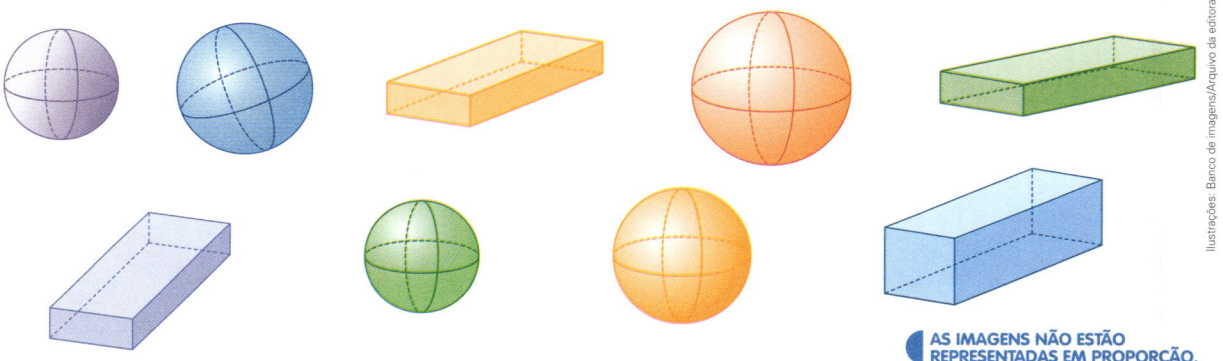

AS IMAGENS NÃO ESTÃO REPRESENTADAS EM PROPORÇÃO.

SÓLIDOS GEOMÉTRICOS E NÚMEROS

SÓLIDO GEOMÉTRICO	ESFERA	BLOCO RETANGULAR	CUBO
NÚMERO			

TABELA ELABORADA PARA FINS DIDÁTICOS.

B) AGORA, RESPONDA COM UM NÚMERO: HÁ QUANTOS SÓLIDOS GEOMÉTRICOS NO TOTAL? _____ SÓLIDOS GEOMÉTRICOS.

6 DESAFIO

DESTAQUE AS PEÇAS DE OBJETOS E DE ANIMAIS DA PÁGINA 25 DO **ÁPIS DIVERTIDO**. COLE AS PEÇAS NOS QUADROS ABAIXO, PRESTANDO ATENÇÃO AO DESAFIO.

- OBJETOS VIZINHOS DEVEM TER FORMAS PARECIDAS.
- QUANTIDADES VIZINHAS DE ANIMAIS DEVEM SER IGUAIS.

AS IMAGENS NÃO ESTÃO REPRESENTADAS EM PROPORÇÃO.

ROLA OU NÃO ROLA?

EXPLORAR E DESCOBRIR

CRIANÇAS BRINCANDO.

- PEGUE UMA BOLA E UM BLOQUINHO DE MADEIRA. EMPURRE A BOLA NO CHÃO OU SOBRE UMA MESA. FAÇA O MESMO COM O BLOQUINHO. EM SEGUIDA, RESPONDA.

  A) A BOLA ROLA?   ☐ SIM.   ☐ NÃO.

  B) O BLOQUINHO ROLA?   ☐ SIM.   ☐ NÃO.

- OBSERVE OS OBJETOS AO LADO E CONTORNE OS QUE PODEM ROLAR.

 • **ATIVIDADE ORAL EM GRUPO**
CONVERSE COM OS COLEGAS E REGISTREM, NOS QUADROS ABAIXO, PELO MENOS MAIS 2 OBJETOS QUE PODEM ROLAR E 2 OBJETOS QUE NÃO ROLAM.

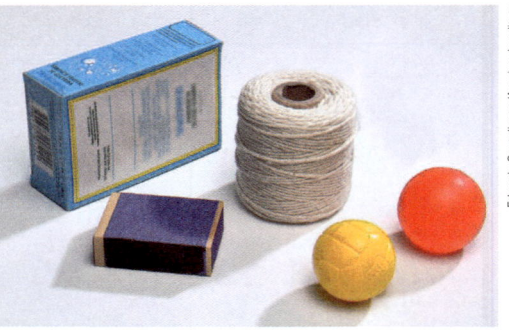

AS IMAGENS NÃO ESTÃO REPRESENTADAS EM PROPORÇÃO.

OBJETOS COM A FORMA DE SÓLIDOS GEOMÉTRICOS.

PODEM ROLAR	NÃO ROLAM

FIGURAS GEOMÉTRICAS PLANAS

OBSERVE OS SÓLIDOS GEOMÉTRICOS ABAIXO. UMA DAS PARTES DE CADA SÓLIDO GEOMÉTRICO ESTÁ DESTACADA EM VERDE.

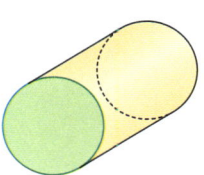 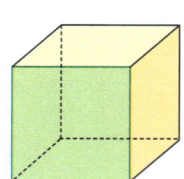 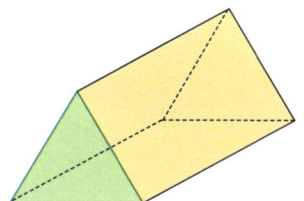 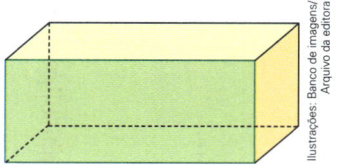

ESSAS PARTES EM VERDE SÃO EXEMPLOS DE **FIGURAS GEOMÉTRICAS PLANAS**. VEJA O NOME DE CADA FIGURA, DE ACORDO COM A FORMA.

  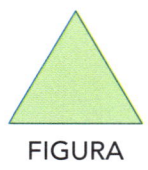 

FIGURA CIRCULAR.   FIGURA QUADRADA.   FIGURA TRIANGULAR.   FIGURA RETANGULAR.

EXPLORAR E DESCOBRIR

NA IMAGEM AO LADO, O MENINO ESTÁ DESENHANDO UMA FIGURA CIRCULAR. VEJA COMO ELE ESTÁ FAZENDO.

AGORA É A SUA VEZ!

USE OS SÓLIDOS GEOMÉTRICOS DO **ÁPIS DIVERTIDO** QUE VOCÊ JÁ MONTOU E OS OBJETOS DA CAIXA DE OBSERVAÇÃO, FAÇA COMO O MENINO E DESENHE AS FIGURAS LISTADAS ABAIXO.

- 1 FIGURA TRIANGULAR.
- 1 FIGURA CIRCULAR.
- 1 FIGURA QUADRADA.
- 1 FIGURA RETANGULAR.

VOCÊ PODE FAZER OS DESENHOS NO ESPAÇO ABAIXO OU EM UMA FOLHA À PARTE.

MENINO DESENHANDO UMA FIGURA CIRCULAR.

1 LIGUE CADA OBJETO À FIGURA GEOMÉTRICA PLANA QUE SERÁ OBTIDA AO CONTORNAR A PARTE DO OBJETO QUE ESTÁ APOIADA NA MESA.

         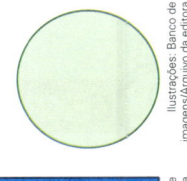

2 CARLOS MONTOU UMA FIGURA USANDO AS PEÇAS COLORIDAS DESENHADAS AO LADO.

A) ASSINALE COM UM **X** QUAL PODE SER ESSA FIGURA, ENTRE AS FIGURAS ABAIXO. EM SEGUIDA, PINTE AS PEÇAS DESSA FIGURA COM AS CORES CORRESPONDENTES.

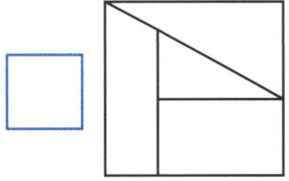   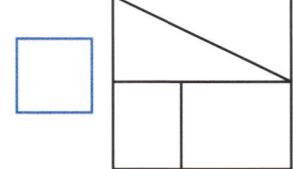   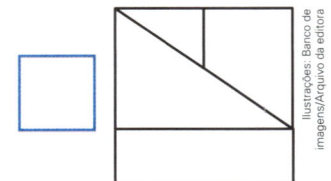

B) ATIVIDADE ORAL EM GRUPO (TODA A TURMA) QUAL É A FORMA DA PEÇA LARANJA, DA PEÇA AZUL, DA PEÇA AMARELA E DA FIGURA FORMADA POR CARLOS?

C) ATIVIDADE ORAL EM GRUPO (TODA A TURMA) A PEÇA ROXA TEM FORMA RETANGULAR, QUADRADA, TRIANGULAR OU CIRCULAR?

3 CIDADANIA

A) DESTAQUE AS FIGURAS GEOMÉTRICAS PLANAS E AS PLACAS DE TRÂNSITO DA PÁGINA 27 DO **ÁPIS DIVERTIDO**.
OBSERVE A FORMA DE CADA PLACA E DE CADA FIGURA E COLE-AS NO QUADRO CORRESPONDENTE.

Ilustrações: Banco de imagens/Arquivo da editora

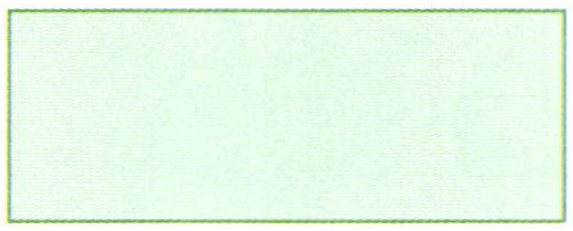

FORMA RETANGULAR.

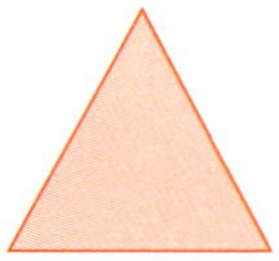

FORMA TRIANGULAR.

FORMA QUADRADA.

FORMA CIRCULAR.

B) **ATIVIDADE ORAL** VOCÊ JÁ VIU ESSAS PLACAS? O QUE CADA UMA DELAS INDICA? POR QUE É IMPORTANTE RESPEITAR AS PLACAS DE TRÂNSITO?

4 VEJA ABAIXO O DESENHO QUE MÍRIAM FEZ. VAMOS PINTÁ-LO? MAS PRESTE ATENÇÃO! USE A MESMA COR SOMENTE NAS PARTES COM A MESMA FORMA.

AS IMAGENS NÃO ESTÃO REPRESENTADAS EM PROPORÇÃO.

5 QUANTOS ▢ HÁ EM CADA FIGURA? E QUANTOS △? DESCUBRA UM PADRÃO (OU UMA REGULARIDADE) NESTAS CONSTRUÇÕES. DEPOIS, FAÇA A QUARTA CONSTRUÇÃO USANDO O MESMO PADRÃO.

1   2   ___   ___

1   3   ___   ___

6 UM JARDINEIRO ESTÁ COBRINDO UM CANTEIRO COM PLACAS DE GRAMA, COMO ESTA AO LADO.
OBSERVE A FIGURA DO CANTEIRO E RESPONDA.

A) QUAL É A FORMA DE CADA PLACA? _____

B) QUAL É A FORMA DO CANTEIRO? _____

C) QUANTAS PLACAS JÁ FORAM COLOCADAS NO CANTEIRO? _____ PLACAS.

D) QUANTAS PLACAS FALTA COLOCAR? _____ PLACAS.

E) QUANTAS PLACAS SERÃO USADAS NO TOTAL? _____ PLACAS.

7 DESLOCAMENTO E MEDIDA DE COMPRIMENTO

AS IMAGENS NÃO ESTÃO REPRESENTADAS EM PROPORÇÃO.

GUILHERME FOI PASSEAR NA PRAÇA E VIU ESTE AVISO.

CUIDADO: NÃO PISE NOS CANTEIROS VERDES!

A) GUILHERME VAI ATÉ O BANCO PELO CAMINHO AZUL. POR QUANTOS QUADRINHOS ELE VAI PASSAR?

_____ QUADRINHOS.

B) PINTE OUTRO CAMINHO QUE GUILHERME PODE FAZER PARA IR ATÉ O BANCO USANDO A MESMA QUANTIDADE DE QUADRINHOS. ANDE PARA CIMA, PARA BAIXO OU PARA A DIREITA NA IMAGEM.

C) AGORA, PINTE UM CAMINHO QUE LEVE GUILHERME ATÉ O BANCO USANDO MENOS QUADRINHOS DO QUE NOS CAMINHOS ANTERIORES.

D) QUANTOS QUADRINHOS TEM O TERCEIRO CAMINHO?

_____ QUADRINHOS.

E) ESSA PRAÇA TEM QUANTOS CANTEIROS VERDES COM A FORMA QUADRADA? _____ CANTEIROS.

F) E QUANTOS CANTEIROS NÃO TÊM A FORMA QUADRADA? _____ CANTEIROS.

G) QUAL FORMA ESSES CANTEIROS TÊM? _____

8 ANA FEZ ESTES DESENHOS USANDO FIGURAS GEOMÉTRICAS PLANAS. TERMINE DE PINTAR OS DESENHOS COM ATENÇÃO: A COR DE CADA PARTE DAS FIGURAS GEOMÉTRICAS DEVE SER A MESMA NOS 2 LADOS DA LINHA TRACEJADA.

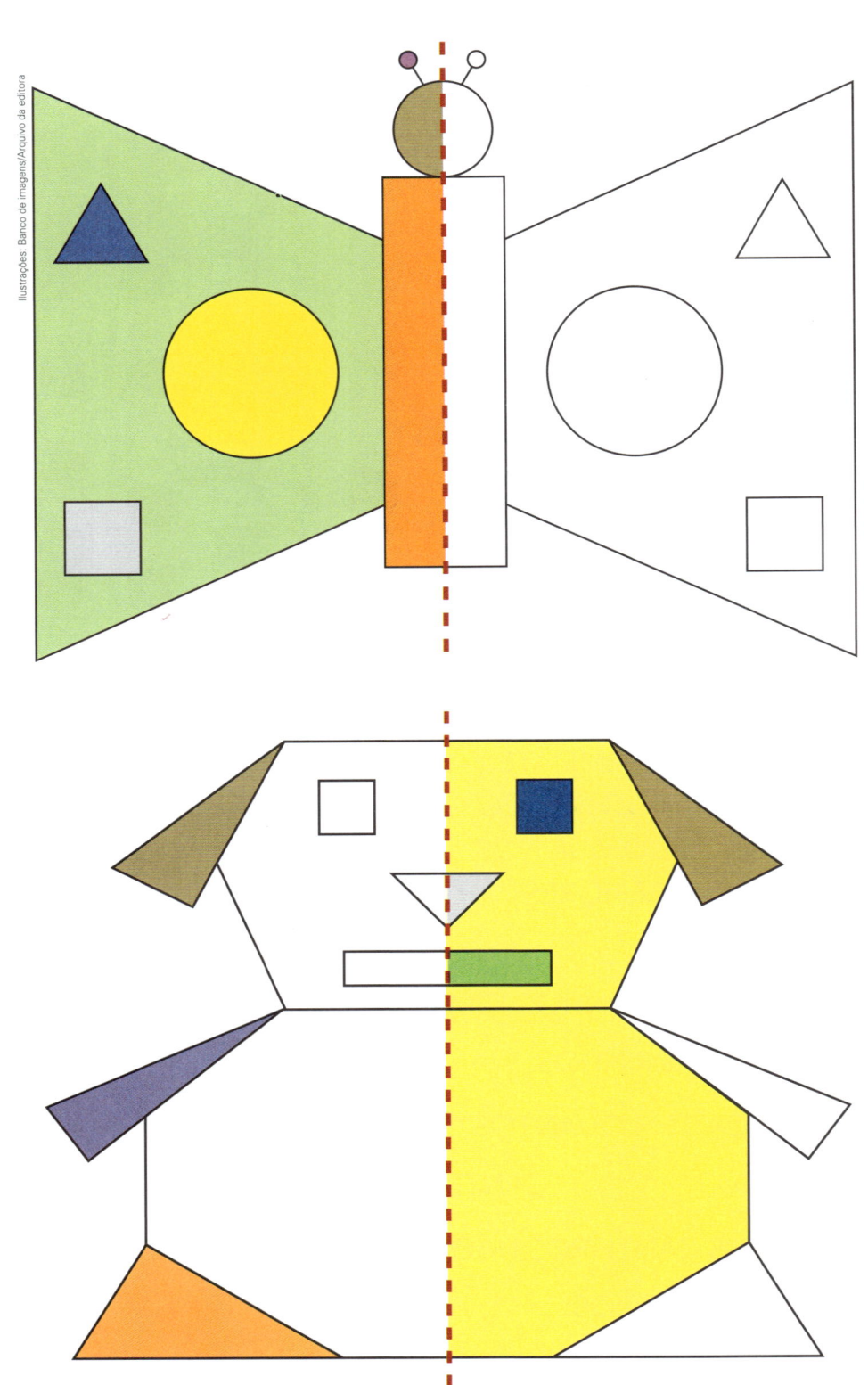

9 FIGURAS GEOMÉTRICAS E ARTE

ATIVIDADE ORAL EM GRUPO PINTORES E ESCULTORES MUITAS VEZES USAM FIGURAS GEOMÉTRICAS NAS OBRAS DE ARTE.
VEJA, POR EXEMPLO, ESTA OBRA DO PINTOR HÚNGARO VICTOR VASARELY (1908-1997).

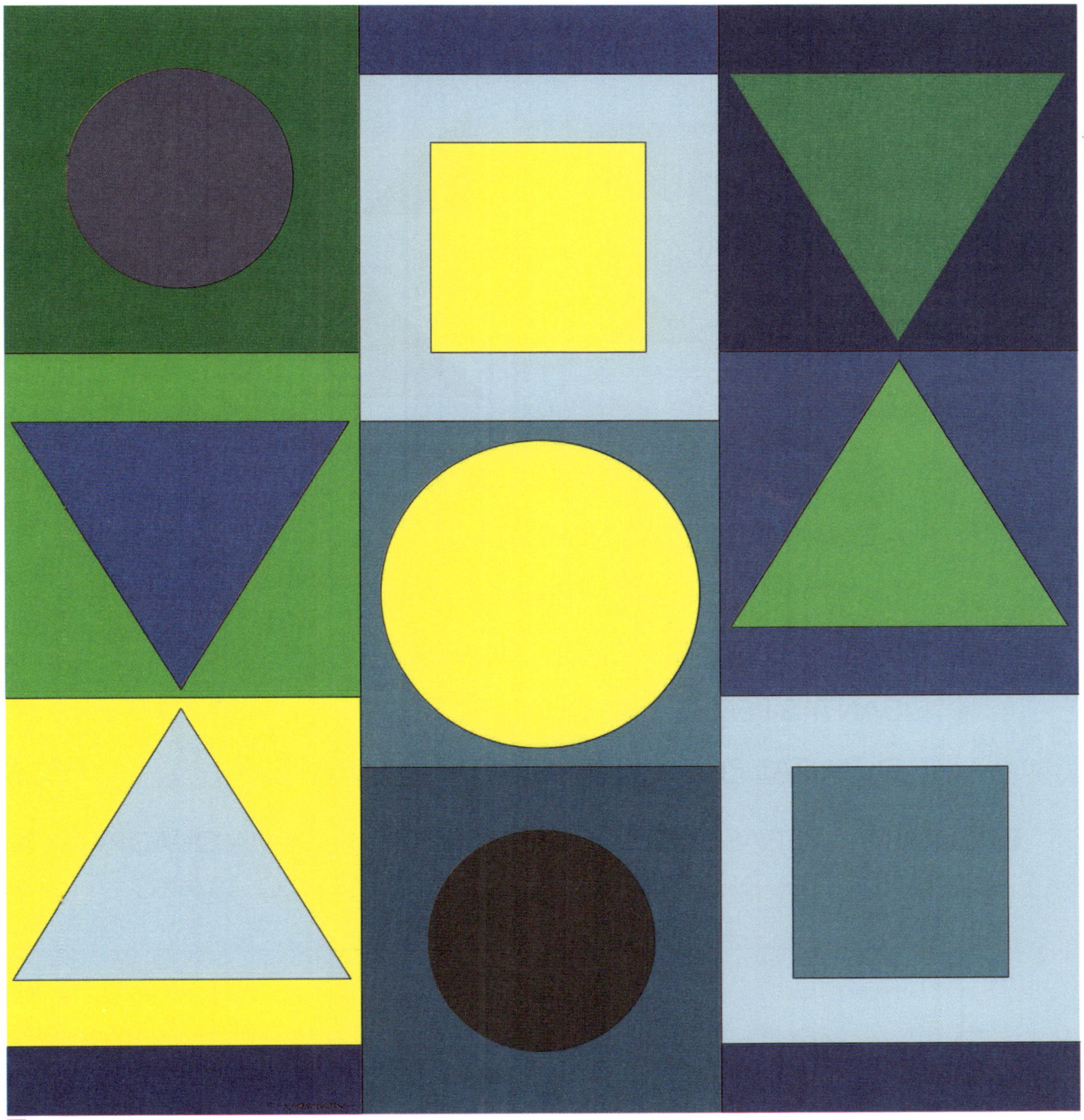

ALPHABET A. B. C. (ALFABETO A. B. C.). 1965. VICTOR VASARELY. ACRÍLICO SOBRE TELA, 103 cm × 97 cm. COLEÇÃO PARTICULAR.

COM OS COLEGAS, IDENTIFIQUE NESSA OBRA FIGURAS GEOMÉTRICAS PLANAS QUE VOCÊS CONHECEM.

10 **VAMOS BRINCAR COM O TANGRAM?**

O TANGRAM É UM QUEBRA-CABEÇA CHINÊS COMPOSTO DE 7 PEÇAS.

A) DESTAQUE AS PEÇAS DA PÁGINA 29 DO **ÁPIS DIVERTIDO**.

OBSERVE AS PEÇAS E ESCREVA OS NÚMEROS.

- HÁ QUANTAS PEÇAS NO TOTAL? _____ PEÇAS.
- QUANTAS PEÇAS SÃO TRIANGULARES? _____ PEÇAS.
- QUANTAS PEÇAS SÃO CIRCULARES? _____ PEÇA.
- QUANTAS PEÇAS SÃO QUADRADAS? _____ PEÇA.
- E QUANTAS PEÇAS NÃO SÃO TRIANGULARES? _____ PEÇAS.

B) UMA DAS PEÇAS DO TANGRAM NÃO TEM FORMA QUADRADA NEM TRIANGULAR. DESENHE ESSA PEÇA NO ESPAÇO ABAIXO.

C) USANDO TODAS AS PEÇAS DO TANGRAM, OU APENAS ALGUMAS DELAS, PODEMOS CONSTRUIR MUITAS FIGURAS. VEJA OS EXEMPLOS.

USE SEU TANGRAM E TENTE MONTAR AS FIGURAS ACIMA.

D) ATIVIDADE EM DUPLA INVENTE OUTRA FIGURA E PEÇA A UM COLEGA QUE A MONTE.

E) AGORA, CONSTRUA O QUE SE PEDE.
- UMA FIGURA QUADRADA COM 2 PEÇAS.
- UMA FIGURA RETANGULAR COM 3 PEÇAS.
- UMA FIGURA QUADRADA COM 3 PEÇAS.
- UMA FIGURA TRIANGULAR COM 2 PEÇAS.

11 DESAFIO

EM SUA CASA, COM UM ADULTO, CONSTRUA UMA FIGURA QUADRADA COM TODAS AS PEÇAS DO TANGRAM.

SUGESTÕES DE...
LIVROS
FORMAS. MARIA DO CÉU PIRES PASSUELLO. SÃO PAULO: COMPANHIA EDITORA NACIONAL, 2005.

CLACT... CLACT... CLACT... LILIANA E MICHELE IACOCCA. SÃO PAULO: ÁTICA, 2015.

12 COLAGENS COM FIGURAS GEOMÉTRICAS PLANAS

A) DESTAQUE AS PEÇAS DA PÁGINA 31 DO **ÁPIS DIVERTIDO**. VEJA COMO FAZER PEIXINHOS COM ESSAS PEÇAS.

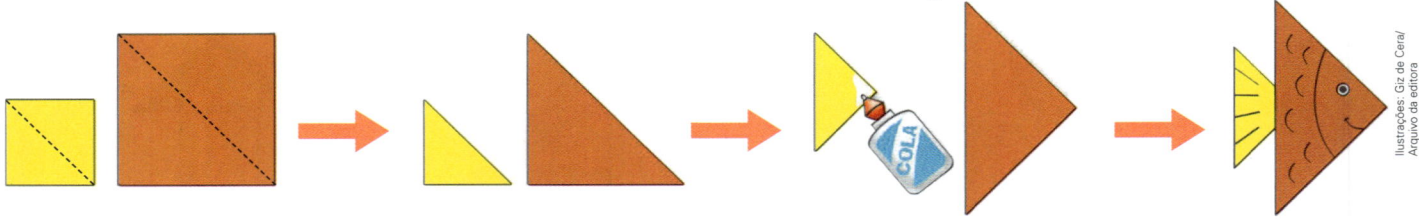

B) AGORA, PINTE A CENA E DEPOIS COLE NELA OS PEIXINHOS QUE VOCÊ FEZ.

13 VAMOS DESENHAR FIGURAS GEOMÉTRICAS PLANAS? OBSERVE AS FIGURAS NESTA **MALHA QUADRICULADA**.

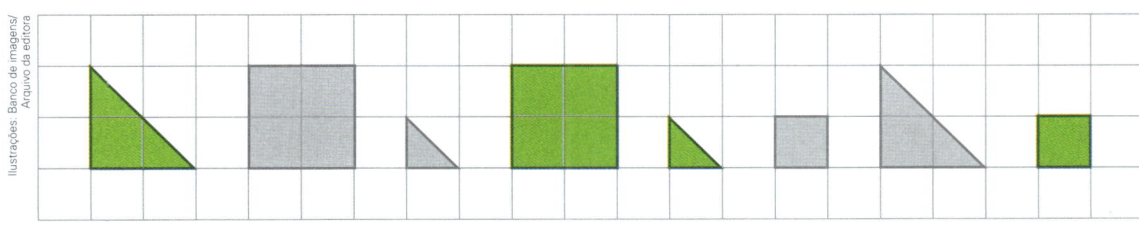

A) DESENHE NA MALHA QUADRICULADA O QUE É PEDIDO EM CADA ITEM.

- AS FIGURAS QUADRADAS VERDES.
- AS FIGURAS CINZA MAIORES.

B) OBSERVE AS FORMAS DAS 8 FIGURAS DADAS E SEPARE-AS EM 2 GRUPOS.

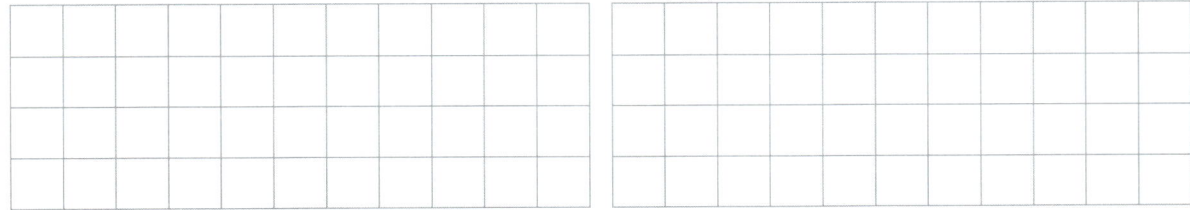

C) AGORA, OBSERVE OS TAMANHOS DAS 8 FIGURAS E SEPARE-AS NOVAMENTE EM 2 GRUPOS.

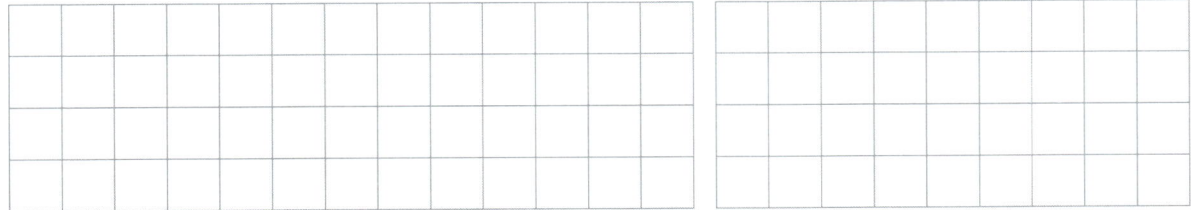

D) FINALMENTE, OBSERVE AS CORES DAS 8 FIGURAS E SEPARE-AS EM 2 GRUPOS.

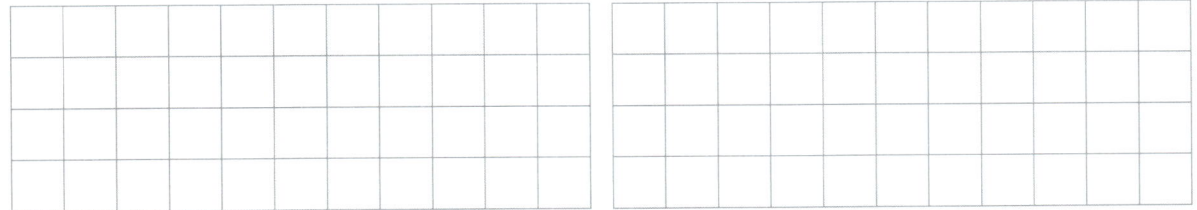

14 ANA FOI AO ZOOLÓGICO QUE ESTÁ REPRESENTADO PELO MAPA ABAIXO. A ENTRADA FICA NO 0 DO MAPA.

AS IMAGENS NÃO ESTÃO REPRESENTADAS EM PROPORÇÃO.

A) ASSIM QUE ENTROU NO ZOOLÓGICO, ANA ANDOU 2 QUADRAS PARA A DIREITA NO MAPA E SUBIU 3 QUADRAS. QUAL ANIMAL ELA ENCONTROU? CONTORNE ABAIXO.

B) FAÇA OS SEGUINTES CAMINHOS NO MAPA.

- COMECE NO 0, ANDE 1 QUADRA PARA A DIREITA E SUBA 2 QUADRAS. QUAL ANIMAL VOCÊ ENCONTROU? CONTORNE ABAIXO.

- COMECE NO 0 E SUBA 4 QUADRAS. CONTORNE ABAIXO O ANIMAL QUE VOCÊ ENCONTROU.

C) QUAL É A FORMA DAS QUADRAS NESSE MAPA? _____

15 **UM PASSEIO PELO BAIRRO**

OBSERVE PARTE DO BAIRRO EM QUE RENATO MORA.

A) TRACE OS CAMINHOS NAS CORES INDICADAS E, DEPOIS, COMPARE COM OS DE UM COLEGA.

- UM CAMINHO AZUL DA CASA DE RENATO ATÉ A ESCOLA.
- UM CAMINHO VERMELHO DA CASA DE RENATO ATÉ O CINEMA.

B) RENATO QUER IR DO CINEMA ATÉ A LANCHONETE. QUANTAS QUADRAS TEM, APROXIMADAMENTE, O CAMINHO MAIS CURTO?

_____ QUADRAS.

C) QUAL É A FORMA DO TELHADO DO SUPERMERCADO?

_____

VAMOS VER DE NOVO?

1) POSSIBILIDADES

NA PEÇA DE DOMINÓ AO LADO TEMOS 4 PONTOS E 2 PONTOS. O TOTAL É 6 PONTOS.
DESENHE AS BOLINHAS DAS OUTRAS PEÇAS COM TOTAL DE 6 PONTOS.

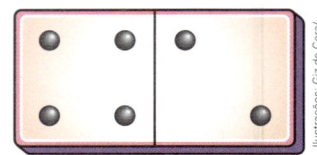

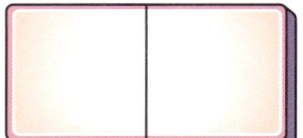 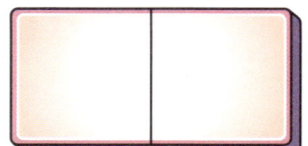 

2) TABELA E FIGURAS GEOMÉTRICAS PLANAS

A PROFESSORA DE JOANA PEDIU AOS ALUNOS QUE DESENHASSEM FIGURAS GEOMÉTRICAS PLANAS COLORIDAS. PARA INDICAR AS FORMAS, AS CORES E AS QUANTIDADES DE FIGURAS, ELA MOSTROU A TABELA ABAIXO.

FIGURAS GEOMÉTRICAS PLANAS COLORIDAS

FIGURA GEOMÉTRICA	△	▭	▭	◯
QUANTIDADE	3	1	1	2

TABELA ELABORADA PARA FINS DIDÁTICOS.

ANALISE A TABELA E DESENHE TODAS AS FIGURAS CONSIDERANDO AS FORMAS, AS CORES E AS QUANTIDADES MOSTRADAS.

3) DESENHE E PINTE AS BANDEIRINHAS QUE FALTAM PARA COMPLETAR 10. DEPOIS, NUMERE TODAS AS BANDEIRINHAS PARA CONFERIR.

O QUE ESTUDAMOS

AS IMAGENS NÃO ESTÃO REPRESENTADAS EM PROPORÇÃO.

RECONHECEMOS EM EMBALAGENS E EM OBJETOS A FORMA DE FIGURAS GEOMÉTRICAS CHAMADAS SÓLIDOS GEOMÉTRICOS.

 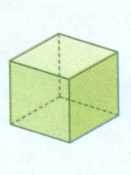  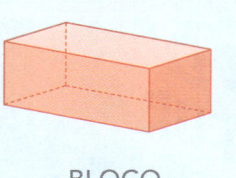  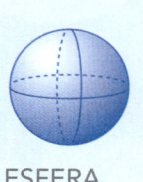

DADO. CUBO. CAIXA. BLOCO RETANGULAR. BOLA. ESFERA.

VIMOS QUE HÁ SÓLIDOS GEOMÉTRICOS QUE PODEM ROLAR E OUTROS QUE NÃO ROLAM.

 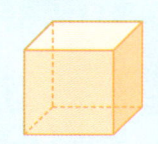

PODE ROLAR.   NÃO ROLA.

RECONHECEMOS TAMBÉM OBJETOS QUE TÊM A FORMA DE FIGURAS GEOMÉTRICAS PLANAS. AS PLACAS DE TRÂNSITO, POR EXEMPLO.

 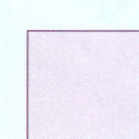  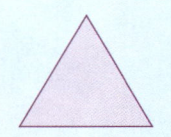

PASSAGEM SINALIZADA DE ESCOLARES. FORMA QUADRADA. DÊ A PREFERÊNCIA. FORMA TRIANGULAR.

- VOCÊ PERCEBE QUANDO UM OBJETO TEM A FORMA DE UM SÓLIDO GEOMÉTRICO?
- E QUANDO UM OBJETO TEM A FORMA DE UMA FIGURA GEOMÉTRICA PLANA?
- NAS ATIVIDADES COM OS COLEGAS, VOCÊ PRESTOU ATENÇÃO ENQUANTO ELES FALAVAM?

- O QUE VOCÊ VÊ NA ESTANTE DESTA CENA?
- VOCÊ CONHECE TODOS OS BRINQUEDOS DESSA ESTANTE?
- DE QUAL DESSES BRINQUEDOS VOCÊ MAIS GOSTA?

PARA INICIAR

NESTA UNIDADE, VAMOS CONHECER O DINHEIRO DO BRASIL. VAMOS TAMBÉM APRENDER A LIDAR COM O DINHEIRO NAS COMPRAS E NAS VENDAS QUE FAZEMOS.

- ANALISE A CENA DAS PÁGINAS DE ABERTURA DESTA UNIDADE. CONVERSE COM OS COLEGAS E RESPONDAM ÀS QUESTÕES A SEGUIR.

QUAL É A MINIATURA MAIS CARA? E A MAIS BARATA?

O CACHORRINHO É MAIS CARO OU MAIS BARATO DO QUE O VIOLÃO?

QUANTO UMA PESSOA VAI GASTAR NA COMPRA DE 2 MINIATURAS DE DINOSSAURO?

QUAIS MINIATURAS TÊM PREÇOS IGUAIS?

QUANTO A MENINA RECEBERÁ DE TROCO AO COMPRAR O CAMINHÃO COM A NOTA QUE ESTÁ NA MÃO DELA?

QUANTO O AVIÃO CUSTA A MAIS DO QUE A CASINHA?

- CONVERSE COM OS COLEGAS SOBRE MAIS ESTAS QUESTÕES.

   A) QUAL É A DIFERENÇA ENTRE COMPRAR E VENDER?

   B) QUANDO HÁ TROCO EM UMA COMPRA?

   C) COMO É UMA COMPRA EM 3 PRESTAÇÕES?

AS NOTAS (CÉDULAS) E AS MOEDAS

VOCÊ JÁ DEVE TER VISTO CENAS COMO ESTA.

O DINHEIRO USADO NO BRASIL CHAMA-SE **REAL** E, PARA FAZER PAGAMENTOS, PODEMOS USAR AS NOTAS E AS MOEDAS DO REAL. VAMOS CONHECÊ-LAS?

 AS IMAGENS NÃO ESTÃO REPRESENTADAS EM PROPORÇÃO.

1 AS NOTAS

VEJA OS EXEMPLOS E, COM A AJUDA DO PROFESSOR, COMPLETE O VALOR **EM REAIS** DAS OUTRAS NOTAS (CÉDULAS) DO REAL.

OU

CEM REAIS.
100 REAIS.

OU

CINQUENTA REAIS.
50 REAIS.

OU

VINTE REAIS.
20 REAIS.

OU

DEZ REAIS.
_____ REAIS.

OU

CINCO REAIS.
_____ REAIS.

OU

DOIS REAIS.
_____

2 AS MOEDAS

AS IMAGENS NÃO ESTÃO REPRESENTADAS EM PROPORÇÃO.

ALÉM DAS NOTAS, EXISTEM AS MOEDAS DO REAL: A MOEDA DE 1 REAL E AS MOEDAS QUE VALEM MENOS DO QUE 1 REAL, COM VALORES DADOS **EM CENTAVOS**. VEJA OS EXEMPLOS E COMPLETE.

UM REAL.
1 REAL.

CINQUENTA CENTAVOS.
50 CENTAVOS.

VINTE E CINCO CENTAVOS.
25 CENTAVOS.

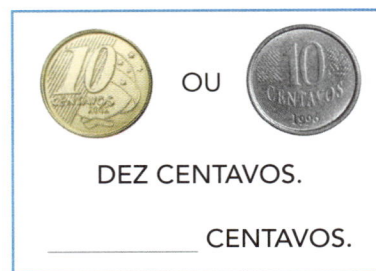
DEZ CENTAVOS.
_____ CENTAVOS.

CINCO CENTAVOS.
_____

UM CENTAVO.
_____

3

PODEMOS REPRESENTAR QUANTIAS EM REAIS DE DIFERENTES MANEIRAS. VEJA 2 MANEIRAS DE REPRESENTAR.

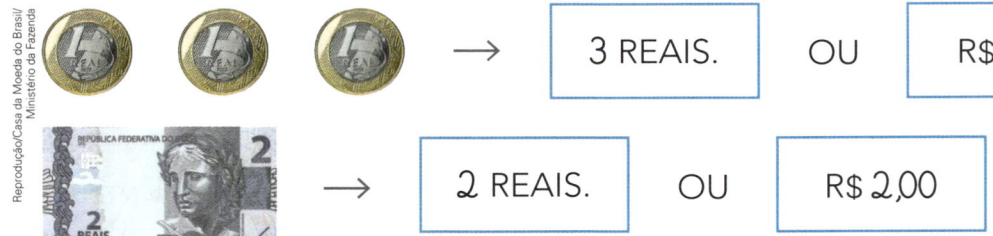

3 REAIS.   OU   R$ 3,00

2 REAIS.   OU   R$ 2,00

REPRESENTE ESTA QUANTIA EM REAIS.

_____ REAIS.   OU   R$ _____

4 FAÇA DO SEU JEITO!

RAFA TEM AS NOTAS MOSTRADAS AO LADO.

COMPLETE: NO TOTAL, RAFA TEM _____ REAIS.

ATIVIDADES COM DINHEIRO

AS IMAGENS NÃO ESTÃO REPRESENTADAS EM PROPORÇÃO.

1 VEJA COMO PAULA ESTÁ CONTANDO O DINHEIRO.

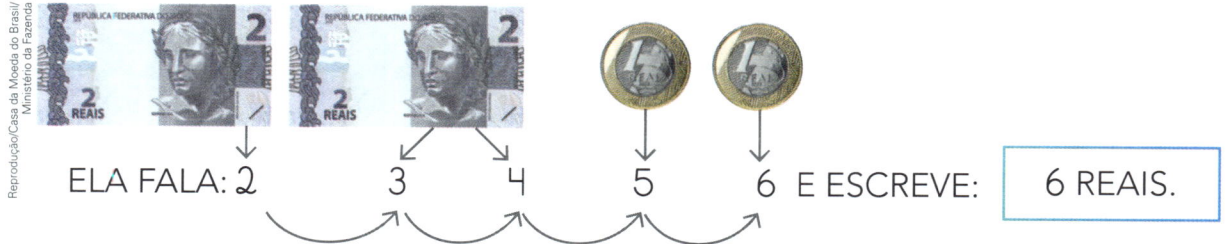

ELA FALA: 2   3   4   5   6   E ESCREVE: 6 REAIS.

ELA FALA: 5   6   7   E ESCREVE: 7 REAIS.

AGORA, CONTE E COMPLETE.

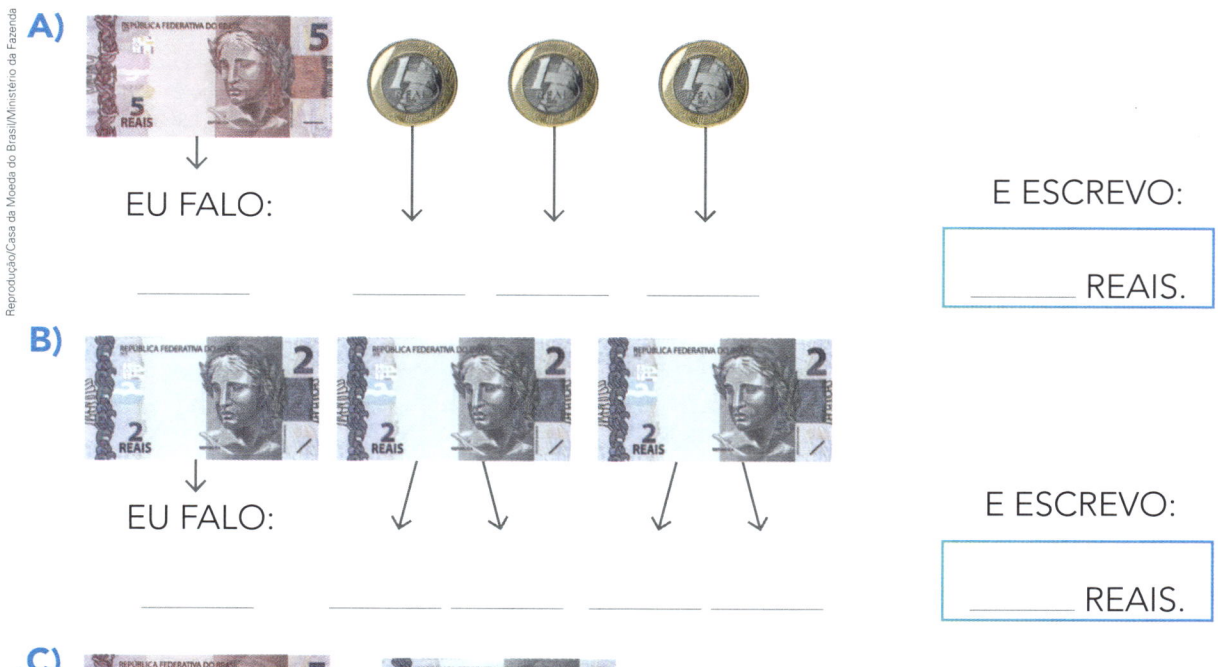

A) EU FALO: ___   ___   ___   ___   E ESCREVO: ___ REAIS.

B) EU FALO: ___   ___   ___   ___   E ESCREVO: ___ REAIS.

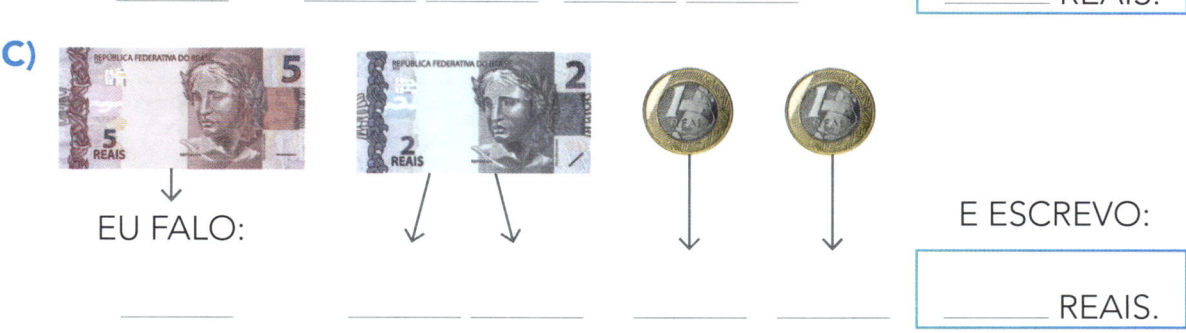

C) EU FALO: ___   ___   ___   ___   E ESCREVO: ___ REAIS.

2 GRÁFICO E CÁLCULO MENTAL COM DINHEIRO

AS IMAGENS NÃO ESTÃO REPRESENTADAS EM PROPORÇÃO.

A) DESCUBRA E ESCREVA QUANTOS REAIS CADA CRIANÇA TEM.

PAULA

_____ REAIS.

IVO

_____ REAIS.

DORA

_____ REAIS.

ROBERTO

_____ REAIS.

B) AGORA, REGISTRE AS QUANTIAS NO GRÁFICO. PINTE 1 QUADRINHO PARA CADA REAL.

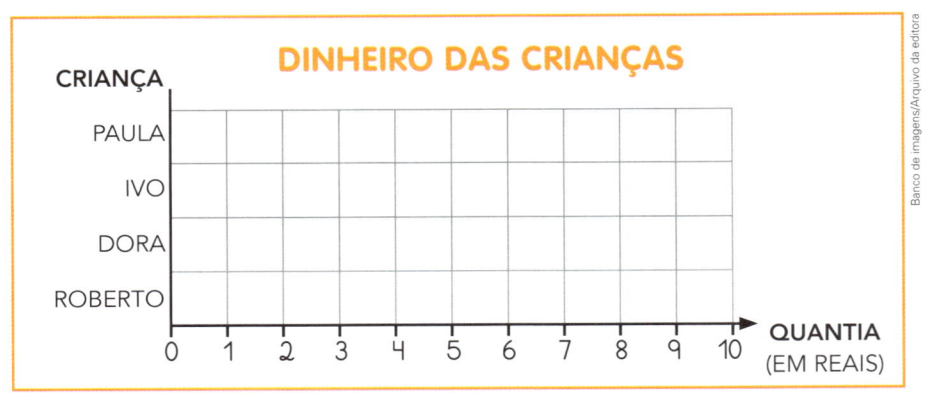

GRÁFICO ELABORADO PARA FINS DIDÁTICOS.

3 ATIVIDADE ORAL EM GRUPO (TODA A TURMA) UM ALUNO CRIA UMA QUESTÃO REFERENTE À ATIVIDADE ANTERIOR E OUTRO ALUNO RESPONDE (PELO MENOS 5 QUESTÕES NO TOTAL). TODOS OS ALUNOS PRESTAM ATENÇÃO ÀS PERGUNTAS E ÀS RESPOSTAS.

4 OBSERVE O PREÇO DOS OBJETOS NAS ETIQUETAS E A QUANTIA EM REAIS NOS QUADROS.
LIGUE OS VALORES CORRESPONDENTES.

AS IMAGENS NÃO ESTÃO REPRESENTADAS EM PROPORÇÃO.

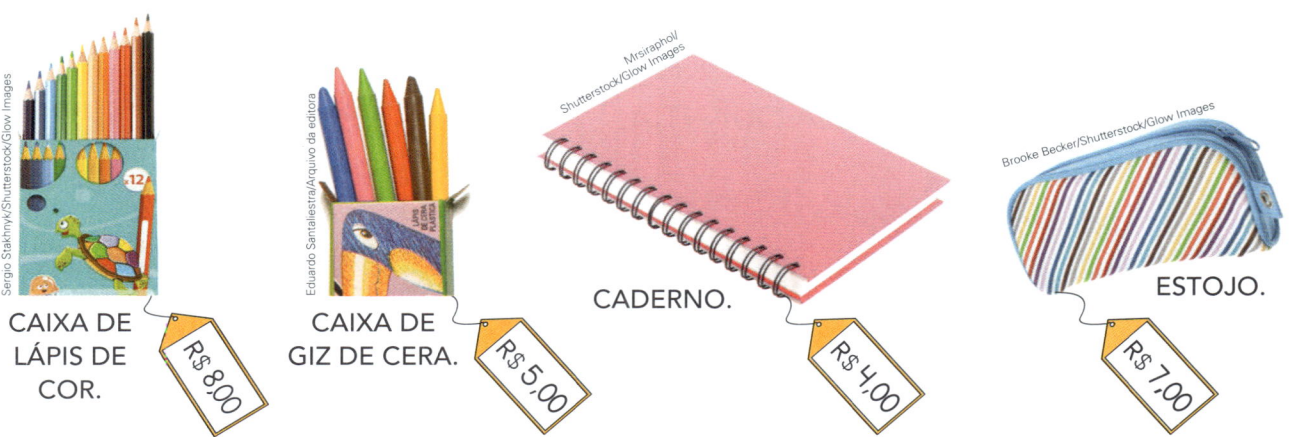

CAIXA DE LÁPIS DE COR. R$ 8,00

CAIXA DE GIZ DE CERA. R$ 5,00

CADERNO. R$ 4,00

ESTOJO. R$ 7,00

| 5 REAIS. | 4 REAIS. | 7 REAIS. | 8 REAIS. |

EXPLORAR E DESCOBRIR

ATIVIDADE EM DUPLA USEM AS NOTAS E AS MOEDAS QUE VOCÊS DESTACARAM DO **ÁPIS DIVERTIDO** E MOSTREM 2 MANEIRAS DE OBTER CADA UMA DESTAS QUANTIAS.

A) 5 REAIS.
B) 8 REAIS.
C) 2 REAIS.
D) 10 REAIS.

5 VEJA O DINHEIRO QUE CLAUDETE TEM.

A) COMPLETE: ELA TEM _____ REAIS OU R$ _____.

B) CONTORNE O PRODUTO QUE ELA PODE COMPRAR COM ESSA QUANTIA.

CADERNO. R$ 6,00

APONTADOR. R$ 4,00

LIVRO. R$ 9,00

C) SE CLAUDETE COMPRAR ESSE PRODUTO, ENTÃO COM QUANTOS REAIS ELA VAI FICAR? _____

D) COM O DINHEIRO QUE CLAUDETE TEM, DE QUANTO ELA AINDA PRECISA PARA COMPRAR O LIVRO? _____

6 É CERTEZA, É IMPOSSÍVEL OU PODE SER?

MARCELO COLOCOU ESTAS NOTAS E MOEDAS EM UM SAQUINHO.

ELE VAI TIRAR DO SAQUINHO ALGUMAS NOTAS E MOEDAS, SEM OLHAR. ASSINALE SE CADA EVENTO **ACONTECE COM CERTEZA**, SE É **IMPOSSÍVEL DE ACONTECER** OU SE **PODE ACONTECER OU NÃO**.

	ACONTECE COM CERTEZA	É IMPOSSÍVEL DE ACONTECER	PODE ACONTECER OU NÃO
A) TIRAR AS 3 NOTAS E OBTER 10 REAIS.			
B) TIRAR AS 3 MOEDAS E OBTER 3 REAIS.			
C) TIRAR 2 NOTAS E OBTER 7 REAIS.			
D) TIRAR 1 NOTA E OBTER 5 REAIS.			

BRINCANDO TAMBÉM APRENDO

JOGO PARA 2 PARTICIPANTES.

À PROCURA DE QUANTIAS

AS NOTAS DEVEM SER BEM MISTURADAS E COLOCADAS NO SAQUINHO NÃO TRANSPARENTE.

DEVE SER DECIDIDO QUEM COMEÇA A PARTIDA EM UM SORTEIO.

A CADA RODADA, UM JOGADOR TIRA 2 NOTAS DO SAQUINHO E CALCULA O VALOR TOTAL OBTIDO. DEPOIS, PINTA 1 CASINHA DO QUADRO QUE CORRESPONDE A ESSE VALOR E DEVOLVE AS 2 NOTAS PARA O SAQUINHO. SE TODAS AS CASINHAS COM A QUANTIA OBTIDA JÁ ESTIVEREM PINTADAS, ENTÃO O JOGADOR PASSA A VEZ.

A PARTIDA CONTINUA ATÉ QUE TODAS AS CASINHAS DO QUADRO ESTEJAM PINTADAS.

VENCE A PARTIDA QUEM TERMINAR PRIMEIRO DE PINTAR TODAS AS CASINHAS DO QUADRO.

NOME DOS PARTICIPANTES:

_____

_____

MATERIAL

- 2 LÁPIS DE CORES DIFERENTES (1 LÁPIS PARA CADA PARTICIPANTE)
- 1 SAQUINHO NÃO TRANSPARENTE
- 10 NOTAS DESTACADAS DO **ÁPIS DIVERTIDO**:

5 notas de

5 notas de

QUADRO

R$ 4,00	R$ 10,00	R$ 7,00	R$ 4,00	R$ 4,00
R$ 7,00	R$ 4,00	R$ 4,00	R$ 7,00	R$ 10,00

VENCEDOR: _____

TECENDO SABERES

EDUCAÇÃO FINANCEIRA

VOCÊ JÁ LEU **TIRINHAS** OU **HISTÓRIAS EM QUADRINHOS**? SE SIM, ONDE ELAS ESTAVAM PUBLICADAS?

AS TIRINHAS CONTAM UMA BREVE HISTÓRIA USANDO UMA SEQUÊNCIA DE IMAGENS. PODEM TER BALÕES DE FALA OU DE PENSAMENTO. TAMBÉM É COMUM APRESENTAREM HUMOR.

1 **ATIVIDADE ORAL EM GRUPO (TODA A TURMA)** LEIA O INÍCIO DA TIRINHA E VEJA O QUE ACONTECEU COM CEBOLINHA.

MAURICIO DE SOUSA. **CEBOLINHA EM APUROS!** PORTO ALEGRE: L&PM, 2009.

A) O QUE ACONTECEU NA HISTÓRIA?

B) ISSO JÁ ACONTECEU COM VOCÊ? SE JÁ ACONTECEU, VOCÊ SE SENTIU COMO CEBOLINHA? SE AINDA NÃO ACONTECEU, COMO VOCÊ ACHA QUE SE SENTIRIA?

C) VOCÊ JÁ PERDEU ALGUMA COISA? SE JÁ PERDEU, COMO VOCÊ SE SENTIU?

D) TODOS OS COLEGAS SE SENTIRAM DA MESMA MANEIRA QUE VOCÊ AO PERDER ALGUMA COISA?

E) O QUE DEVEMOS FAZER QUANDO ENCONTRAMOS ALGO QUE NÃO NOS PERTENCE? POR QUÊ?

2 O QUE SERÁ QUE ACONTECEU DEPOIS DO 3º QUADRINHO DA TIRINHA?

DESENHE NO QUADRINHO DA ESQUERDA O QUE VOCÊ FARIA NO LUGAR DE CEBOLINHA AO ENCONTRAR DINHEIRO.

NO QUADRINHO DA DIREITA, DESENHE O QUE VOCÊ FARIA NO LUGAR DE MAGALI AO DESCOBRIR QUE UM AMIGO ENCONTROU DINHEIRO.

CEBOLINHA	MAGALI

3 **ATIVIDADE ORAL EM GRUPO (TODA A TURMA)** LEIA NOVAMENTE O INÍCIO DA TIRINHA E VEJA O 4º QUADRINHO.

MAURICIO DE SOUSA. **CEBOLINHA EM APUROS!** PORTO ALEGRE: L&PM, 2009.

A) O QUE ACONTECEU NO FINAL DA TIRINHA? ACONTECEU O QUE VOCÊ HAVIA IMAGINADO?

B) CEBOLINHA GASTOU TODO O DINHEIRO QUE HAVIA ENCONTRADO. E VOCÊ, JÁ RECEBEU DINHEIRO DE ALGUÉM (MESADA, PRESENTE DE ANIVERSÁRIO)? VOCÊ COSTUMA GASTAR TODO O DINHEIRO QUE RECEBE OU GUARDA UM POUCO?

C) É IMPORTANTE ECONOMIZAR? POR QUÊ?

D) DE ACORDO COM A TIRINHA, COMO MAGALI SE SENTIU? EM SUA OPINIÃO, POR QUE ELA SE SENTIU ASSIM?

MAIS ATIVIDADES COM DINHEIRO

1 ESCREVA AS QUANTIAS E ASSINALE COM UM **X** QUEM TEM MAIS DINHEIRO EM CADA QUADRO. SE AS QUANTIAS FOREM IGUAIS, ENTÃO MARQUE **X** NOS 2 QUADRINHOS.

AS IMAGENS NÃO ESTÃO REPRESENTADAS EM PROPORÇÃO.

_____ REAIS.   _____ REAIS.
BETO. ☐   PAULA. ☐

_____ REAIS.   _____ REAIS.
ANA. ☐   JOÃO. ☐

_____ REAIS.   _____ REAIS.
RUI. ☐   LÚCIA. ☐

2 VEJA AS QUANTIAS QUE APARECERAM NA ATIVIDADE ANTERIOR. COLOQUE ESSAS QUANTIAS NA ORDEM DA MENOR PARA A MAIOR.

_____ REAIS, _____ REAIS, _____ REAIS, _____ REAIS.

SUGESTÃO DE...
LIVRO
COMO SE FOSSE DINHEIRO. RUTH ROCHA. SÃO PAULO: SALAMANDRA, 2010.

3 COMPLETE COM O VALOR TOTAL EM CADA ITEM.

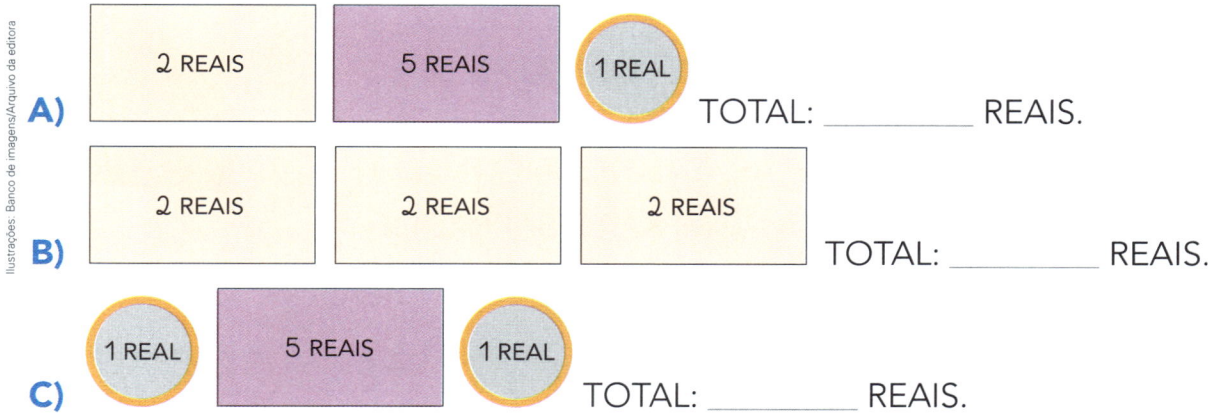

A) 2 REAIS | 5 REAIS | 1 REAL — TOTAL: _____ REAIS.

B) 2 REAIS | 2 REAIS | 2 REAIS — TOTAL: _____ REAIS.

C) 1 REAL | 5 REAIS | 1 REAL — TOTAL: _____ REAIS.

4 AGORA, COMPLETE COM O VALOR QUE FALTA NA NOTA PARA QUE SE TENHA O VALOR TOTAL INDICADO.

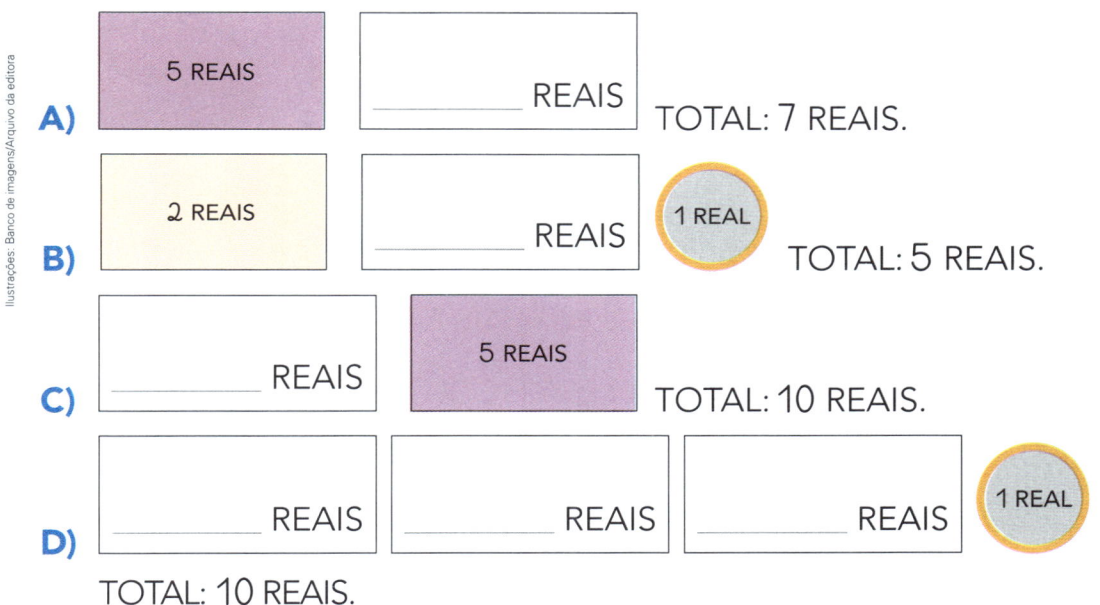

A) 5 REAIS | _____ REAIS — TOTAL: 7 REAIS.

B) 2 REAIS | _____ REAIS | 1 REAL — TOTAL: 5 REAIS.

C) _____ REAIS | 5 REAIS — TOTAL: 10 REAIS.

D) _____ REAIS | _____ REAIS | _____ REAIS | 1 REAL — TOTAL: 10 REAIS.

5 **DESAFIO**

ATIVIDADE ORAL EM GRUPO DESCUBRA COM OS COLEGAS COMO ANA PODE PAGAR A BONECA USANDO A QUANTIDADE DE NOTAS E MOEDAS CITADA EM CADA ITEM, SEM RECEBER TROCO.

A) 1 NOTA E 1 MOEDA.

B) 3 NOTAS.

C) 2 NOTAS E 2 MOEDAS.

BONEQUINHA R$ 6,00

6 DESAFIO

A MÃE DE JÚLIA FOI AO SUPERMERCADO. SE ELA COMPRAR 4 BARRAS DE CEREAL IGUAIS, ENTÃO VAI PAGAR 6 REAIS POR ELAS. CALCULE E COMPLETE.

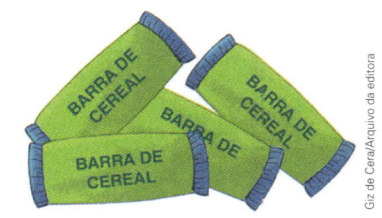

A) SE A MÃE DE JÚLIA COMPRAR 2 BARRAS DE CEREAL, ENTÃO ELA VAI PAGAR _____ REAIS.

B) SE A MÃE DE JÚLIA COMPRAR _____ BARRAS DE CEREAL, ENTÃO ELA VAI PAGAR 9 REAIS.

7 CALCULAR E RESPONDER

A) FELIPE TEM 4 REAIS. QUANTO ELE PRECISA GANHAR PARA COMPRAR O CARRINHO AO LADO? _____ REAL.

B) SE VOCÊ GANHAR 1 REAL PARA CADA ANO QUE VOCÊ TEM, ENTÃO QUANTOS REAIS RECEBERÁ? _____ REAIS.

C) PAULA TINHA 5 REAIS E PAGOU 2 REAIS PARA ENCHER O PNEU DA BICICLETA. COM QUANTO ELA FICOU? _____ REAIS.

D) CÁSSIO TINHA 4 REAIS E GANHOU MAIS 3 REAIS. COM QUANTO ELE FICOU? _____ REAIS.

AS IMAGENS NÃO ESTÃO REPRESENTADAS EM PROPORÇÃO.

8 CALCULAR E COMPLETAR

COMPLETE.

A) VEJA O DINHEIRO DE PAULA.

PARA ELA FICAR COM 10 REAIS, FALTAM _____ REAIS.

B) ANA TEM 4 REAIS E BIA TEM 6 REAIS.

ENTÃO _____ TEM _____ REAIS A MAIS DO QUE _____.

C) PODEMOS OBTER 10 REAIS COM 5 NOTAS DE _____ REAIS.

D) PODEMOS OBTER 9 REAIS COM 1 NOTA DE _____ REAIS E 2 NOTAS DE _____ REAIS.

VAMOS VER DE NOVO?

1 OBSERVE ALGUNS MEIOS DE TRANSPORTE E ESCREVA OS NÚMEROS.

AS IMAGENS NÃO ESTÃO REPRESENTADAS EM PROPORÇÃO.

A) NÚMERO DE BARCOS → _____

B) NÚMERO DE AVIÕES → _____

C) NÚMERO DE BICICLETAS → _____

D) NÚMERO DE AUTOMÓVEIS → _____

2 BETO MONTOU A PILHA DE CAIXAS AO LADO. PINTE AS CAIXAS ABAIXO DE ACORDO COM A POSIÇÃO DELAS NA PILHA, DE BAIXO PARA CIMA.

1ª 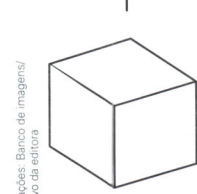   2ª 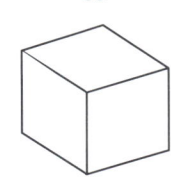   3ª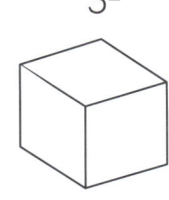

3 QUAL DESTES QUADROS TEM 2 FIGURAS CIRCULARES, 3 FIGURAS QUADRADAS E 4 FIGURAS TRIANGULARES? MARQUE COM UM **X** O QUADRINHO CORRESPONDENTE.

  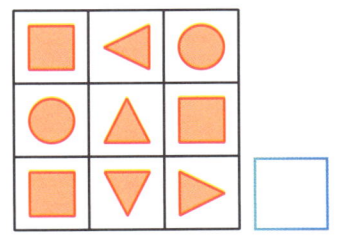

4 IMAGINE QUE VOCÊ VAI JOGAR UM DADO E OBSERVAR QUANTOS PONTOS VAI OBTER NA FACE VOLTADA PARA CIMA. LEIA CADA PERGUNTA E RESPONDA **SIM** OU **NÃO**.

5 PONTOS.

A) É CERTEZA QUE VOCÊ VAI OBTER MAIS DO QUE 4 PONTOS NA FACE VOLTADA PARA CIMA? _____

B) É CERTEZA QUE VOCÊ VAI OBTER MENOS DO QUE 8 PONTOS? _____

C) VOCÊ PODE OBTER MAIS DO QUE 4 PONTOS? _____

D) VOCÊ PODE OBTER 7 PONTOS? _____

E) VOCÊ PODE OBTER 6 PONTOS? _____

F) É CERTEZA QUE VOCÊ VAI OBTER 6 PONTOS? _____

AS IMAGENS NÃO ESTÃO REPRESENTADAS EM PROPORÇÃO.

5 EM UM JOGO NO COMPUTADOR, MÁRIO LEVOU O BONEQUINHO ATÉ A CASINHA. VEJA AO LADO O CAMINHO QUE ELE FEZ.

A) POR QUANTAS BOLINHAS ELE PASSOU NESSE CAMINHO? _____ BOLINHAS.

B) AGORA É COM VOCÊ: LEVE O BONECO ATÉ A CASINHA PASSANDO POR EXATAMENTE 6 BOLINHAS.

6 VEJA AO LADO O DESENHO DA PIPA DE MIGUEL. PINTE DE VERMELHO A PIPA ABAIXO QUE TEM A MESMA FORMA DA PIPA DE MIGUEL E ESCOLHA OUTRAS CORES PARA PINTAR AS OUTRAS PIPAS.

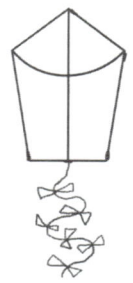 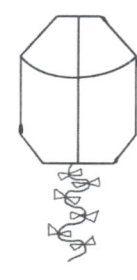  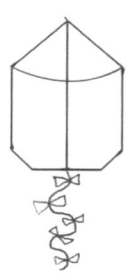 

138 CENTO E TRINTA E OITO

O QUE ESTUDAMOS

AS IMAGENS NÃO ESTÃO REPRESENTADAS EM PROPORÇÃO.

CONHECEMOS AS NOTAS (CÉDULAS) QUE SÃO USADAS ATUALMENTE NO BRASIL.

E CONHECEMOS TAMBÉM AS MOEDAS: A MOEDA DE 1 REAL E AS MOEDAS DE CENTAVOS.

    OU     OU

 OU   OU   OU

VIMOS SITUAÇÕES DO DIA A DIA EM QUE USAMOS DINHEIRO E RESOLVEMOS PROBLEMAS.

QUANTO VOU GASTAR PARA COMPRAR ESTA CANETA E ESTA BOLA?

ELE VAI GASTAR 7 REAIS.

- VOCÊ ERROU ALGUMA ATIVIDADE NESTA UNIDADE?
  SE VOCÊ ERROU, NÃO SE PREOCUPE, FAZ PARTE DA APRENDIZAGEM! MAS NÃO SE ESQUEÇA DE REVER COM O PROFESSOR O QUE VOCÊ NÃO ENTENDEU.

- NAS ATIVIDADES COM OS COLEGAS, VOCÊ RESPEITOU O TEMPO DELES? FALOU SEMPRE NO MOMENTO CERTO?

- QUAIS ELEMENTOS APARECEM NESTA CENA?
- VOCÊ SABE O QUE REPRESENTAM OS NÚMEROS QUE APARECEM NESTA CENA?

PARA INICIAR

PARA SABER QUANTOS GOLS FORAM MARCADOS NA PARTIDA, DEVEMOS EFETUAR UMA **ADIÇÃO** (5 + 3).

PARA SABER QUANTOS GOLS O TIME ÁGUIAS MARCOU A MAIS DO QUE O TIME FALCÕES, DEVEMOS EFETUAR UMA **SUBTRAÇÃO** (5 − 3).

ADIÇÃO E SUBTRAÇÃO SÃO OS NOMES DE 2 OPERAÇÕES MATEMÁTICAS, QUE SERÃO ESTUDADAS NESTA UNIDADE.

- ANALISE A CENA DAS PÁGINAS DE ABERTURA DESTA UNIDADE. CONVERSE COM OS COLEGAS E RESPONDAM ÀS QUESTÕES A SEGUIR.

QUANTOS GOLS O TIME ÁGUIAS MARCOU? E O TIME FALCÕES?

QUAL TERIA SIDO O PLACAR SE O TIME ÁGUIAS TIVESSE MARCADO 1 GOL A MENOS E O TIME FALCÕES TIVESSE MARCADO 1 GOL A MAIS?

QUANTOS GOLS O TIME ÁGUIAS MARCOU A MAIS DO QUE O TIME FALCÕES?

QUANTOS GOLS FORAM MARCADOS NO TOTAL?

AS IMAGENS NÃO ESTÃO REPRESENTADAS EM PROPORÇÃO.

- CONVERSE COM OS COLEGAS SOBRE MAIS ESTAS QUESTÕES.

    A) VEJA O BOLO DE ANIVERSÁRIO DE JOANA. QUANTOS ANOS ELA ESTÁ FAZENDO?

    B) QUANTOS ANOS JOANA FARÁ DAQUI A 4 ANOS?

    C) QUANTOS ANOS JOANA FEZ 2 ANOS ATRÁS?

    D) FERNANDO, IRMÃO DE JOANA, É 3 ANOS MAIS VELHO DO QUE ELA. QUAL É A IDADE ATUAL DE FERNANDO?

SITUAÇÕES DE ADIÇÃO

EXPLORAR E DESCOBRIR

USE NOVAMENTE AS BARRINHAS COLORIDAS QUE VOCÊ DESTACOU DO **ÁPIS DIVERTIDO**. EXPLORE E DESCUBRA O QUE ACONTECE QUANDO JUNTAMOS BARRINHAS.

- JUNTE A BARRINHA AMARELA (QUE VALE 5) COM A BARRINHA VERMELHA (QUE VALE 2) E PROCURE A BARRINHA QUE TEM A MESMA MEDIDA DE COMPRIMENTO DAS 2 BARRINHAS JUNTAS. COMPLETE COM A COR E O VALOR DA BARRINHA ENCONTRADA.

    AMARELA (5) E VERMELHA (2) ⟶ _____ (_____)

- FAÇA O MESMO COM MAIS ESTAS BARRINHAS E DEPOIS COMPLETE.

    VERDE-CLARA (_____) E PRETA (_____) ⟶ _____ (_____)

    BRANCA (_____) E AZUL-CLARA (_____) ⟶ _____ (_____)

    VERDE-ESCURA (_____) E VERMELHA (_____) ⟶ _____ (_____)

1 JUNTANDO QUANTIDADES

OBSERVE COM ATENÇÃO E COMPLETE COM NÚMEROS.

AS IMAGENS NÃO ESTÃO REPRESENTADAS EM PROPORÇÃO.

A)

JUNTOS SÃO _____ FEIJÕES.

_____ E _____

B)

AO TODO SÃO _____ AMORAS.

_____ E _____

2 OBSERVE AS 2 NOTAS E COMPLETE.

A NOTA DA ESQUERDA VALE _____ REAIS.

A NOTA DA DIREITA VALE _____ REAIS.

A QUANTIA TOTAL DAS 2 NOTAS JUNTAS É _____ REAIS.

3 **ACRESCENTANDO UMA QUANTIDADE A OUTRA**

ATIVIDADE ORAL OBSERVE AS CENAS E CRIE HISTÓRIAS COM ELAS. DEPOIS, REGISTRE A QUANTIDADE DE ANIMAIS EM CADA SITUAÇÃO.

QUANTOS ANIMAIS?	QUANTOS CHEGARAM?	QUANTOS AO TODO?

_____	_____	_____

_____	_____	_____

4 VEJA ESTAS PÁGINAS DO ÁLBUM DE CAIO E COMPLETE.

CAIO JÁ COLOU _____ FIGURINHAS.

ELE VAI COLAR _____ FIGURINHAS.

FICARÃO COLADAS _____ FIGURINHAS.

REPRESENTAÇÃO DA ADIÇÃO

EXPLORAR E DESCOBRIR

VAMOS CONTINUAR EXPLORANDO AS BARRINHAS.

- PEGUE AS BARRINHAS VERMELHA (2) E VERDE-CLARA (3) E COLOQUE UMA AO LADO DA OUTRA, COMO NA IMAGEM ABAIXO. RESPONDA, PINTE A BARRINHA COM A COR CORRESPONDENTE E COMPLETE. QUAL BARRINHA TEM A MESMA MEDIDA DE COMPRIMENTO DESSAS 2 BARRINHAS JUNTAS? _____

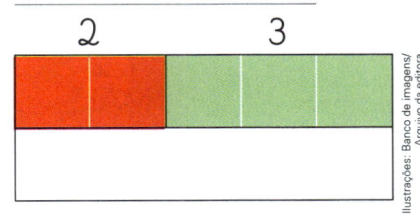

_____

DIZEMOS: 2 MAIS 3 É IGUAL A 5.

INDICAMOS A ADIÇÃO: 2 + 3 = _____

- FAÇA O MESMO NOS CASOS ABAIXO.

_____ _____

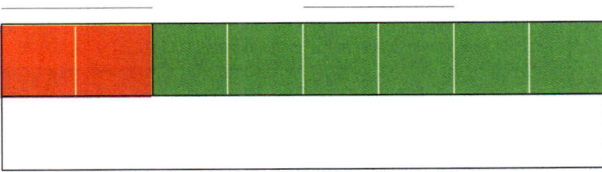

_____

DIZEMOS: _____ MAIS _____ É IGUAL A _____.

INDICAMOS A ADIÇÃO: _____ + _____ = _____

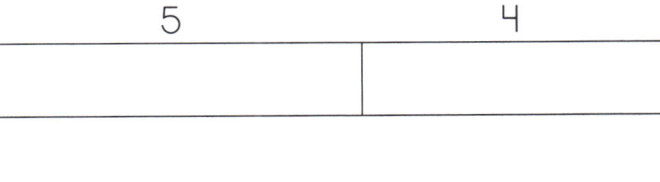

_____

DIZEMOS: _____ MAIS _____ É IGUAL A _____.

INDICAMOS A ADIÇÃO: _____ + _____ = _____

1 VAMOS CONSTRUIR **O MURINHO DO** 5? ELE SERVE PARA ESCREVER TODAS AS POSSIBILIDADES DE OBTER 5 COM 1 OU 2 BARRINHAS.

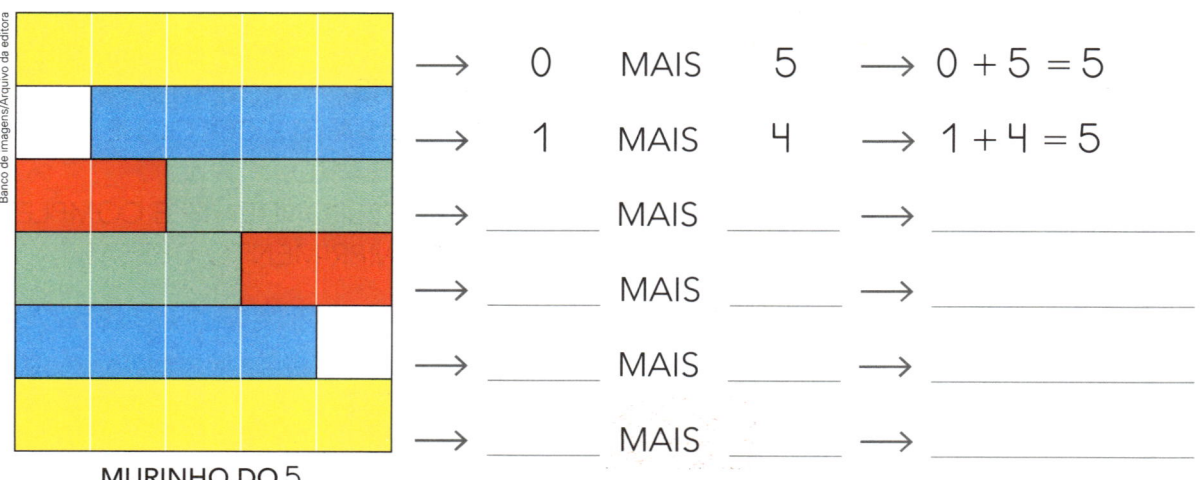

→ 0 MAIS 5 → 0 + 5 = 5
→ 1 MAIS 4 → 1 + 4 = 5
→ _____ MAIS _____ → _____
→ _____ MAIS _____ → _____
→ _____ MAIS _____ → _____
→ _____ MAIS _____ → _____

MURINHO DO 5.

EXPLORAR E DESCOBRIR

JOÃO DESCOBRIU UMA MANEIRA DE OBTER 10 JUNTANDO 2 BARRINHAS COLORIDAS. VEJA UMA DAS EXPERIMENTAÇÕES QUE ELE FEZ E A ADIÇÃO QUE ELE INDICOU.

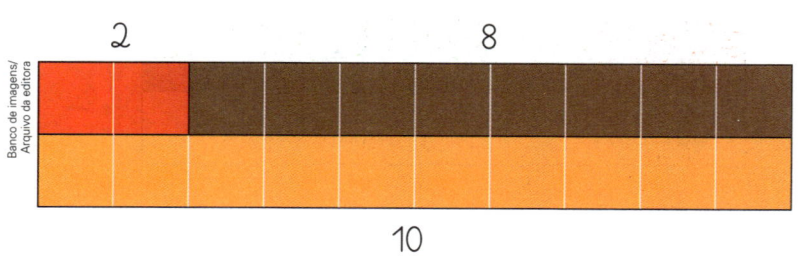

2 + 8 = 10

ATIVIDADE EM DUPLA USEM AS BARRINHAS COLORIDAS E DESCUBRAM OUTRAS 3 POSSIBILIDADES DE OBTER 10. INDIQUEM, CADA UM NO PRÓPRIO LIVRO, AS ADIÇÕES CORRESPONDENTES.

_____ + _____ = 10   _____ + _____ = 10

_____ + _____ = 10

2 QUANTAS FRUTAS HÁ AO TODO?
CONTE E COMPLETE A ADIÇÃO. A PRIMEIRA JÁ ESTÁ FEITA.

AS IMAGENS NÃO ESTÃO REPRESENTADAS EM PROPORÇÃO.

A)
MAMÕES.

4 + 4 = 8

D)
MORANGOS.

3 + 2 = _____

B)
BANANAS.

_____ + _____ = _____

E)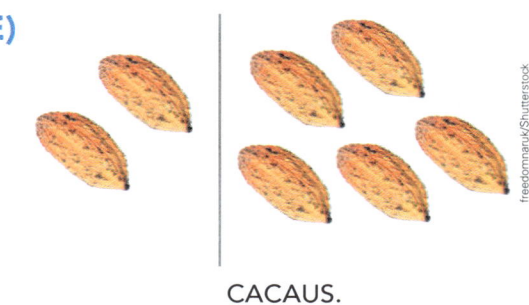
CACAUS.

_____ = _____

C)
JABUTICABAS.

_____

F)
CAJUS.

_____

3 **FAÇA DO SEU JEITO!**
DESCUBRA E REGISTRE O RESULTADO DE CADA ADIÇÃO. DEPOIS, VEJA COMO OS COLEGAS FIZERAM.

A) 4 + 2 = _____

B) 3 + 6 = _____

TECENDO SABERES

FRUTAS E SAÚDE

NA UNIDADE 3, VOCÊ CONHECEU UM POUCO A MAÇÃ. VAMOS CONHECER UM POUCO MAIS SOBRE OUTRAS FRUTAS?

OBSERVE NOVAMENTE AS FRUTAS QUE VOCÊ CONTOU NA PÁGINA ANTERIOR.

AS IMAGENS NÃO ESTÃO REPRESENTADAS EM PROPORÇÃO.

MAMÃO. MORANGO. CACAU.

BANANA. CAJU. JABUTICABA.

1 **ATIVIDADE ORAL EM GRUPO (TODA A TURMA)**

A) VOCÊ JÁ CONHECIA ESSAS FRUTAS? QUAIS DELAS VOCÊ JÁ TEVE A OPORTUNIDADE DE EXPERIMENTAR? CONTE PARA OS COLEGAS.

B) QUAL É SUA FRUTA PREFERIDA? OS COLEGAS TAMBÉM GOSTAM DESSA FRUTA?

C) QUANDO ALGUÉM TEM UMA PREFERÊNCIA DIFERENTE DA NOSSA, COMO DEVEMOS AGIR?

D) RELEIA ESTA FRASE:
"COMER 1 MAÇÃ POR DIA É ÓTIMO, POIS ELA É CONSIDERADA UMA IMPORTANTE FONTE DE VITAMINAS."
VOCÊ TEM O HÁBITO DE COMER FRUTAS? DEPOIS DE CONHECER A IMPORTÂNCIA DA MAÇÃ, NA UNIDADE 3, VOCÊ PASSOU A CONSUMIR MAIS FRUTAS DIARIAMENTE?

2 TODAS AS FRUTAS SÃO RICAS EM VITAMINAS. ELAS AJUDAM A NUTRIR NOSSO CORPO E PREVENIR DOENÇAS. VEJA ALGUNS EXEMPLOS.

AS IMAGENS NÃO ESTÃO REPRESENTADAS EM PROPORÇÃO.

FONTE DE CONSULTA: REVISTA **CRESCER**. DISPONÍVEL EM: <https://revistacrescer.globo.com/Colherada-Boa/noticia/2013/10/o-beneficio-das-frutas-para-criancas.html>. ACESSO EM: 7 AGO. 2019.

QUAIS DAS FRUTAS CITADAS ACIMA SÃO FONTE DE VITAMINA C?
E QUAIS DAS FRUTAS SÃO FONTE DE POTÁSSIO?

---

3 VOCÊ SABIA QUE ALGUMAS FRUTAS PODEM ESTAR MAIS FRESQUINHAS EM DETERMINADAS ÉPOCAS DO ANO? SÃO AS CHAMADAS **FRUTAS DA ESTAÇÃO** OU **FRUTAS DE ÉPOCA**.

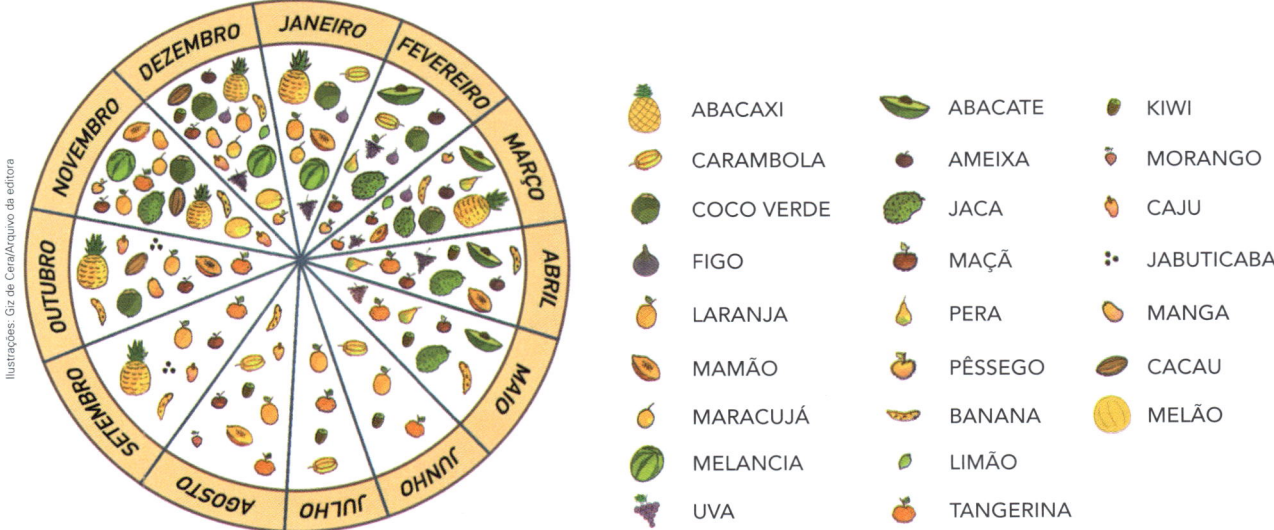

FONTE DE CONSULTA: CENTRO DE VIDA SAUDÁVEL (CEVISA). **BLOG**. DISPONÍVEL EM: <https://cevisa.org.br/portal/descubra-quais-sao-as-frutas-legumes-e-verduras-de-cada-estacao/>. ACESSO EM: 9 MAR. 2020.

EM QUAL MÊS ESTAMOS? QUAIS SÃO AS FRUTAS DA ESTAÇÃO DESTE MÊS?

MANEIRAS DE EFETUAR A ADIÇÃO

1 CONTANDO NOS DEDOS

AS IMAGENS NÃO ESTÃO REPRESENTADAS EM PROPORÇÃO.

PAULA VAI COMPRAR 1 CANETA E 1 LÁPIS. VEJA COMO ELA FEZ PARA SABER QUANTO VAI GASTAR AO TODO.

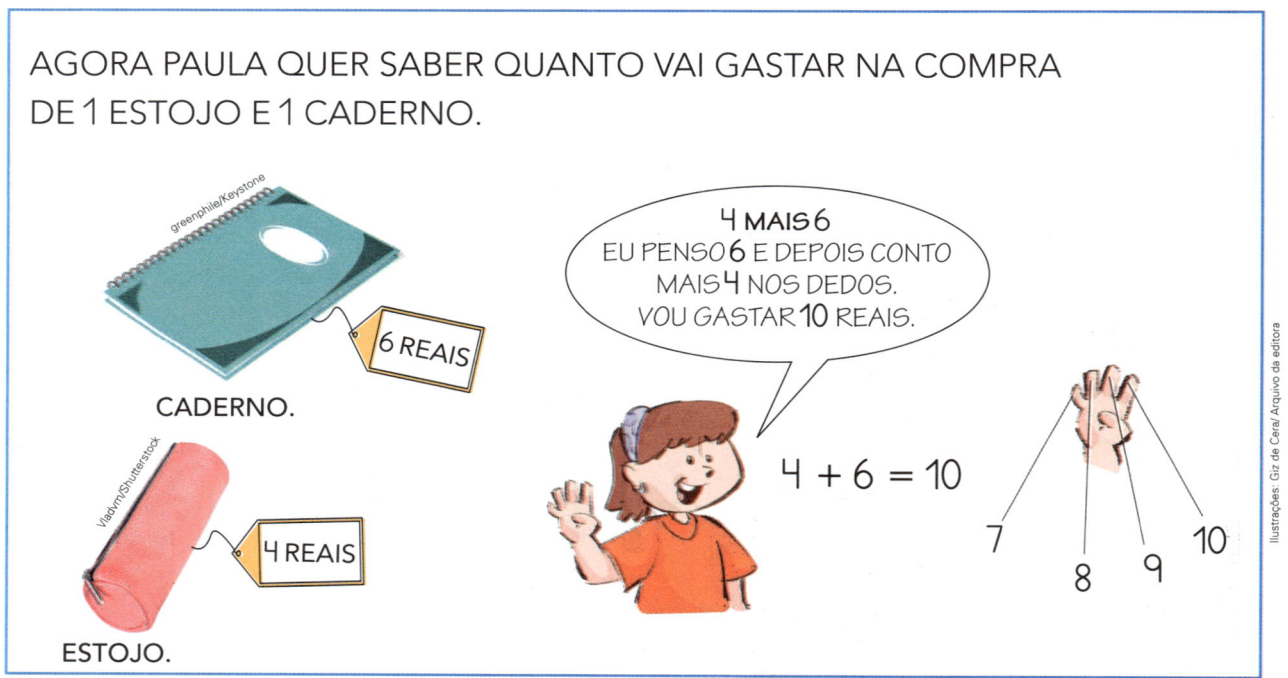

AGORA PAULA QUER SABER QUANTO VAI GASTAR NA COMPRA DE 1 ESTOJO E 1 CADERNO.

AGORA, CONTE NOS DEDOS, DESCUBRA E REGISTRE OS RESULTADOS. DEPOIS, CONFIRA OS RESULTADOS COM OS DOS COLEGAS.

A) 2 + 3 = _____   C) 6 + 2 = _____   E) 9 + 1 = _____

B) 5 + 4 = _____   D) 3 + 6 = _____   F) 4 + 4 = _____

2 DESENHANDO

BETO ESTAVA JOGANDO DARDOS NO ALVO.
VEJA COMO ELE SOMOU OS PONTOS QUE OBTEVE NO JOGO.

AS IMAGENS NÃO ESTÃO REPRESENTADAS EM PROPORÇÃO.

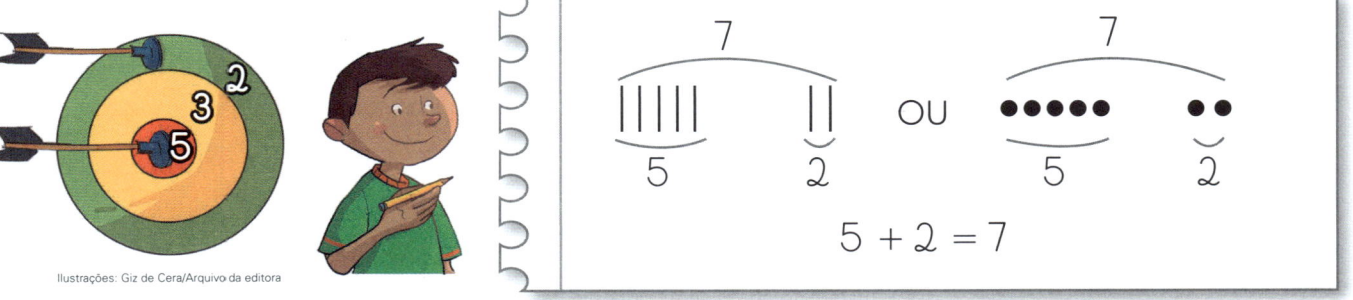

NO TOTAL, BETO OBTEVE 7 PONTOS.

A) RESOLVA ESTAS SITUAÇÕES, COMPLETE AS FRASES E ESCREVA AS ADIÇÕES. USE RISQUINHOS OU BOLINHAS, COMO BETO.

PARA FAZER 1 BOLO, LUCAS USA 3 OVOS.

COMO FEZ 2 BOLOS, ELE USOU _____ OVOS.

ADIÇÃO: _____

4 CRIANÇAS ESTAVAM BRINCANDO NO PÁTIO DA ESCOLA.

CHEGARAM MAIS 5 CRIANÇAS.

AGORA SÃO _____ CRIANÇAS BRINCANDO.

ADIÇÃO: _____

B) AGORA, COMPLETE NOS TRAÇOS E INDIQUE A ADIÇÃO.

_____ + _____ = _____

3 "ANDANDO" NA RETA NUMERADA

COMECE POR UM DOS NÚMEROS E "ANDE" PARA A FRENTE O QUE O OUTRO NÚMERO INDICA. VEJA OS EXEMPLOS.

2 + 7 = ?

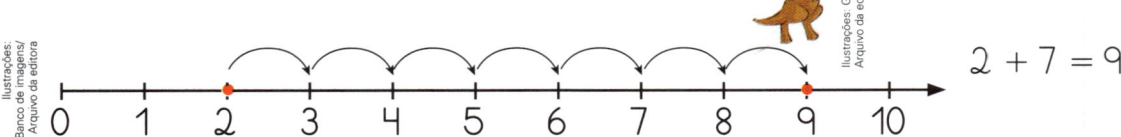

2 + 7 = 9

7 + 2 = ?

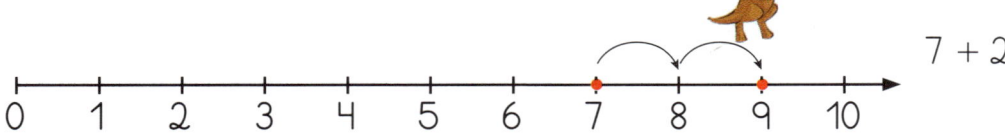

7 + 2 = 9

AGORA VOCÊ "ANDA" NA RETA NUMERADA E DEPOIS ESCREVE O RESULTADO DA ADIÇÃO.

A) 3 + 6

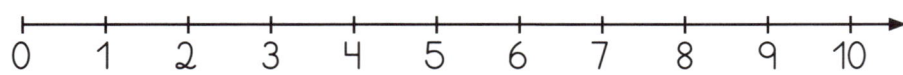

3 + 6 = _____

B) 6 + 3

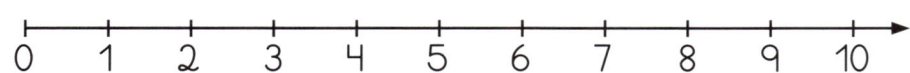

6 + 3 = _____

C) 8 + 2

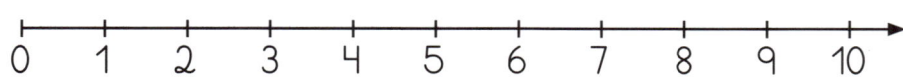

8 + 2 = _____

4 ESCREVA A ADIÇÃO QUE FOI EFETUADA "ANDANDO" NESTA RETA NUMERADA.

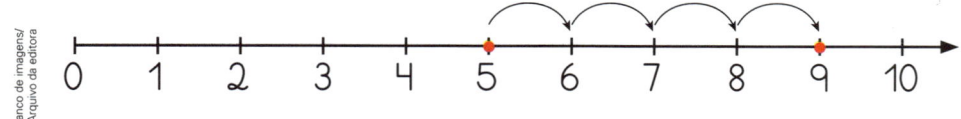

_____ + _____ = _____

5 USANDO O DINHEIRO

A) PAULO COMPROU ESTE CARRINHO E PAGOU COM AS 2 NOTAS AO LADO, SEM RECEBER TROCO.

CARRINHO.

AS IMAGENS NÃO ESTÃO REPRESENTADAS EM PROPORÇÃO.

COMPLETE: O CARRINHO CUSTOU _____ REAIS.

B) VEJA AGORA OS BRINQUEDOS QUE OUTRAS CRIANÇAS COMPRARAM. DESTAQUE AS NOTAS DA PÁGINA 43 DO **ÁPIS DIVERTIDO** E COLE-AS AQUI, DE ACORDO COM O PREÇO DOS BRINQUEDOS.

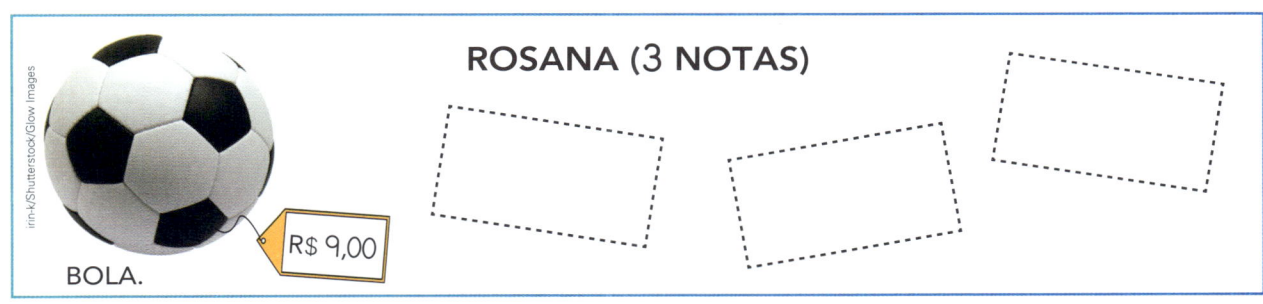

ROSANA (3 NOTAS)
BOLA. R$ 9,00

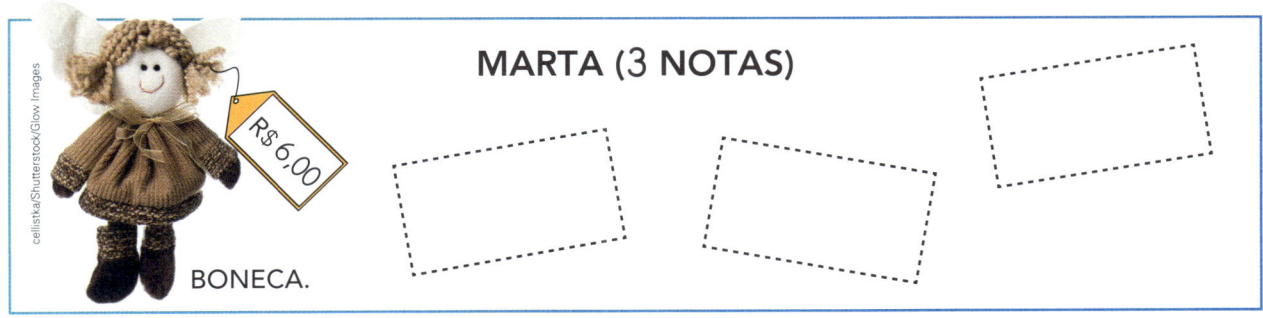

MARTA (3 NOTAS)
BONECA. R$ 6,00

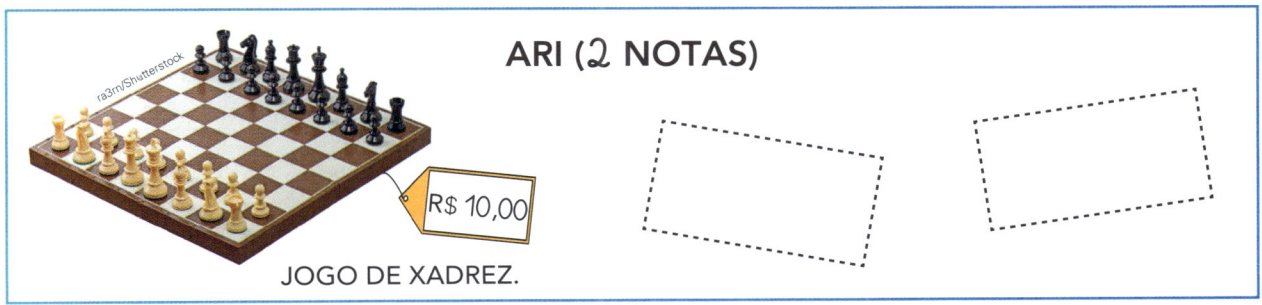

ARI (2 NOTAS)
JOGO DE XADREZ. R$ 10,00

PROBLEMAS

1 ANA TEM 4 BOLINHAS VERMELHAS E 3 BOLINHAS AZUIS.
QUANTAS BOLINHAS ELA TEM AO TODO?

COMPREENDER

O QUE VOCÊ SABE?

- ANA TEM 4 BOLINHAS VERMELHAS.
- ANA TEM 3 BOLINHAS AZUIS.

O QUE VOCÊ QUER SABER?

- O NÚMERO TOTAL DE BOLINHAS DE ANA.

PLANEJAR

VOCÊ CONHECE AS **PARTES**: 4 BOLINHAS VERMELHAS E 3 BOLINHAS AZUIS.
QUER SABER O **TODO**, O **TOTAL**.
VOCÊ DEVE **JUNTAR**, OU SEJA, EFETUAR A **ADIÇÃO** 4 + 3.

EXECUTAR

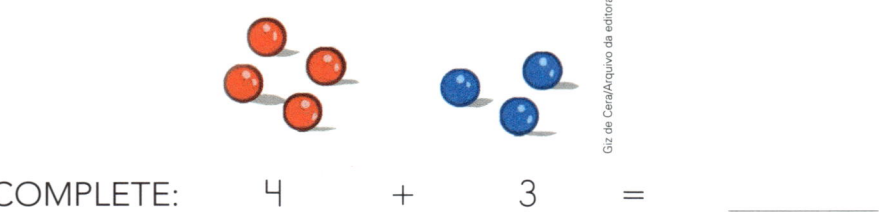

COMPLETE: 4   +   3   =   _____

VERIFICAR

VOCÊ PODE VERIFICAR O RESULTADO COM DESENHOS OU COM CONTADORES (BOTÕES, TAMPINHAS, BOLINHAS DE PAPEL, FEIJÕES, ETC.).

RESPONDER

COMPLETE: ANA TEM _____ BOLINHAS AO TODO.

2 KÁTIA TEM 6 PRESILHAS.
EDNA TEM 4 PRESILHAS.
QUANTAS PRESILHAS ELAS TÊM JUNTAS?

LEMBRE-SE:
- COMPREENDER
- PLANEJAR
- EXECUTAR
- VERIFICAR
- RESPONDER

_____ + _____ = _____

ELAS TÊM JUNTAS _____ PRESILHAS.

3 HÁ 5 PASSARINHOS VOANDO E 3 PASSARINHOS NO GALHO.
QUAL É O TOTAL DE PASSARINHOS?

_____ + _____ = _____

O TOTAL É DE _____ PASSARINHOS.

4 PAULA VIU 3 BORBOLETAS AMARELAS E RUI VIU 3 BORBOLETAS VERMELHAS.
QUANTAS BORBOLETAS ELES VIRAM AO TODO?

_____

ELES VIRAM _____ BORBOLETAS AO TODO.

5 EM UM ZOOLÓGICO HÁ 6 MACACOS EM UM CERCADO E 3 LEÕES EM OUTRO CERCADO. QUAL É O TOTAL DE ANIMAIS NESSES 2 ESPAÇOS?

_____

O TOTAL É DE _____ ANIMAIS NESSES 2 ESPAÇOS.

6 HAVIA 5 ABELHAS EM UMA PLANTA. CHEGARAM MAIS 4 ABELHAS. QUANTAS ABELHAS FICARAM NESSA PLANTA?

_____

FICARAM _____ ABELHAS NESSA PLANTA.

UNIDADE 6

BRINCANDO TAMBÉM APRENDO

JOGO PARA 2 PARTICIPANTES.

JOGO COM 2 DADOS

NA SUA VEZ, CADA JOGADOR LANÇA OS 2 DADOS. EM SEGUIDA, CONTA QUANTOS PONTOS FEZ E VÊ NA LISTA ABAIXO QUANTOS QUADRINHOS DEVE PINTAR NA TABELA DE PONTUAÇÃO.

MATERIAL
- 2 DADOS

- TOTAL DE 6 PONTOS: PINTA 3 QUADRINHOS.
- MAIS DO QUE 6 PONTOS: PINTA 1 QUADRINHO.
- MENOS DO QUE 6 PONTOS: PINTA 2 QUADRINHOS.

VEJA 2 EXEMPLOS DE JOGADAS.

5 PONTOS! 5 É MENOR DO QUE 6. DEVO PINTAR 2 QUADRINHOS.

6 PONTOS! DEVO PINTAR 3 QUADRINHOS.

VEJA OUTROS EXEMPLOS DE JOGADAS E A QUANTIDADE DE QUADRINHOS A SEREM PINTADOS.

VENCE A PARTIDA QUEM PINTAR MAIS QUADRINHOS APÓS 4 RODADAS.

TABELA DE PONTUAÇÃO

NOME	PONTUAÇÃO											

TABELA ELABORADA PARA FINS DIDÁTICOS.

SITUAÇÕES DE SUBTRAÇÃO

1 TIRANDO UMA QUANTIDADE DE OUTRA

ATIVIDADE ORAL EM GRUPO OBSERVE AS CENAS E REGISTRE A QUANTIDADE DE ANIMAIS EM CADA SITUAÇÃO. DEPOIS, COM OS COLEGAS, INVENTE UMA HISTÓRIA PARA CADA CENA.

AS IMAGENS NÃO ESTÃO REPRESENTADAS EM PROPORÇÃO.

QUANTOS ANIMAIS?	QUANTOS ESTÃO INDO EMBORA?	QUANTOS RESTARAM?

EXPLORAR E DESCOBRIR

COMPLETANDO QUANTIDADES: QUANTO FALTA?

VAMOS USAR NOVAMENTE AS BARRINHAS COLORIDAS?

- OBSERVE A IMAGEM AO LADO E RESPONDA.

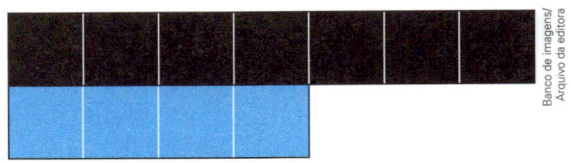

A) QUAL É A COR DA BARRINHA QUE, COLOCADA AO LADO DA BARRINHA AZUL-CLARA (4), DEIXA TUDO DA MESMA MEDIDA DE COMPRIMENTO DA BARRINHA PRETA (7)? EXPERIMENTE E REGISTRE A COR. _____

B) QUANTO VALE ESSA BARRINHA? _____

2 FAÇA ESTA ATIVIDADE OBSERVANDO A CENA.

A) QUANTAS CRIANÇAS ESTÃO BRINCANDO NO TANQUE DE AREIA? _____ CRIANÇAS.

B) QUANTAS CRIANÇAS PODEM BRINCAR NESSE TANQUE? _____ CRIANÇAS.

C) DESENHE BOLINHAS PARA REPRESENTAR AS CRIANÇAS QUE FALTAM PARA COMPLETAR A LOTAÇÃO MÁXIMA DESSE TANQUE DE AREIA (1 BOLINHA PARA CADA CRIANÇA).

D) ENTÃO, QUANTAS CRIANÇAS FALTAM PARA LOTAR ESSE TANQUE? _____ CRIANÇAS.

3 OBSERVE A IMAGEM E COMPLETE.

O COELHINHO TEM _____ CENOURAS. PARA FICAR COM 9 CENOURAS, FALTAM _____ CENOURAS.

4 COMPARANDO QUANTIDADES (QUANTOS A MAIS? OU QUANTOS A MENOS?)

OBSERVE A CENA.

A) QUANTAS CRIANÇAS ESTÃO BRINCANDO NO BALANÇO?

_____ CRIANÇAS.

B) E QUANTAS ESTÃO BRINCANDO NO ESCORREGADOR?

_____ CRIANÇAS.

C) COMPARE AS QUANTIDADES E COMPLETE.

HÁ _____ CRIANÇAS A _____ NO ESCORREGADOR.

HÁ _____ CRIANÇAS A _____ NO BALANÇO.

5 SEPARANDO QUANTIDADES

AS IMAGENS NÃO ESTÃO REPRESENTADAS EM PROPORÇÃO.

MÁRIO TEM UMA CAIXA COM LÁPIS. ELE SEPAROU ALGUNS LÁPIS PARA PINTAR UM DESENHO.

RESPONDA DE ACORDO COM AS CENAS.

A) QUANTOS LÁPIS HAVIA NA CAIXA? _____ LÁPIS.

B) QUANTOS LÁPIS MÁRIO SEPAROU? _____ LÁPIS.

C) QUANTOS LÁPIS FICARAM NA CAIXA? _____ LÁPIS.

REPRESENTAÇÃO DA SUBTRAÇÃO

1 OBSERVE, CONTE E COMPLETE.

8 BOLAS.   TIRA 3 BOLAS.   RESTAM _____ BOLAS.

DIZEMOS: 8 MENOS 3 É IGUAL A 5.

INDICAMOS A SUBTRAÇÃO: 8 – 3 = _____

2 OBSERVE O TOTAL DE IMAGENS EM CADA QUADRO. CONTE QUANTAS IMAGENS FORAM RISCADAS E QUANTAS SOBRARAM E REGISTRE A SUBTRAÇÃO.

AS IMAGENS NÃO ESTÃO REPRESENTADAS EM PROPORÇÃO.

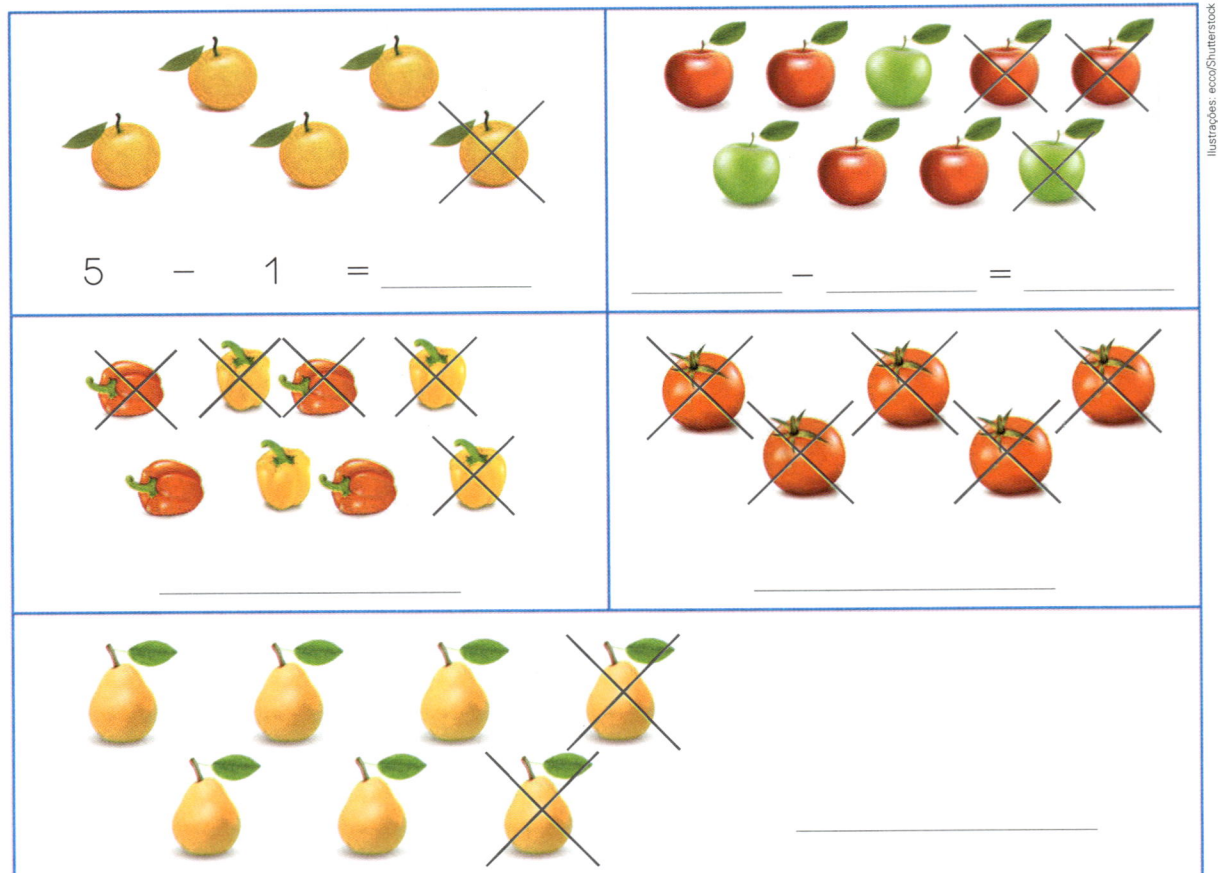

5 – 1 = _____

_____ – _____ = _____

3 VAMOS INVENTAR HISTÓRIAS?

ATIVIDADE ORAL EM GRUPO O QUE ACONTECEU? OBSERVE, INVENTE UMA HISTÓRIA PARA CADA CENA E CONTE-A PARA OS COLEGAS. DEPOIS, INDIQUE A SUBTRAÇÃO.

SUBTRAÇÃO: _____ – _____ = _____

SUBTRAÇÃO: _____

SUBTRAÇÃO: _____

MANEIRAS DE EFETUAR A SUBTRAÇÃO

1 USANDO OS DEDOS

VEJA COMO ANA RESOLVEU ALGUMAS SITUAÇÕES DE SUBTRAÇÃO.

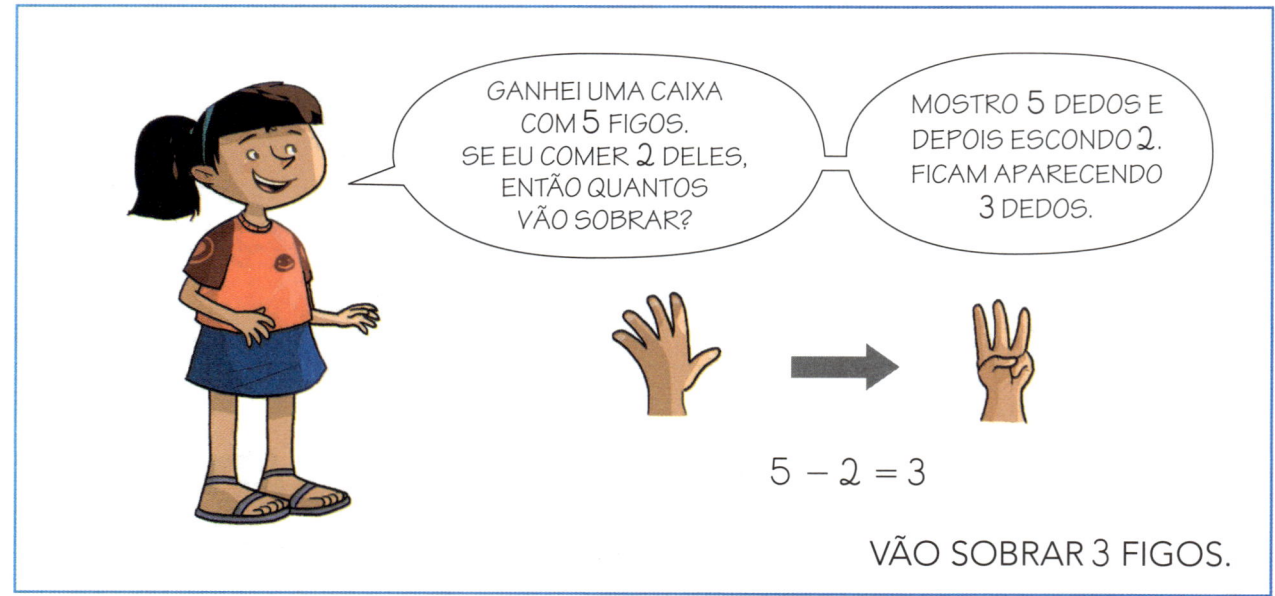

AGORA É COM VOCÊ! USE OS DEDOS E DESCUBRA OS RESULTADOS.

A) 5 − 1 = _____   **C)** 10 − 5 = _____   **E)** 8 − 2 = _____

B) 7 − 6 = _____   **D)** 9 − 4 = _____   **F)** 10 − 3 = _____

2 DESENHANDO

VEJA COMO PEDRO RESOLVEU ALGUMAS SITUAÇÕES DE SUBTRAÇÃO.

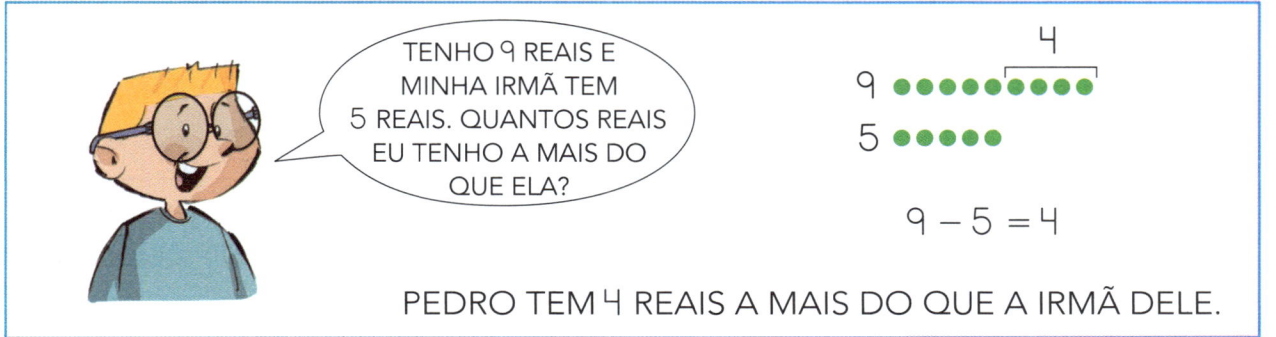

A) AGORA É COM VOCÊ! FAÇA DESENHOS PARA DESCOBRIR O RESULTADO DE CADA SUBTRAÇÃO E ESCREVA-O.

8 – 6 = _____

10 – 2 = _____

7 – 4 = _____

5 – 3 = _____

B) FINALMENTE, OBSERVE OS DESENHOS E INDIQUE CADA SUBTRAÇÃO.

3 "ANDANDO" NA RETA NUMERADA

VEJA COMO ROBERTO USOU A RETA NUMERADA PARA EFETUAR A SUBTRAÇÃO 9 − 2. ELE SAIU DO 9, "ANDOU" 2 PARA TRÁS E CHEGOU AO 7.

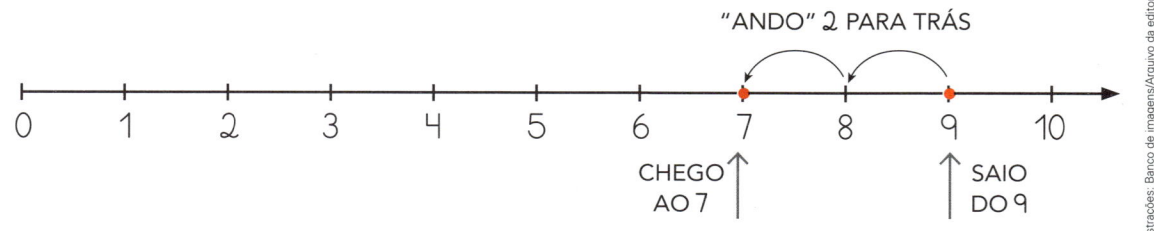

ENTÃO, 9 − 2 = 7.

AGORA VOCÊ EFETUA ESTAS SUBTRAÇÕES "ANDANDO" NA RETA NUMERADA.

A) 10 − 3

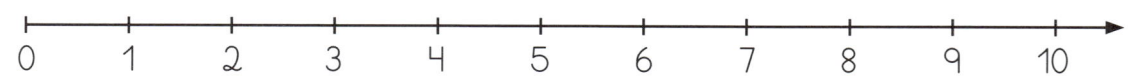

10 − 3 = _____

B) 8 − 3

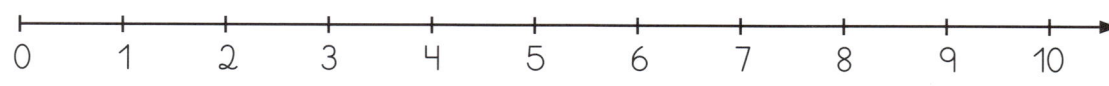

8 − 3 = _____

C) 7 − 1

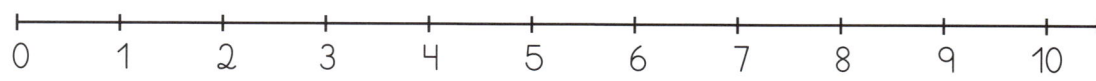

7 − 1 = _____

4 ESCREVA A SUBTRAÇÃO QUE FOI EFETUADA "ANDANDO" NA RETA NUMERADA.

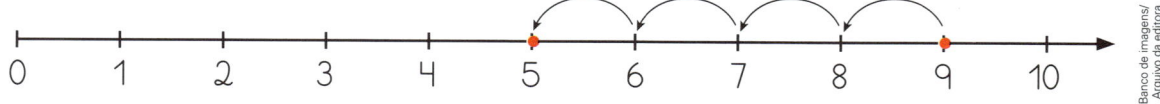

_____ − _____ = _____

5 FAÇA DO SEU JEITO!

EFETUE AS SUBTRAÇÕES. DEPOIS, VEJA COMO OS COLEGAS FIZERAM.

6 – 3 = _____   5 – 0 = _____   7 – 5 = _____

8 – 4 = _____   4 – 3 = _____   9 – 6 = _____

6 DESAFIO

USE AS INFORMAÇÕES DADAS E DESCUBRA QUANTOS LÁPIS CADA CRIANÇA TEM.

PEDRO TEM _____ LÁPIS.

ANA TEM _____ LÁPIS.

JUNTOS TEMOS 10 LÁPIS.

EU TENHO 2 LÁPIS A MAIS DO QUE PEDRO.

7 OPERAÇÕES E MEDIDAS

A) ANA VAI CAMINHAR ATÉ LAURA.
OBSERVE A FIGURA E DEPOIS COMPLETE COM NÚMEROS.

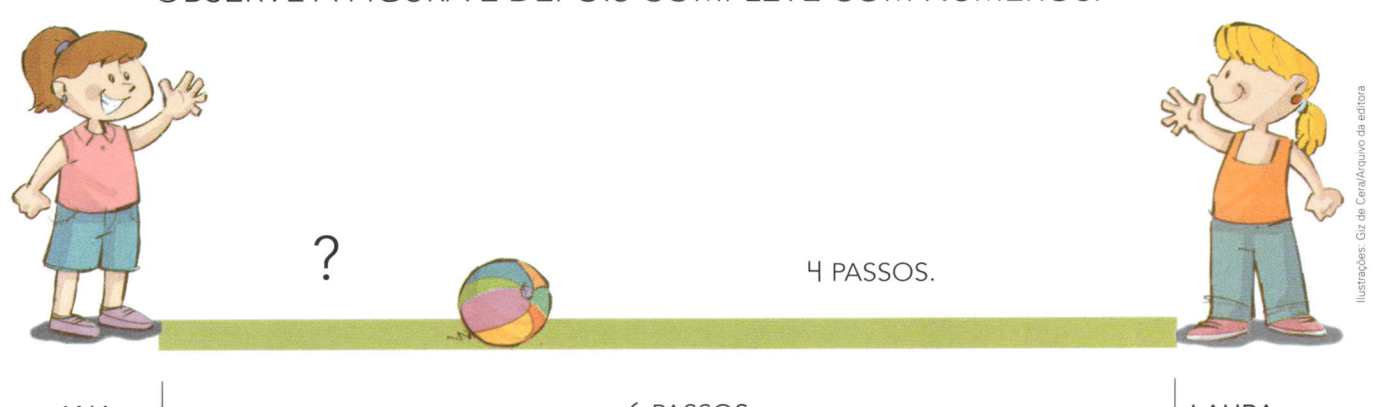

ANA. |—————— 6 PASSOS ——————| LAURA.

ANA DEVE DAR _____ PASSOS PARA CHEGAR ATÉ LAURA.

ELA DEVE DAR _____ PASSOS PARA CHEGAR ATÉ A BOLA.

PARTINDO DA BOLA, ELA DEVE DAR _____ PASSOS PARA CHEGAR ATÉ LAURA.

B) AGORA, INDIQUE UMA ADIÇÃO E UMA SUBTRAÇÃO CORRESPONDENTES A ESSA SITUAÇÃO.

_____   _____

A RELAÇÃO ENTRE ADIÇÃO E SUBTRAÇÃO

1) EM CADA SEQUÊNCIA, INVENTE UMA HISTÓRIA E ESCREVA A OPERAÇÃO.

A)

OPERAÇÃO: _____

B)

OPERAÇÃO: _____

C)

OPERAÇÃO: _____

D)

OPERAÇÃO: _____

2 EM UMA EQUIPE HÁ 7 ALUNOS, DOS QUAIS 4 SÃO MENINOS.
QUANTAS SÃO AS MENINAS?

Ilustrações: Giz de Cera/Arquivo da editora

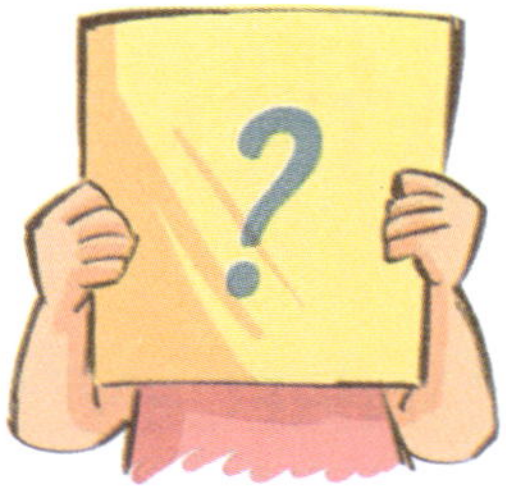

☐ 10 ☐ 4 ☐ 7 ☐ 3

3 BETO TINHA 2 FIGURINHAS NO ÁLBUM.
ELE COLOU MAIS ALGUMAS E O ÁLBUM FICOU COM 7 FIGURINHAS.
QUANTAS FIGURINHAS ELE COLOU?

Giz de Cera/Arquivo da editora

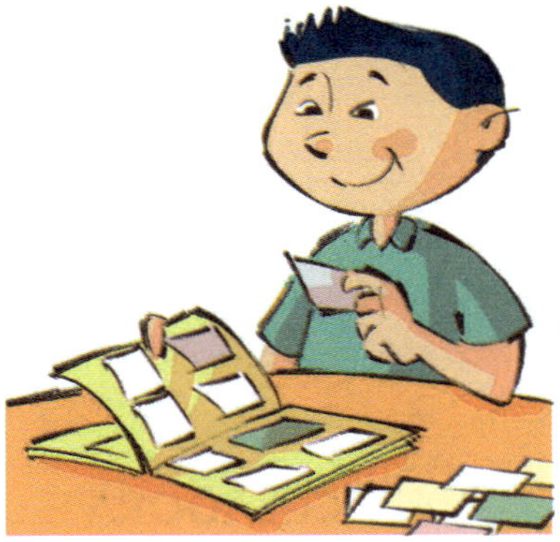

☐ 9 ☐ 7 ☐ 5 ☐ 4

4 MÍRIAN TINHA 8 PRESILHAS DE CABELO NO INÍCIO DA SEMANA.
ALGUNS DIAS DEPOIS ELA SÓ TINHA 6 PRESILHAS.
O QUE PODE TER ACONTECIDO?

Giz de Cera/Arquivo da editora

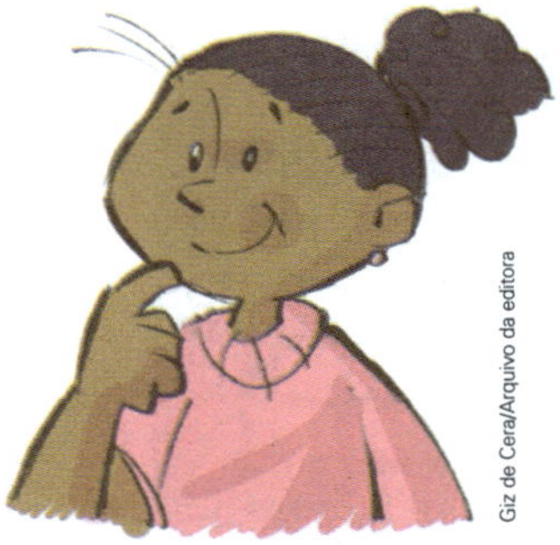

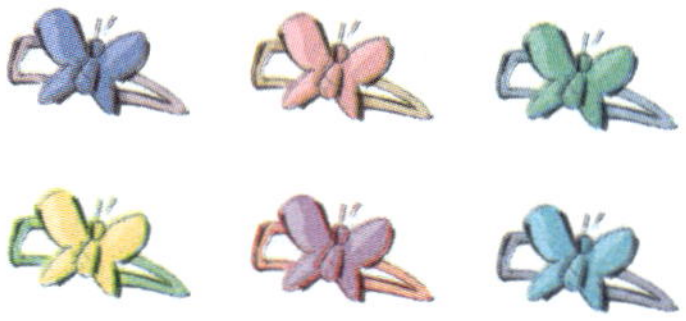

☐ ELA GANHOU 2 PRESILHAS.

☐ ELA GANHOU 3 PRESILHAS.

☐ ELA PERDEU 1 PRESILHA.

☐ ELA PERDEU 2 PRESILHAS.

UNIDADE 6

MATEMÁTICA E TECNOLOGIA

CONHECENDO A CALCULADORA

VOCÊ JÁ DEVE TER VISTO UMA CALCULADORA. MAS VOCÊ SABE PARA QUE ELA SERVE? CONTE PARA OS COLEGAS SE VOCÊ JÁ USOU UMA CALCULADORA E COMO FOI A EXPERIÊNCIA.

A **CALCULADORA** É UM INSTRUMENTO QUE PODE NOS AJUDAR A EFETUAR DIVERSOS CÁLCULOS.

EXISTEM VÁRIOS TIPOS DE CALCULADORA. VEJA ALGUNS MODELOS.

AS IMAGENS NÃO ESTÃO REPRESENTADAS EM PROPORÇÃO.

CALCULADORA SIMPLES.

CALCULADORA CIENTÍFICA.

CALCULADORA DE UM *SMARTPHONE*.

CALCULADORA EM BUSCADOR DA INTERNET.

CONHECENDO ALGUMAS TECLAS DAS CALCULADORAS MAIS COMUNS

ESTA É A TECLA PARA LIGAR E DESLIGAR A CALCULADORA.

SE VOCÊ PRECISA APAGAR ALGO QUE DIGITOU ERRADO NA CALCULADORA, BASTA USAR A TECLA .

ADICIONANDO E SUBTRAINDO COM A CALCULADORA

ESTAS SÃO AS TECLAS PARA ADICIONAR, SUBTRAIR E FINALIZAR UMA OPERAÇÃO NA CALCULADORA. VOCÊ JÁ CONHECE ESSES SÍMBOLOS!

 ADIÇÃO.

 SUBTRAÇÃO.

 IGUAL.

1. CÁLCULO MENTAL E CALCULADORA

EFETUE AS OPERAÇÕES MENTALMENTE E ESCREVA O RESULTADO. DEPOIS, USE UMA CALCULADORA PARA **CONFERIR** SUA RESPOSTA E ESCREVA O RESULTADO.

- **CONFERIR:** verificar se fez certo.

A) 4 + 5 = _____ DIGITE:
   CÁLCULO MENTAL

B) 6 + 4 = _____ DIGITE: 6 + 4 =
   CÁLCULO MENTAL

C) 9 − 5 = _____ DIGITE: 9 − 5 =
   CÁLCULO MENTAL

D) 7 − 4 = _____ DIGITE: 7 − 4 =
   CÁLCULO MENTAL

2. ATIVIDADE EM DUPLA

EM UMA FOLHA À PARTE, CRIE UM PROBLEMA ENVOLVENDO UMA ADIÇÃO OU UMA SUBTRAÇÃO E ENTREGUE PARA UM COLEGA RESOLVER. DEPOIS, VOCÊS CONFEREM JUNTOS AS RESPOSTAS DOS PROBLEMAS USANDO UMA CALCULADORA.

MAIS ATIVIDADES COM ADIÇÃO E SUBTRAÇÃO

1 **ADIÇÃO E SUBTRAÇÃO NAS COMPRAS**

AS IMAGENS NÃO ESTÃO REPRESENTADAS EM PROPORÇÃO.

OBSERVE OS PREÇOS CONHECIDOS.
CALCULE COMO QUISER E COMPLETE OS PREÇOS QUE FALTAM.

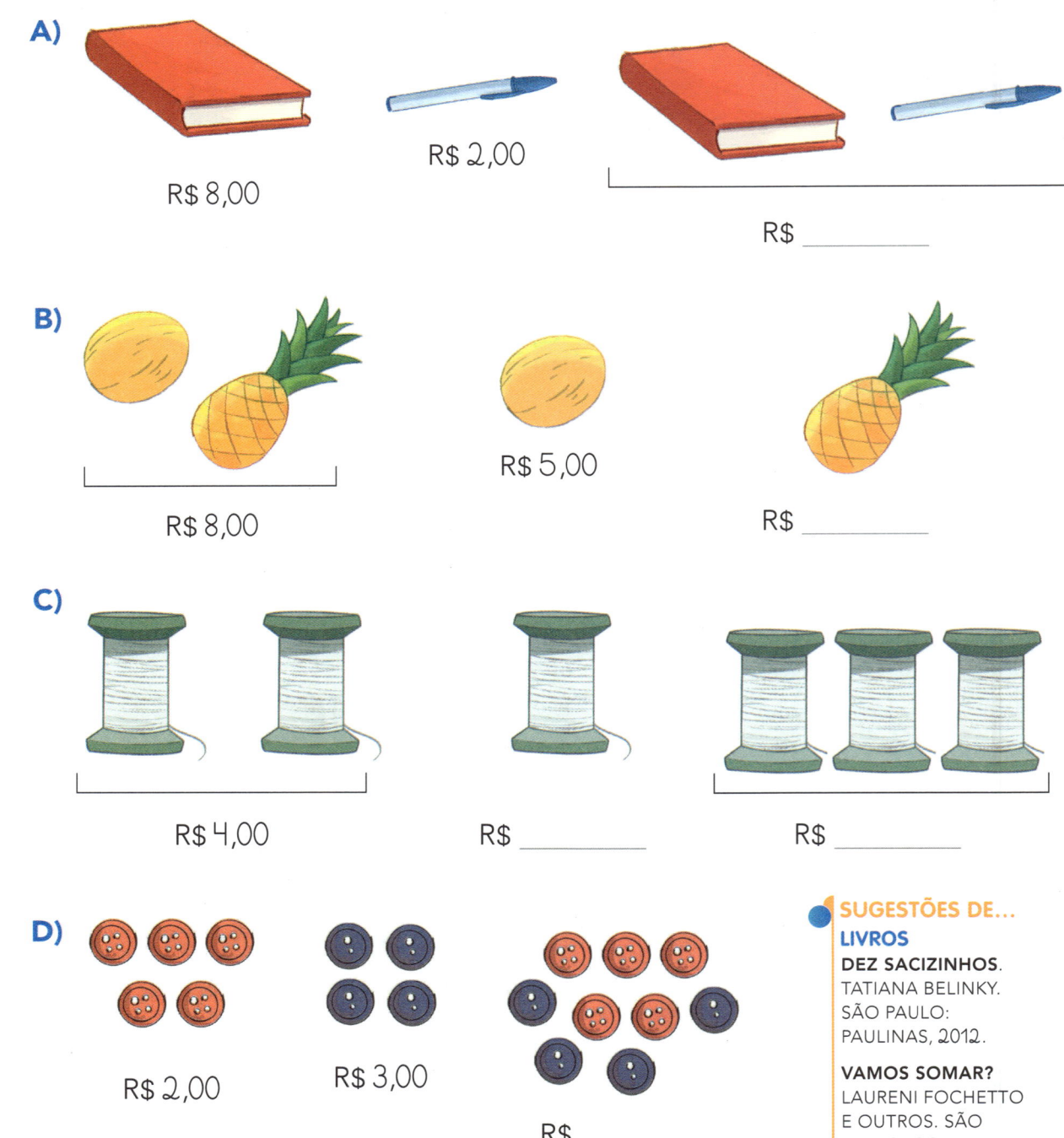

A) R$ 8,00   R$ 2,00   R$ _____

B) R$ 8,00   R$ 5,00   R$ _____

C) R$ 4,00   R$ _____   R$ _____

D) R$ 2,00   R$ 3,00   R$ _____

SUGESTÕES DE...
LIVROS
DEZ SACIZINHOS. TATIANA BELINKY. SÃO PAULO: PAULINAS, 2012.

VAMOS SOMAR? LAURENI FOCHETTO E OUTROS. SÃO PAULO: COMPANHIA EDITORA NACIONAL, 2005.

2 LUCAS E OS AMIGOS MONTARAM UMA LOJINHA DE BRINQUEDOS. OBSERVE O PREÇO DE CADA BRINQUEDO ESCOLHIDO POR ELES.

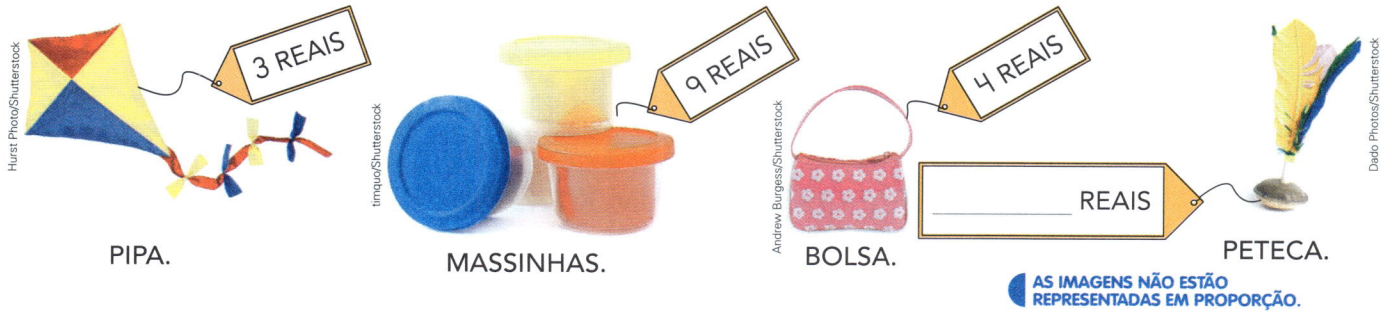

PIPA. 3 REAIS
MASSINHAS. 9 REAIS
BOLSA. 4 REAIS
PETECA. _____ REAIS

AS IMAGENS NÃO ESTÃO REPRESENTADAS EM PROPORÇÃO.

A) LUCAS COMPROU 1 PIPA E PAGOU COM 1 NOTA DE 5 REAIS.

COMPLETE: ELE RECEBEU _____ REAIS DE TROCO.

B) CAMILA COMPROU 2 BOLSAS.

COMPLETE: ELA GASTOU _____ REAIS.

C) A PETECA CUSTA 3 REAIS A MENOS DO QUE AS MASSINHAS. MARQUE NA ETIQUETA O PREÇO DA PETECA.

D) COMPLETE: COM 6 REAIS, NÉLSON PODE COMPRAR _____ PIPAS.

3 GRÁFICO

A) AGORA, COMPLETE ESTE GRÁFICO PARA MARCAR O PREÇO DE CADA BRINQUEDO DA ATIVIDADE 2. PINTE 1 QUADRINHO PARA CADA REAL.

GRÁFICO ELABORADO PARA FINS DIDÁTICOS.

B) FAÇA UM **X** NO BRINQUEDO MAIS CARO.
C) CONTORNE O BRINQUEDO MAIS BARATO.

4 CAÇA AOS ERROS!

A) DESCUBRA OS 3 ERROS E FAÇA UM **X** NO QUADRINHO DE CADA UM DELES.

3 + 2 = 5	9 − 5 = 4	6 + 3 = 9
2 + 5 = 6	1 + 6 = 7	3 + 3 = 6
8 − 1 = 7	2 + 6 = 7	2 − 2 = 1

B) AGORA, CORRIJA OS 3 ERROS E INDIQUE O RESULTADO CORRETO.

_____   _____   _____

5 ADIÇÃO E MEDIDA DE INTERVALO DE TEMPO

O RELÓGIO DA ESQUERDA ESTÁ MARCANDO O HORÁRIO CERTO. O RELÓGIO DA DIREITA ESTÁ ADIANTADO EM 1 HORA. DESENHE OS PONTEIROS NO RELÓGIO DA DIREITA E INDIQUE A ADIÇÃO CORRESPONDENTE.

AS IMAGENS NÃO ESTÃO REPRESENTADAS EM PROPORÇÃO.

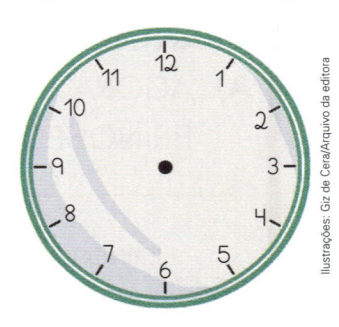

_____ + _____ = _____

6 OPERAÇÕES, MEDIDA DE INTERVALO DE TEMPO E VALOR MONETÁRIO

O PAI DE ANDRÉ DEIXOU O CARRO NESTE ESTACIONAMENTO DAS 8 HORAS ATÉ AS 10 HORAS DA MANHÃ. OBSERVE OS PREÇOS NA PLACA, CALCULE E RESPONDA.

ESTACIONAMENTO
TABELA DE PREÇOS

1ª HORA: R$ 4,00

DEMAIS HORAS: R$ 3,00 CADA

A) DURANTE QUANTAS HORAS ELE DEIXOU O CARRO NESSE ESTACIONAMENTO?

_____

B) QUANTO ELE PAGOU POR ESSE SERVIÇO? _____

VAMOS VER DE NOVO?

1) POSSIBILIDADES

OBSERVE A COR DOS LÁPIS QUE CAROL TEM. ELA ESTÁ DESENHANDO E PINTANDO FIGURAS GEOMÉTRICAS PLANAS QUADRADA, TRIANGULAR E CIRCULAR COM ESSES LÁPIS (UMA SÓ COR EM CADA FIGURA).

OBSERVE O QUE ELA JÁ FEZ E DESENHE AS FIGURAS QUE FALTAM PARA COMPLETAR TODAS AS POSSIBILIDADES.

2) PENSE NA SEQUÊNCIA DOS NÚMEROS DE 0 A 10 E COMPLETE PARTES DELA, ESCREVENDO OS NÚMEROS QUE FALTAM.

A) 0, 1, 2, _____, _____.

B) _____, 6, 7, _____.

C) 8, _____, 10.

D) _____, 4, 5, _____, _____.

E) 3, 4, _____, _____, 7, 8.

F) _____, _____, 3, 4, 5.

3) DESAFIO

AS IMAGENS NÃO ESTÃO REPRESENTADAS EM PROPORÇÃO.

LEVE O CACHORRO ATÉ A CASINHA PASSANDO POR 10 LADRILHOS, TODOS DE FORMA TRIANGULAR. NUMERE OS LADRILHOS.

4) DESCUBRA UM PADRÃO PARA A SEQUÊNCIA E PINTE A ÚLTIMA FIGURA.

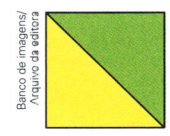     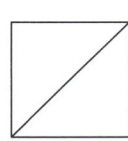

5 EM UMA ATIVIDADE DE EDUCAÇÃO FÍSICA, 5 ALUNOS SE POSICIONARAM DE ACORDO COM A FIGURA ABAIXO.

BETO ESTÁ DE VERDE. COMPLETE A DESCRIÇÃO DA POSIÇÃO DE CADA CRIANÇA EM RELAÇÃO À POSIÇÃO DE BETO.

A) A CRIANÇA DE **AZUL** ESTÁ _____ DE BETO.

B) A CRIANÇA DE **LARANJA** ESTÁ _____ DE BETO.

C) A CRIANÇA DE **ROXO** ESTÁ _____ DE BETO.

D) A CRIANÇA DE **VERMELHO** ESTÁ _____ DE BETO.

6 VAMOS RIR COM O PALHAÇO ESPIRRO?
DESCUBRA OS RESULTADOS E PINTE O PALHAÇO DE ACORDO COM O CÓDIGO.

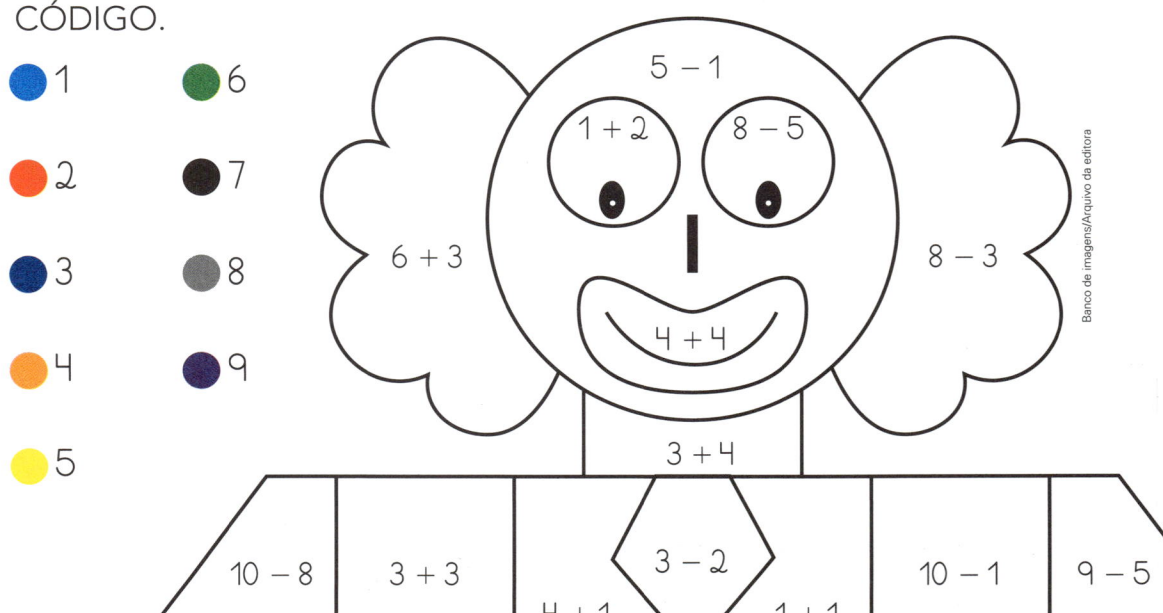

O QUE ESTUDAMOS

VIMOS SITUAÇÕES DE ADIÇÃO E COMO EFETUÁ-LA.

- JUNTAR QUANTIDADES.

  3 BOLINHAS VERDES.   2 BOLINHAS VERMELHAS.

  TOTAL: 5 BOLINHAS (3 + 2 = 5).

- ACRESCENTAR UMA QUANTIDADE A OUTRA.

  PEDRO TINHA 2 REAIS E GANHOU MAIS 1 REAL.
  AGORA ELE TEM 3 REAIS (2 + 1 = 3).

VIMOS SITUAÇÕES DE SUBTRAÇÃO E COMO EFETUÁ-LA.

- TIRAR UMA QUANTIDADE DE OUTRA.

  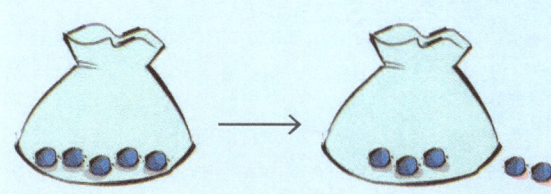

  TIRANDO 2 DE 5 RESTAM 3 (5 − 2 = 3).

- COMPARAR QUANTIDADES.

   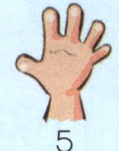

  2   5

  5 TEM 3 A MAIS DO QUE 2 E 2 TEM 3 A MENOS DO QUE 5 (5 − 2 = 3).

- SEPARAR UMA QUANTIDADE.
  CAROL TINHA 8 LARANJAS E SEPAROU 2 DELAS PARA FAZER UM SUCO. SOBRARAM 6 LARANJAS (8 − 2 = 6).

- COMPLETAR QUANTIDADES.
  PARA O 2 CHEGAR AO 5 FALTAM 3 (5 − 2 = 3).

RESOLVEMOS PROBLEMAS USANDO ADIÇÕES E SUBTRAÇÕES.

ANA COMPROU 1 CADERNO POR 5 REAIS E 1 CANETA POR 3 REAIS. PAGOU TUDO COM 1 NOTA DE 10 REAIS. QUANTO ELA RECEBEU DE TROCO? 2 REAIS OU R$ 2,00.

$$5 + 3 = 8 \qquad 10 - 8 = 2$$

- O QUE VOCÊ ACHOU MAIS FÁCIL NESTA UNIDADE?
- VOCÊ ACHOU ALGO DIFÍCIL? O QUÊ? CONVERSE COM O PROFESSOR SOBRE ISSO.

- O QUE VOCÊ VÊ NESTA CENA?
- QUAIS TIPOS DE FLOR ESTÃO COM OS PREÇOS INDICADOS?
- VOCÊ JÁ VIU OFERTAS COMO AS DESTA CENA? ONDE? CONTE AOS COLEGAS.

PARA INICIAR

OS NÚMEROS NOS AJUDAM MUITO QUANDO DAMOS OU RECEBEMOS INFORMAÇÕES NO DIA A DIA.

NESTA UNIDADE, VAMOS RETOMAR OS NÚMEROS DE 0 A 10 QUE VOCÊ ESTUDOU NAS UNIDADES ANTERIORES. TAMBÉM VAMOS ESTUDAR NÚMEROS MAIORES DO QUE 10.

- ANALISE A CENA DAS PÁGINAS DE ABERTURA DESTA UNIDADE. CONVERSE COM OS COLEGAS E RESPONDAM ÀS QUESTÕES A SEGUIR.

O QUE CUSTA MENOS: 1 BUQUÊ DE FLORES SILVESTRES OU 2 VASOS DE VIOLETAS?

1 DÚZIA DE ROSAS CORRESPONDE A QUANTAS ROSAS?

EM QUAIS DAS FLORES OS PREÇOS ANUNCIADOS SÃO IGUAIS?

QUAL DAS FLORES PODE SER COMPRADA COM 10 REAIS?

- CONVERSE COM OS COLEGAS SOBRE MAIS ESTAS QUESTÕES.

A) VOCÊ SABE DIZER O VALOR DE CADA NOTA ABAIXO?

B) QUAL DESTES OBJETOS PODEMOS COMPRAR COM A NOTA QUE APARECE ACIMA MAIS À ESQUERDA?

AS IMAGENS NÃO ESTÃO REPRESENTADAS EM PROPORÇÃO.

R$ 18,00 — BONECA.   R$ 30,00 — CAIXA COM BOLAS.   R$ 10,00 — CARRINHO.

C) QUAL DOS OBJETOS ACIMA É O MAIS CARO? E QUAL É O MAIS BARATO?

A DEZENA

1 A TIA DE LÚCIA É CONTADORA DE HISTÓRIAS PARA CRIANÇAS. UM DIA ELA USOU FANTOCHES NOS DEDOS DAS 2 MÃOS.

FANTOCHES DE DEDO.

A) CONTINUE A NUMERAR TODOS OS DEDOS DAS MÃOS DA TIA DE LÚCIA, DA ESQUERDA PARA A DIREITA.

B) QUANTOS DEDOS ELA TEM EM CADA MÃO? _____ DEDOS.

C) E QUANTOS DEDOS ELA TEM NAS 2 MÃOS JUNTAS? _____ DEDOS. ESCREVA A OPERAÇÃO CORRESPONDENTE.

_____ + _____ = _____

AS IMAGENS NÃO ESTÃO REPRESENTADAS EM PROPORÇÃO.

TEMOS 10 (**DEZ**) DEDOS NAS 2 MÃOS, OU 10 **UNIDADES** DE DEDOS.

ENTÃO PODEMOS DIZER QUE TEMOS 1 **DEZENA** DE DEDOS NAS 2 MÃOS.

EXPLORAR E DESCOBRIR

USE NOVAMENTE AS BARRINHAS COLORIDAS QUE VOCÊ DESTACOU DO **ÁPIS DIVERTIDO**.

- VERIFIQUE QUANTAS BARRINHAS BRANCAS (1) VOCÊ PRECISA USAR PARA COBRIR TOTALMENTE UMA BARRINHA LARANJA (10). _____ BARRINHAS BRANCAS.

- AGORA, COMPLETE DE ACORDO COM O QUE VOCÊ DESCOBRIU:

    _____ ☐ CORRESPONDEM A _____ .

- CHAMANDO ☐ DE UNIDADE E CHAMANDO ▭ DE DEZENA, VOCÊ PODE COMPLETAR:

    1 DEZENA CORRESPONDE A _____ **UNIDADES**.

2 CANTIGA POPULAR

A) COMPLETE COM OS NÚMEROS DE 1 A 10.

_____ , _____ , FEIJÃO COM ARROZ

_____ , _____ , COMIDA NO PRATO

_____ , _____ , BOLO INGLÊS

_____ , _____ , CHÁ COM BISCOITO

_____ , _____ , COMER PASTÉIS!

B) OBSERVE A IMAGEM E CONTINUE A COMPLETAR.

NESTA IMAGEM APARECEM _____ PESSOAS OU 1 _____ DE PESSOAS.

OS NÚMEROS DE 10 A 12

1 RUI ESTÁ CONTANDO OS LÁPIS DO ESTOJO DELE.

A) PRIMEIRO ELE FORMOU UM GRUPO DE 10 LÁPIS.

10 **(DEZ)** LÁPIS.

REPRESENTE ESSA QUANTIDADE USANDO 1 ÚNICA BARRINHA DO **ÁPIS DIVERTIDO**. DEPOIS, REGISTRE ESSA BARRINHA PINTANDO OS QUADRADINHOS ABAIXO. LEMBRE-SE DE QUE CADA QUADRADINHO REPRESENTA 1 UNIDADE.

B) COMPLETE: ESSA BARRINHA REPRESENTA _____ UNIDADES OU _____ DEZENA.

C) DEPOIS, RUI CONTOU O GRUPO DE 10 E MAIS 1 LÁPIS.

11 **(ONZE)** LÁPIS.

PODEMOS REPRESENTAR ESSA QUANTIDADE USANDO A BARRINHA LARANJA (10) E A BARRINHA BRANCA (1). VEJA E COMPLETE.

_____ + _____

OU _____ DEZENA + _____ UNIDADE

OU _____ LÁPIS

D) POR FIM, RUI CONTOU O GRUPO DE 10 E MAIS 2 LÁPIS.

AS IMAGENS NÃO ESTÃO REPRESENTADAS EM PROPORÇÃO.

12 (DOZE) LÁPIS.

PODEMOS REPRESENTAR ESSA QUANTIDADE USANDO A BARRINHA LARANJA (10) E A BARRINHA VERMELHA (2). VEJA E COMPLETE.

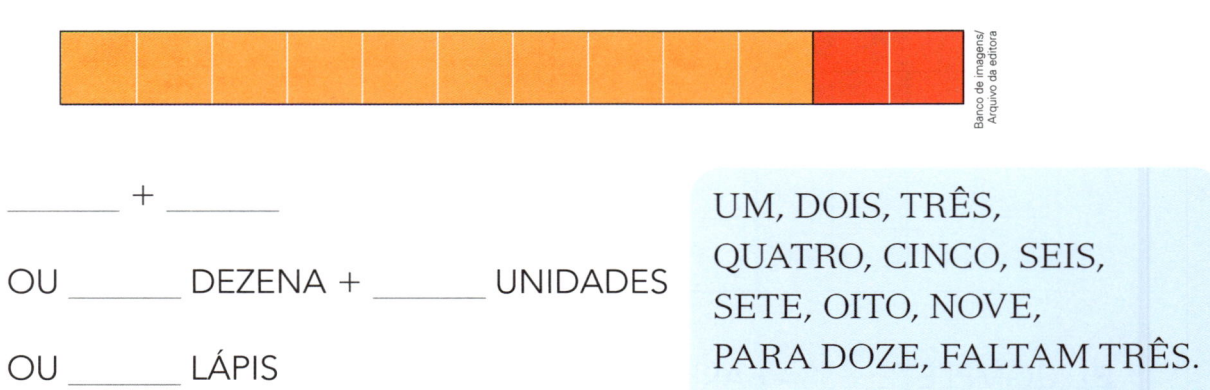

_____ + _____

OU _____ DEZENA + _____ UNIDADES

OU _____ LÁPIS

> UM, DOIS, TRÊS, QUATRO, CINCO, SEIS, SETE, OITO, NOVE, PARA DOZE, FALTAM TRÊS.
>
> CANTIGA POPULAR.

2 COMPLETE A SEQUÊNCIA NUMÉRICA DE 0 A 12.

| 0 | 1 | 2 | 3 | | | | | | | | | |

3 CONTANDO ESTRELAS

A) ATIVIDADE ORAL EM GRUPO (TODA A TURMA) CONVERSE COM OS COLEGAS SOBRE 2 MANEIRAS DE DESCOBRIR QUANTAS ESTRELAS HÁ AO LADO.

B) COMPLETE: HÁ _____ ESTRELAS.

4 EM UMA PARTIDA DE FUTEBOL DE CAMPO, QUANTOS JOGADORES TITULARES HÁ EM CADA TIME?

CONTE E REGISTRE:

HÁ _____ JOGADORES TITULARES.

SELEÇÃO BRASILEIRA DE FUTEBOL DE CAMPO NA COPA DO MUNDO DE FUTEBOL FEMININO 2019, NA PARTIDA CONTRA A FRANÇA, NO ESTÁDIO OCEANE, EM LE HAVRE, FRANÇA. FOTO DE 2019.

AS IMAGENS NÃO ESTÃO REPRESENTADAS EM PROPORÇÃO.

5 **NÚMERO DOS MESES DO ANO**

A) QUANTOS MESES HÁ EM 1 ANO? CONTINUE A NUMERAR OS MESES DE ACORDO COM A ORDEM E DESCUBRA.

B) AGORA, COMPLETE: 1 ANO TEM _____ MESES.

6 **ATIVIDADE ORAL EM GRUPO** CONVERSE COM OS COLEGAS E DESCUBRAM, JUNTOS, QUAIS SÃO ESTAS DATAS.

A) DIA 6/10.

B) DIA 11/12.

C) DIA 10/3.

D) DIA 1º/1.

7 NÚMEROS E ARTE

OBSERVE ESTA OBRA.

A FAMÍLIA. 1924. TARSILA DO AMARAL. ÓLEO SOBRE TELA, 79 cm × 101,5 cm. MUSEU NACIONAL CENTRO DE ARTE REINA SOFÍA, ESPANHA.

A) COMPLETE: NESSA PINTURA HÁ _____ PESSOAS E _____ ANIMAIS.

B) AGORA, RESPONDA.

- VOCÊ TEM IRMÃOS? QUANTOS? _____
- VOCÊ TEM ANIMAIS DE ESTIMAÇÃO? QUANTOS? _____
- NA CIDADE ONDE VOCÊ MORA EXISTE UM ESPAÇO RESERVADO PARA EXPOSIÇÕES DE ARTE? _____
- VOCÊ JÁ VISITOU ALGUMA EXPOSIÇÃO DE ARTE? _____

SUGESTÃO DE… LIVRO
A INFÂNCIA DE TARSILA DO AMARAL. CARLA CARUSO. SÃO PAULO: CALLIS, 2018.

DÚZIA E MEIA DÚZIA

AS IMAGENS NÃO ESTÃO REPRESENTADAS EM PROPORÇÃO.

1 LENI ESTÁ FAZENDO UM BOLO DE LARANJA.

A) QUANTOS OVOS APARECEM NA CAIXA? _____ OVOS.

12 OVOS FORMAM **1 DÚZIA** DE OVOS.

B) NA RECEITA, LENI TAMBÉM VAI USAR 1 DÚZIA DE LARANJAS. PINTE ESSA QUANTIDADE.

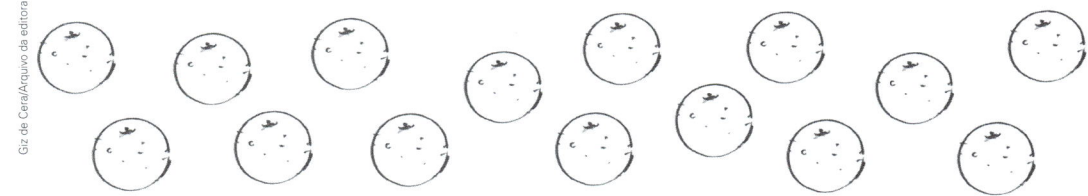

2 MÁRIO COLOCOU 1 DÚZIA DE PÃES EM 2 PRATOS. CADA PRATO FICOU COM A MESMA QUANTIDADE DE PÃES.

A) DESENHE OS PÃES NOS PRATOS.

 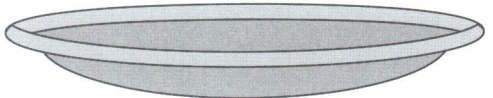

B) COMPLETE: CADA PRATO FICOU COM **MEIA DÚZIA** DE PÃES, OU SEJA, COM _____ PÃES.

OS NÚMEROS DE 13 A 19

1 MÍRIAM E RENATO QUERIAM SABER QUANTOS LÁPIS HAVIA SOBRE A MESA.
VOCÊ SABE QUANTOS SÃO?
VEJA COMO CADA UM FEZ PARA DESCOBRIR.

MÍRIAM FOI CONTANDO A PARTIR DO 1 ATÉ CHEGAR AO **13 (TREZE)**.

RENATO FORMOU 1 GRUPO DE 10 E AINDA SOBRARAM 3 LÁPIS.

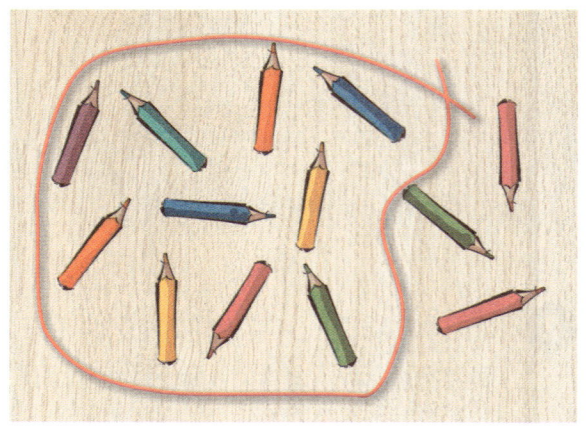

13
TREZE LÁPIS.

VAMOS REPRESENTAR 13 USANDO A BARRINHA LARANJA (10) E A BARRINHA VERDE-CLARA (3). VEJA E COMPLETE.

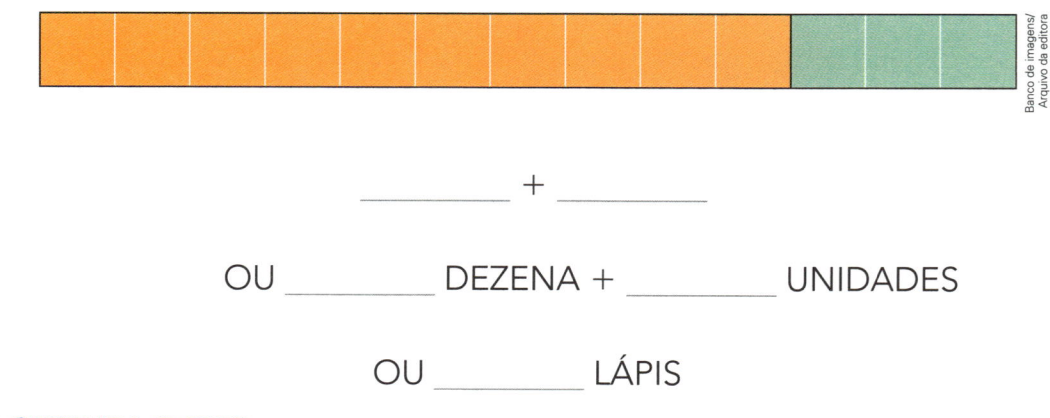

_____ + _____

OU _____ DEZENA + _____ UNIDADES

OU _____ LÁPIS

2 AQUI HÁ **14 (CATORZE OU QUATORZE)** CARRINHOS.
FORME UM GRUPO DE 10 E CONFIRA. DEPOIS, COMPLETE.

14 (CATORZE OU QUATORZE) CARRINHOS

OU _____ + _____

OU _____ DEZENA + _____ UNIDADES

EXPLORAR E DESCOBRIR

- FORME A BARRINHA DO 14 USANDO AS BARRINHAS DO 10 E DO 4. ASSIM:

- AGORA, ENCOSTE 1 BARRINHA BRANCA NA BARRINHA DO 14, AO LADO DA BARRINHA AZUL-CLARA. PINTE ABAIXO A BARRINHA OBTIDA.

- FINALMENTE, FORME UMA BARRINHA DO MESMO VALOR (15), MAS USANDO APENAS 2 BARRINHAS: A BARRINHA LARANJA E A QUE VAI COMPLETAR A BARRINHA DO 15. PINTE AQUI E COMPLETE COM NÚMEROS.

_____ + _____

OU _____ DEZENA + _____ UNIDADES

OU **15 (QUINZE)**

3 NINA TEM **15 (QUINZE)** FIGURINHAS, OU SEJA, 1 A MAIS DO QUE 14. COMPLETE COM OS NÚMEROS DE 1 A 15 PARA CONFERIR.

FIGURINHAS DE ATLETAS OLÍMPICOS E ATLETAS PARALÍMPICOS DO ÁLBUM RIO 2016.

4 ANALISE AS IMAGENS E COMPLETE.

AS IMAGENS NÃO ESTÃO REPRESENTADAS EM PROPORÇÃO.

A)

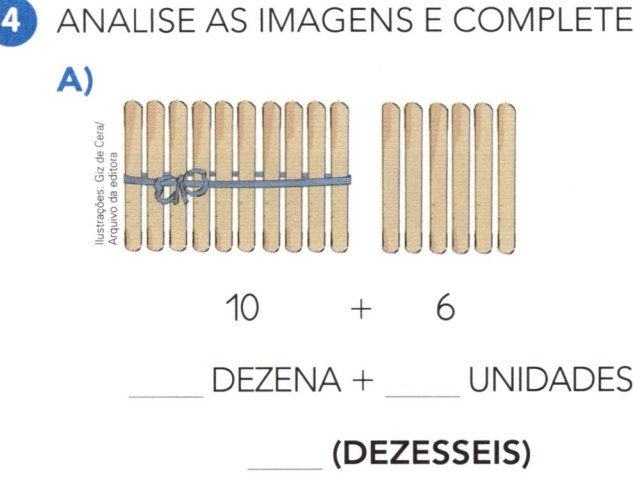

10 + 6

____ DEZENA + ____ UNIDADES

____ **(DEZESSEIS)**

C)

10 + 8

____ DEZENA + ____ UNIDADES

____ **(DEZOITO)**

B)

10 + 7

____ DEZENA + ____ UNIDADES

____ **(DEZESSETE)**

D)

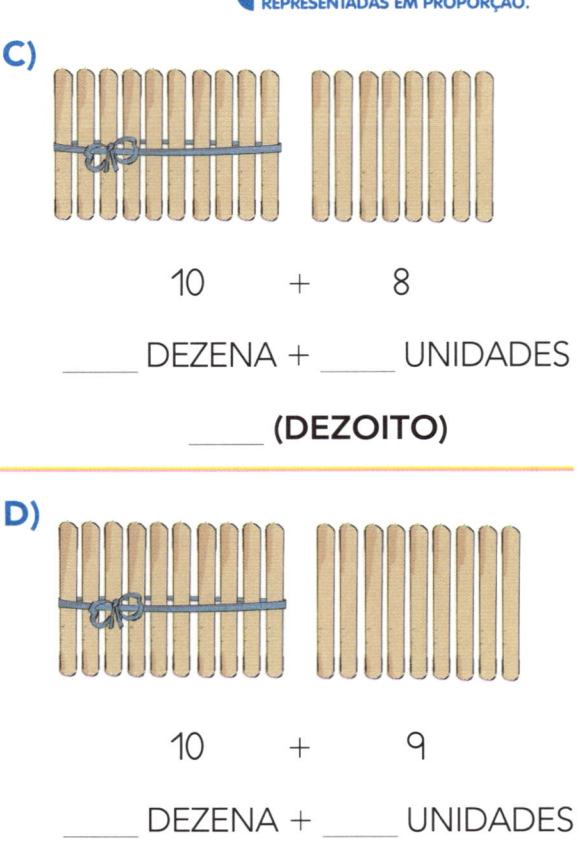

10 + 9

____ DEZENA + ____ UNIDADES

____ **(DEZENOVE)**

5 COMPLETE O QUADRO COM A SEQUÊNCIA NUMÉRICA DE 0 A 19.

0	1	2							
10	11								

6 QUANTAS FIGURAS HÁ AO TODO?

AS IMAGENS NÃO ESTÃO REPRESENTADAS EM PROPORÇÃO.

A) CONTE DE 1 EM 1 E ESCREVA.

☐ ESTRELAS.

B) CONTORNE UM GRUPO DE 10, CONTE E ESCREVA.

☐ PRESILHAS.

C) CONTE COMO QUISER E ESCREVA O NÚMERO.

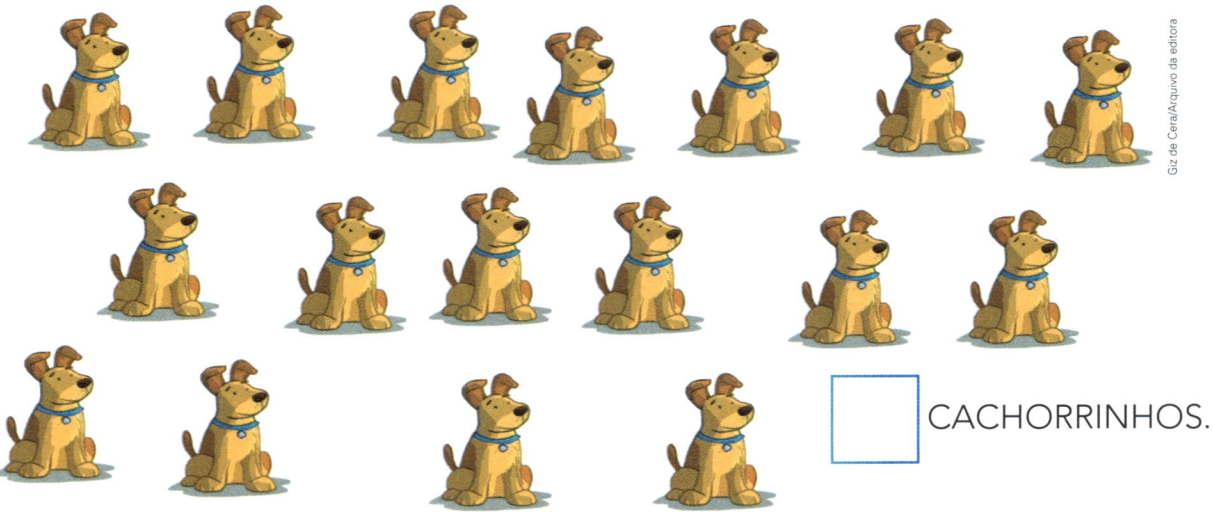

☐ CACHORRINHOS.

7 TRAVA-LÍNGUA E NÚMEROS

ESCREVA O NÚMERO DE TIGRES EM CADA QUADRO.

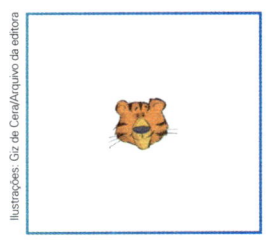 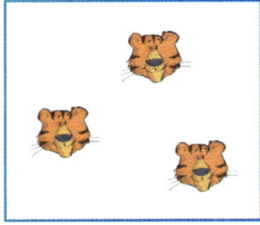  

_____ TIGRE.   _____ TIGRES.   _____ TIGRES.   _____ TIGRES.

> AQUI VAI UM DESAFIO PARA VOCÊ E SEUS AMIGOS: LER AS QUATRO QUANTIDADES BEM DEPRESSA E SEM ERRAR, SEM DAR NEM UM NÓ NA LÍNGUA E TAMBÉM SEM TROPEÇAR.

8 MARCOS TEM AS MOEDAS AO LADO.

A) COMPLETE: MARCOS TEM _____ REAIS.

B) MARCOS QUER TROCAR AS MOEDAS DELE POR 1 NOTA. POR QUAL NOTA ELE DEVE TROCAR AS MOEDAS? MARQUE UM **X** NO QUADRINHO.

☐    ☐

9 MATERIAL DOURADO

AS IMAGENS NÃO ESTÃO REPRESENTADAS EM PROPORÇÃO.

VOCÊ CONHECE O MATERIAL DOURADO?

COMPLETE: QUANDO TEMOS ▫▫▫▫▫▫▫▫▫▫, OU SEJA, _____ CUBINHOS, PODEMOS TROCAR POR ▯ (1 BARRINHA).

ASSIM:

1 ▯ CORRESPONDE A 1 DEZENA E 1 ▫ CORRESPONDE A 1 UNIDADE.

10 **ATIVIDADE EM DUPLA** AS CRIANÇAS USARAM O MATERIAL DOURADO E O DINHEIRO DE BRINCADEIRA (1 NOTA DE 10 REAIS E MOEDAS DE 1 REAL) PARA DESENVOLVER DOIS TIPOS DE ATIVIDADE.

1º) UMA CRIANÇA REPRESENTAVA E A OUTRA DIZIA O NÚMERO!

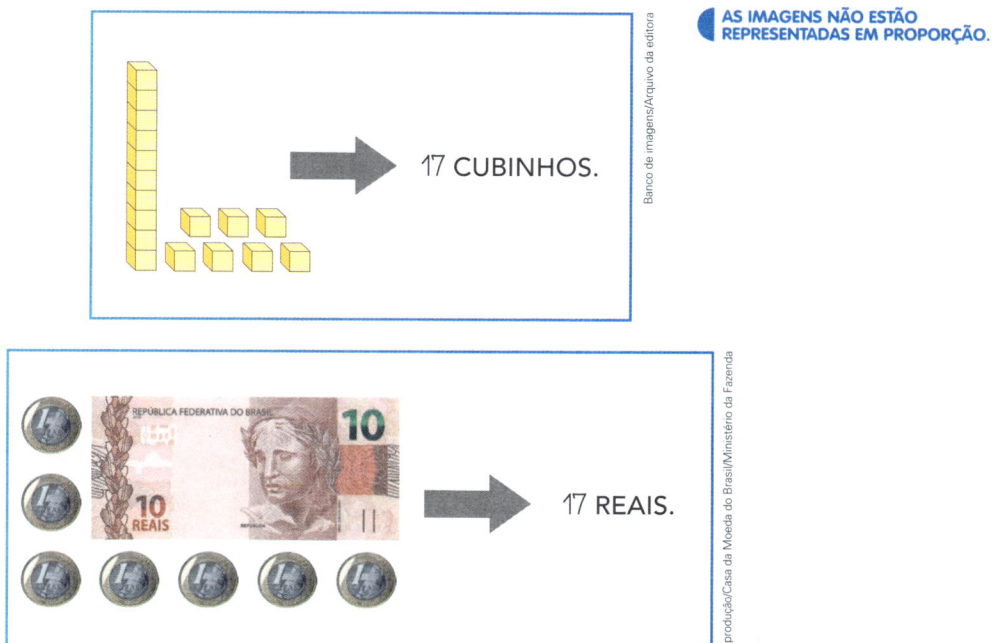

AS IMAGENS NÃO ESTÃO REPRESENTADAS EM PROPORÇÃO.

2º) UMA CRIANÇA DIZIA O NÚMERO E A OUTRA REPRESENTAVA!

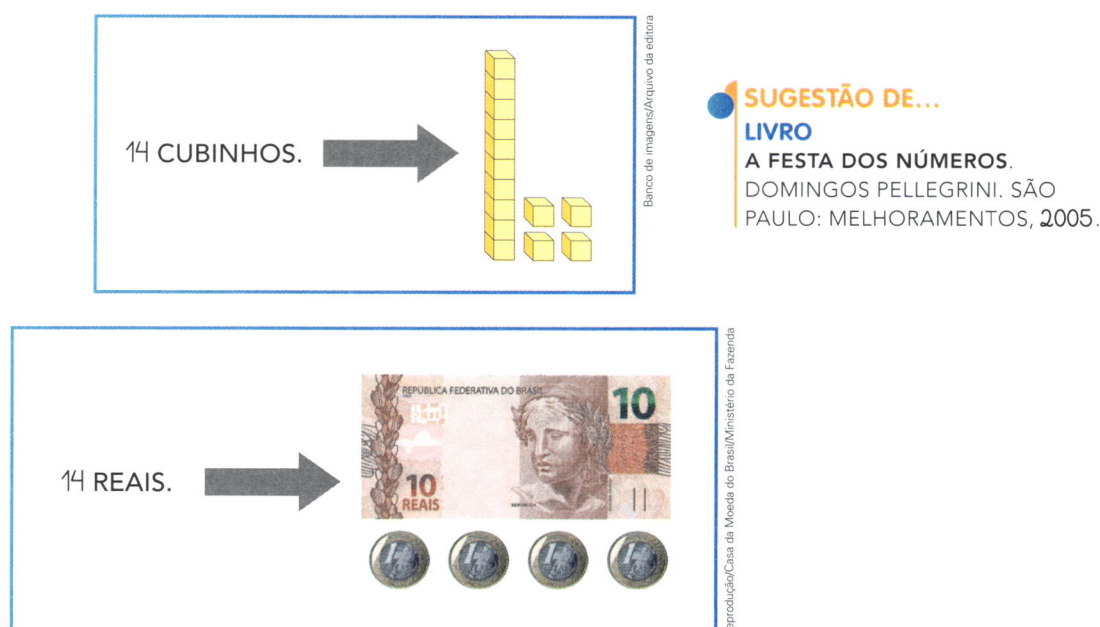

SUGESTÃO DE...
LIVRO
A FESTA DOS NÚMEROS. DOMINGOS PELLEGRINI. SÃO PAULO: MELHORAMENTOS, 2005.

COM UM COLEGA, BRINQUE COMO ESSAS CRIANÇAS. USEM NÚMEROS DE 10 A 19.

11 OBSERVE A RETA NUMERADA COM OS NÚMEROS DE 0 A 19.

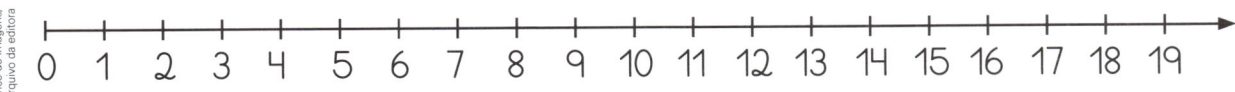

"ANDE" NA RETA, DESCUBRA OS RESULTADOS E COMPLETE.

A) 9 + 3 = _____

B) 15 – 4 = _____

C) 14 + 3 = _____

D) 11 – 5 = _____

E) 5 + 4 + 2 = _____

F) 19 – 6 = _____

12 **DESAFIO**

OBSERVE A IMAGEM COM ATENÇÃO. AS MEDIDAS DAS DISTÂNCIAS ESTÃO INDICADAS POR PASSOS DA CRIANÇA.

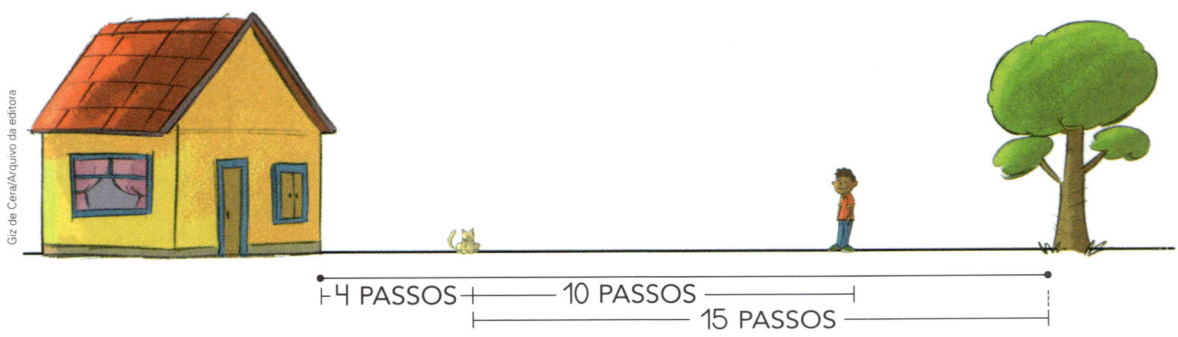

AGORA, COMPLETE AS MEDIDAS DAS DISTÂNCIAS.

A) ENTRE A CASA E O GATO: _____ PASSOS.

B) ENTRE O GATO E A CRIANÇA: _____ PASSOS.

C) ENTRE O GATO E A ÁRVORE: _____ PASSOS.

D) ENTRE A CASA E A CRIANÇA: _____ PASSOS.

E) ENTRE A CRIANÇA E A ÁRVORE: _____ PASSOS.

F) ENTRE A CASA E A ÁRVORE: _____ PASSOS.

AS IMAGENS NÃO ESTÃO REPRESENTADAS EM PROPORÇÃO.

13 **FAÇA DO SEU JEITO!**

MÁRIO GANHOU 8 REAIS DO PAI DELE E 7 REAIS DA MÃE DELE.

COMPLETE: ELE GANHOU _____ REAIS NO TOTAL.

COFRINHO.

14 QUANTIDADES, MARQUINHAS E NÚMEROS

A) VEJA ABAIXO UMA FORMA PRÁTICA DE REPRESENTAR QUANTIDADES E DETERMINAR O NÚMERO CORRESPONDENTE. COMPLETE COM O QUE FALTA, DE 1 A 10.

| → 1   ☐ → 4   ⊠L → ____   ____ → ____

L → 2   ⊠ → 5   ____ → 8

U → 3   ⊠| → 6   ____ → ____

B) AGORA, OBSERVE DE 11 A 19 E COMPLETE COM O QUE FALTA.

⊠⊠| → 11   ⊠⊠☐ → ____   ____ → 17
10 + 1

⊠⊠L → 12   ⊠⊠⊠ → ____   ____ → ____
10 + 2

⊠⊠U → 13   ____ → 16   ____ → ____
10 + 3

15 JOGOS OLÍMPICOS RIO 2016

COMPLETE A TABELA E DESCUBRA QUANTAS MEDALHAS O BRASIL GANHOU (DE CADA TIPO E NO TOTAL) NOS JOGOS OLÍMPICOS RIO 2016.

MEDALHAS DO BRASIL

MEDALHA	QUANTIDADE COM MARCAS	NÚMERO
OURO	⊠L	
PRATA		6
BRONZE	⊠|	
TOTAL		

FONTE DE CONSULTA: RIO 2016. **JOGOS OLÍMPICOS**.
DISPONÍVEL EM: <www.rio2016.com/quadro-de-medalhas-paises>.
ACESSO EM: 7 AGO. 2019.

BRINCANDO TAMBÉM APRENDO

JOGO PARA 2 PARTICIPANTES.

JOGO DOS 3 DADOS

DECIDAM QUEM COMEÇA.
EM UMA RODADA, CADA JOGADOR LANÇA OS 3 DADOS E JUNTA OS PONTOS DAS 3 FACES VOLTADAS PARA CIMA.

MATERIAL
- 2 LÁPIS DE CORES DIFERENTES (1 LÁPIS PARA CADA PARTICIPANTE)
- 3 DADOS

COM O LÁPIS DE COR, O JOGADOR PINTA UMA CASINHA DO QUADRO ABAIXO COM O NÚMERO CORRESPONDENTE AO TOTAL OBTIDO.

POR EXEMPLO:

→ 4 5 4
   |||| ||||| ||||
       10   3
→ 13

SE O NÚMERO CORRESPONDENTE AO TOTAL OBTIDO NÃO ESTIVER NO QUADRO OU SE TODAS AS CASINHAS COM ESSE NÚMERO JÁ ESTIVEREM PINTADAS, ENTÃO O JOGADOR PASSA A VEZ.

A PARTIDA CONTINUA ATÉ QUE TODAS AS CASINHAS DO QUADRO ESTEJAM PINTADAS.

VENCE A PARTIDA QUEM PINTAR MAIS CASINHAS.

NOME DOS PARTICIPANTES: _____ E _____.

QUADRO

8	12	16	11	14
15	10	13	9	7
12	14	12	10	13

VENCEDOR: _____

OS NÚMEROS DE 20 A 29

AS IMAGENS NÃO ESTÃO REPRESENTADAS EM PROPORÇÃO.

1 **O NÚMERO 20 (VINTE)**

SUELI E SAMIR ESTÃO MOSTRANDO TODOS OS DEDOS DAS MÃOS.
NO TOTAL SÃO **20 (VINTE)** DEDOS.
OBSERVE E COMPLETE.

2 GRUPOS DE 10
OU
20 (VINTE).

_____ DEDOS DE SUELI.   _____ DEDOS DE SAMIR.

_____ + _____ = _____   TOTAL: _____ DEDOS.

2 COMPLETE A SEQUÊNCIA NUMÉRICA MANTENDO A REGULARIDADE.

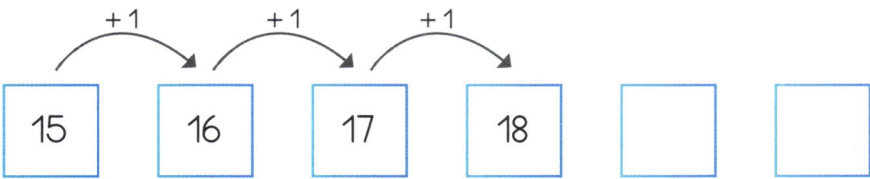

3 ASSINALE O QUADRO QUE TEM 20 JOANINHAS.

CENTO E NOVENTA E CINCO

4 CALCULE E ESCREVA A QUANTIA REPRESENTADA EM CADA QUADRO.

_____ REAIS.   _____ REAIS.   _____ REAIS.

5 OS ALUNOS DA TURMA DE ANDRÉ FORAM COM O PROFESSOR AO PARQUE DE DIVERSÕES. ELES SE DIVERTIRAM MUITO NESTES 3 BRINQUEDOS.

AS IMAGENS NÃO ESTÃO REPRESENTADAS EM PROPORÇÃO.

RODA-GIGANTE.   CARRINHO DE BATE-BATE.   XÍCARA.

DE QUAL BRINQUEDO ANDRÉ GOSTOU MAIS? DESCUBRA PINTANDO OS QUADRINHOS QUE FORMAM A SEQUÊNCIA DE 1 A 20. DEPOIS, CONTORNE O BRINQUEDO.

5	6	9	8	9	7	9	10	12	11	19	20
8	5	4	5	6	3	7	13	14	15	13	20
1	2	3	9	7	6	8	12	18	16	19	20
3	9	6	10	8	9	10	11	16	17	16	20
4	6	7	5	7	7	9	13	12	18	19	20

6 **PESQUISE**

ATIVIDADE EM GRUPO QUAL DOS 3 BRINQUEDOS DA ATIVIDADE ANTERIOR É O FAVORITO DOS ALUNOS DA SUA TURMA? PESQUISE COM OS COLEGAS E REGISTRE EM UMA FOLHA DE PAPEL À PARTE.

7 LEIA A TIRINHA.

CHARLES M. SCHULZ. **PEANUTS COMPLETO – DIÁRIAS E DOMINICAIS:** 1950 A 1952. PORTO ALEGRE: L&PM, 2009. P. 87.

E ENTÃO, QUAL NÚMERO PATTY DEVE RESPONDER? _____

8 OBSERVE COMO JOÃO CONTOU AS BOLINHAS DE GUDE. ELE FORMOU 2 GRUPOS DE 10 E VIU QUE AINDA SOBROU 1 BOLINHA.
SÃO 21 **(VINTE E UMA)** BOLINHAS.
COMPLETE.

_____ GRUPOS DE 10 E MAIS _____ BOLINHA

OU _____ DEZENAS + _____ UNIDADE

_____ + _____

☐ BOLINHAS

9 LUCIANA CONTOU ESTAS PRESILHAS.
ELA FORMOU GRUPOS DE 10 E VIU QUANTAS SOBRARAM.

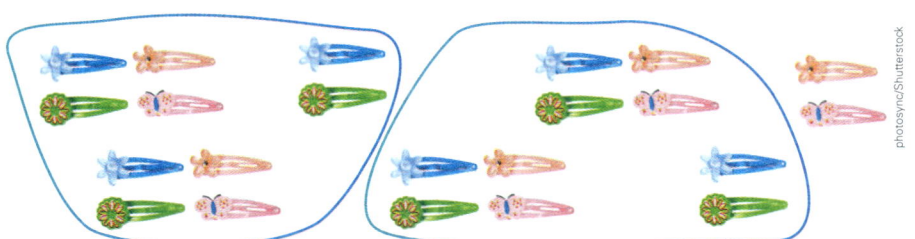

EXISTEM 22 **(VINTE E DUAS)** PRESILHAS. COMPLETE.

AS IMAGENS NÃO ESTÃO REPRESENTADAS EM PROPORÇÃO.

_____ GRUPOS DE 10 E MAIS _____ PRESILHAS

OU _____ DEZENAS + _____ UNIDADES

_____ + _____

☐ PRESILHAS

10 QUANTOS OBJETOS HÁ AO TODO? COMPLETE.

AS IMAGENS NÃO ESTÃO REPRESENTADAS EM PROPORÇÃO.

A) SÃO 23 (VINTE E TRÊS) LATINHAS.

_____ + _____

☐ LATINHAS

B) SÃO 24 (VINTE E QUATRO) CONES.

_____ + _____

☐ CONES

C) SÃO 25 (VINTE E CINCO) CUBINHOS.

_____ + _____

☐ CUBINHOS

D) SÃO 26 (VINTE E SEIS) QUADRINHOS.

_____ + _____

☐ QUADRINHOS

E) SÃO 27 (VINTE E SETE) URSINHOS.

_____ + _____

☐ URSINHOS

F) SÃO 28 (VINTE E OITO) CUBINHOS.

_____ + _____

☐ CUBINHOS

G) SÃO 29 (VINTE E NOVE) CUBINHOS.

_____ + _____

☐ CUBINHOS

198 CENTO E NOVENTA E OITO

11 QUADRO DE NÚMEROS

A) COMPLETE O QUADRO COM A SEQUÊNCIA DE NÚMEROS DE 0 A 29.

0	1								9
10									
									29

B) PINTE A SEGUNDA LINHA DE VERMELHO E RESPONDA: QUAL É A CARACTERÍSTICA COMUM A TODOS OS NÚMEROS DESSA LINHA?

_____

C) ESCOLHA UMA COLUNA E FAÇA UM CONTORNO EM VOLTA DELA. DEPOIS, RESPONDA: QUAL É A CARACTERÍSTICA COMUM A TODOS OS NÚMEROS DESSA COLUNA? _____

12

"ANDANDO" PARA A FRENTE OU PARA TRÁS NO QUADRO DA ATIVIDADE 11, PODEMOS EFETUAR ALGUMAS ADIÇÕES E SUBTRAÇÕES. VEJA OS EXEMPLOS E EFETUE AS DEMAIS OPERAÇÕES.

$$23 + 4 \rightarrow 24, 25, 26, 27 \rightarrow 23 + 4 = 27$$

$$21 - 3 \rightarrow 20, 19, 18 \rightarrow 21 - 3 = 18$$

A) $17 + 3 =$ _____

B) $28 - 4 =$ _____

C) $21 - 5 =$ _____

D) $19 + 2 =$ _____

E) $23 + 5 =$ _____

F) $12 - 4 =$ _____

13 PROBLEMAS

A) JONAS TEM 18 FIGURINHAS NO ÁLBUM. ELE VAI COLAR MAIS 5. QUANTAS FIGURINHAS VÃO FICAR COLADAS NO ÁLBUM DE JONAS? _____

B) MARCELA TINHA 20 REAIS E GASTOU 4 REAIS PARA COMPRAR UM SUCO. QUANTO ELA TEM AGORA?

_____

FIGURINHAS DE ATLETAS OLÍMPICOS DO ÁLBUM RIO 2016.

TECENDO SABERES

A CASA EM QUE VIVEMOS É NOSSA MORADIA.

EXISTEM VÁRIOS TIPOS DE MORADIA: GRANDES OU PEQUENAS, EM PRÉDIOS, EM CONDOMÍNIOS OU TÉRREAS.

E TAMBÉM EXISTEM MUITOS TIPOS DE CONSTRUÇÃO, QUE VARIAM DE ACORDO COM AS NECESSIDADES E AS POSSIBILIDADES DOS MORADORES. AS CASAS MAIS COMUNS SÃO DE TIJOLO, DE PEDRA OU DE MADEIRA. MAS VOCÊ SABIA QUE EXISTEM CASAS FEITAS DE GELO, DE TECIDO E ATÉ DE METAL?

AS CASAS TAMBÉM VARIAM DE ACORDO COM O AMBIENTE EM QUE SÃO CONSTRUÍDAS: EM PEQUENAS CIDADES DO INTERIOR OU EM GRANDES CENTROS URBANOS; PERTO DO MAR, DE UM RIO OU DE UMA FLORESTA.

1 OBSERVE AS IMAGENS COM DIFERENTES TIPOS DE AMBIENTE. ASSINALE O QUADRINHO DA IMAGEM EM QUE VOCÊ VÊ UM AMBIENTE PARECIDO COM AQUELE EM QUE VOCÊ MORA.

AS IMAGENS NÃO ESTÃO REPRESENTADAS EM PROPORÇÃO.

CASA NA MARGEM DO RIO GUAMÁ, EM BELÉM, PARÁ. FOTO DE 2018.

VISTA AÉREA DA CIDADE DE NATAL, RIO GRANDE DO NORTE. FOTO DE 2019.

ÁREA RURAL EM SANTANA DO RIACHO, MINAS GERAIS. FOTO DE 2018.

VISTA AÉREA DA PRAIA DO CENTRO, ITANHAÉM, SÃO PAULO. FOTO DE 2019.

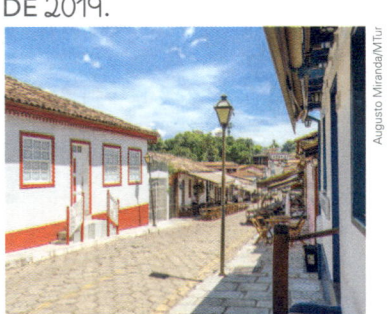
CENTRO DE PIRENÓPOLIS, GOIÁS. FOTO DE 2018.

VISTA AÉREA DE TIMBÓ, SANTA CATARINA. FOTO DE 2019.

2 **ATIVIDADE ORAL EM GRUPO (TODA A TURMA)** CONVERSE COM OS COLEGAS SOBRE ESTAS QUESTÕES.

A) VOCÊ GOSTA DO LUGAR ONDE MORA? POR QUÊ?

B) NA CASA ONDE VOCÊ MORA, QUAL É SEU LUGAR PREFERIDO? O QUE VOCÊ COSTUMA FAZER NESSE LUGAR?

3 **PESQUISE**

EM UMA RUA, AS CASAS E OS PRÉDIOS TÊM UM NÚMERO. O NOME DA RUA E O NÚMERO DO LUGAR FAZEM PARTE DO ENDEREÇO. VOCÊ SABE QUAL É O NOME DA RUA E O NÚMERO DO LUGAR ONDE VOCÊ MORA? PESQUISE E REGISTRE AQUI.

_____

_____

4 VEJA O LADO DA RUA EM QUE BEATRIZ MORA.

VAMOS DESCOBRIR QUEM SÃO OS VIZINHOS DE BEATRIZ? REGISTRE NA IMAGEM O NOME E O NÚMERO DA CASA DE CADA UM. SIGA AS DICAS.

- JÚLIO MORA NA CONSTRUÇÃO MAIS ALTA DA IMAGEM. O NÚMERO É O RESULTADO DE 11 + 5.

- BEATRIZ MORA ENTRE O PRÉDIO ONDE JÚLIO MORA E O SUPERMERCADO. O NÚMERO DA CASA DELA CORRESPONDE A 1 DÚZIA.

- LAURA É VIZINHA DE JÚLIO. O NÚMERO DA CASA DELA É IGUAL A 2 DEZENAS.

- PEDRO ADORA A CASA EM QUE MORA. ELA É A CONSTRUÇÃO MAIS BAIXA DA IMAGEM E O NÚMERO DELA É O RESULTADO DE 27 − 3.

- NA IMAGEM, A CASA DE LÍVIA SÓ TEM 1 CONSTRUÇÃO VIZINHA. AGORA UM DESAFIO! O NÚMERO DA CASA DELA CORRESPONDE À QUANTIDADE DE DIAS EM 4 SEMANAS.

OS NÚMEROS ATÉ 39

1 IRENE É COSTUREIRA. NA LOJA ONDE ELA COMPRA BOTÕES HÁ CARTELAS COM 10 BOTÕES. IRENE COMPROU 3 CARTELAS.

10   10   10

3 GRUPOS DE 10

OU 3 DEZENAS

10 + 10 + 10

30 (TRINTA) BOTÕES

E SE IRENE TIVESSE COMPRADO 3 CARTELAS E MAIS 5 BOTÕES? COMPLETE.

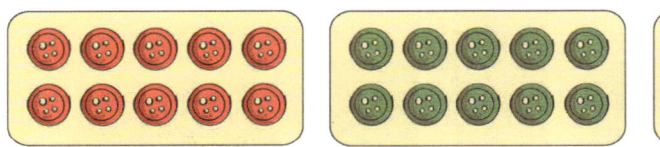 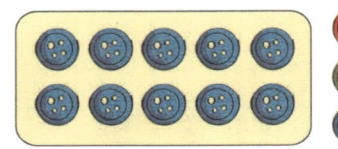 

O TOTAL SERIA DE **35 (TRINTA E CINCO)** BOTÕES.

_____ GRUPOS DE 10 MAIS _____

OU _____ DEZENAS + _____ UNIDADES

_____ + _____

☐ BOTÕES

◀ AS IMAGENS NÃO ESTÃO REPRESENTADAS EM PROPORÇÃO.

2 INDIQUE O NÚMERO CORRESPONDENTE EM CADA QUADRO.

_____ REAIS.

_____ QUADRADINHOS COLORIDOS.

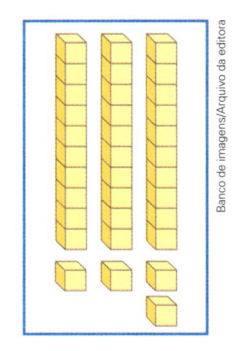

_____ CUBINHOS.

3 O CALENDÁRIO

A) PREENCHA O CALENDÁRIO DE ACORDO COM O MÊS E O ANO EM QUE ESTAMOS.

VOCÊ SABE, MEU AMIGO,
PRA QUE SERVE O CALENDÁRIO?
PRA SABER, ENTRE OUTRAS DATAS,
QUANDO É SEU ANIVERSÁRIO!

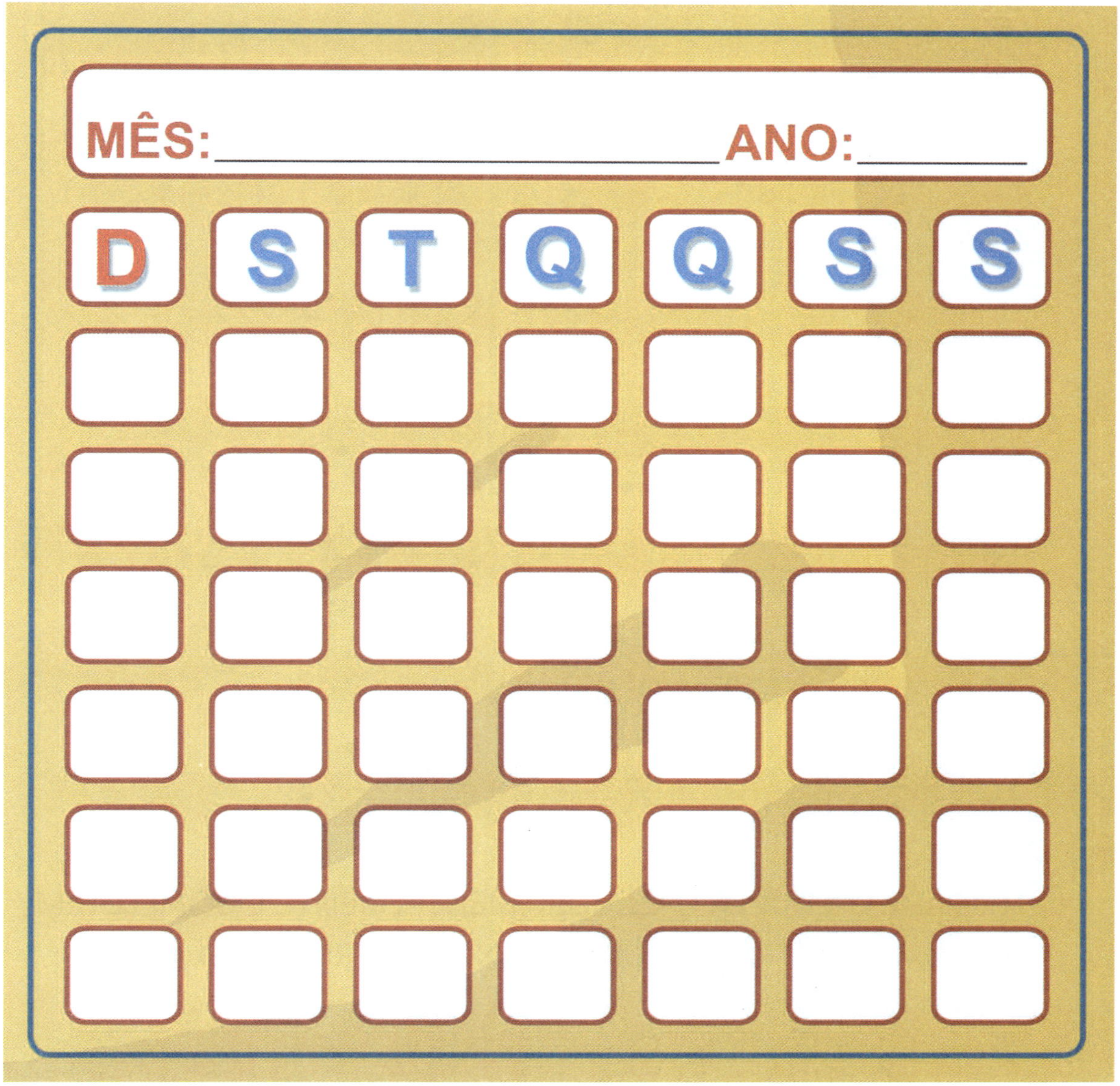
MÊS: ______ ANO: ______
D
S
T
Q
Q
S
S

Giz de Cera/Arquivo da editora

B) AGORA, CONSULTE O CALENDÁRIO E COMPLETE COM NÚMEROS.

- HOJE É DIA ________.
- ESTE MÊS TEM ________ DIAS.
- ESTE MÊS TEM ________ DOMINGOS.
- O 3º SÁBADO DESTE MÊS CAI NO DIA ________.
- O PENÚLTIMO DIA DESTE MÊS É O DIA ________.

4 QUEM SOU EU?

DESCUBRA LENDO OS VERSOS AO LADO.
DEPOIS, CONFIRA LIGANDO OS PONTOS NA SEQUÊNCIA DE 1 A 39.

SOU UM MEIO DE TRANSPORTE QUE NO CHÃO PODE ANDAR. MAS DO QUE EU GOSTO MESMO É DE VOAR, VOAR, VOAR.

5 CÁLCULO MENTAL

ATIVIDADE EM DUPLA CALCULEM MENTALMENTE E COMPLETEM. CADA UM REGISTRA OS NÚMEROS NO PRÓPRIO LIVRO.

A) 38 − 8 = _____

B) 17 + 10 = _____

C) 15 + 5 = _____

D) 20 − 20 = _____

E) 34 − 30 = _____

F) 10 + 20 = _____

G) NA TURMA DE ANA HAVIA 28 ALUNOS E CHEGARAM 3 NOVOS ALUNOS. AGORA SÃO _____ ALUNOS.

H) NA TURMA DE BETO HAVIA 30 ALUNOS E SAÍRAM 3 ALUNOS. AGORA SÃO _____ ALUNOS.

6 IRENE FOI A OUTRA LOJA COMPRAR BOTÕES. VEJA COMO SÃO VENDIDOS OS BOTÕES QUE ELA QUER COMPRAR.

BOTÕES AVULSOS.   EMBALAGEM AZUL.   EMBALAGEM VERDE.

A) COMPLETE: A EMBALAGEM AZUL TEM _____ BOTÕES

E A EMBALAGEM VERDE TEM _____ BOTÕES.

B) OBSERVE AS OPÇÕES DE COMPRA E REGISTRE O NÚMERO DE BOTÕES EM CADA UMA DELAS.

OPÇÃO 1

_____ BOTÕES.

OPÇÃO 2

_____ BOTÕES.

OPÇÃO 3

_____ BOTÕES.

OPÇÃO 4

_____ BOTÕES.

C) QUAL DESSAS OPÇÕES DE COMPRA TEM MAIS BOTÕES?
_____

D) E QUAL DESSAS OPÇÕES TEM MENOS BOTÕES? _____

E) HÁ 4 POSSIBILIDADES PARA A COMPRA DE 20 BOTÕES NESSA LOJA. COMPLETE CADA UMA DELAS.

- 1 EMBALAGEM _____.
- 2 EMBALAGENS _____.
- 1 EMBALAGEM _____ E _____ BOTÕES AVULSOS.
- _____ BOTÕES AVULSOS.

7 NÚMEROS E MEDIDAS

A) ATIVIDADE ORAL EM GRUPO

O QUE OS NÚMEROS DA PLACA ESTÃO INDICANDO? CONVERSE COM OS COLEGAS SOBRE ESSES NÚMEROS E DEPOIS COMPLETE.

- O NÚMERO DE CIMA INDICA UMA MEDIDA DE _____.

  LEMOS: _____ GRAUS CELSIUS.

- O NÚMERO DE BAIXO INDICA UMA MEDIDA DE _____.

  LEMOS: _____ HORAS.

B) A MEDIDA DE TEMPERATURA REGISTRADA 2 HORAS DEPOIS FOI DE 3 GRAUS A MENOS. INDIQUE AS MEDIDAS QUE A PLACA PASSOU A MOSTRAR.

- MEDIDA DE TEMPERATURA: _____ GRAUS CELSIUS.
- MEDIDA DE INTERVALO DE TEMPO: _____ HORAS.

8 VOLTE ÀS PÁGINAS DE ABERTURA DESTA UNIDADE (PÁGINAS 176 E 177) E RESPONDA.

A) QUANTO UMA PESSOA VAI GASTAR NA COMPRA DE 1 ORQUÍDEA PEQUENA E 1 VASO DE VIOLETAS? _____

B) QUANTO 1 ORQUÍDEA GRANDE CUSTA A MAIS DO QUE 1 DÚZIA DE ROSAS? _____

C) CARLA COMPROU 1 BUQUÊ DE FLORES SILVESTRES E PAGOU COM ESTAS NOTAS.

QUANTO ELA RECEBEU DE TROCO? _____

9 NÚMEROS NA RETA NUMERADA

OBSERVE OS NÚMEROS NOS QUADRINHOS.

| 27 | 30 | 25 |

A) OBSERVE OS NÚMEROS QUE JÁ ESTÃO MARCADOS NESTA RETA NUMERADA. MARQUE CADA NÚMERO DOS QUADRINHOS NA POSIÇÃO CORRETA.

23 __ 26 __ 28 __ 32

B) AGORA, COMPLETE CADA FRASE USANDO SEMPRE OS 3 NÚMEROS DOS QUADRINHOS.

- _____ É MENOR DO QUE _____ E MENOR DO QUE _____.

- _____ É MENOR DO QUE _____ E MAIOR DO QUE _____.

- _____ É MAIOR DO QUE _____ E MAIOR DO QUE _____.

10

OBSERVE CADA SEQUÊNCIA, DESCUBRA UM PADRÃO (OU UMA REGULARIDADE) E COMPLETE A FRASE QUE O DESCREVE.

DEPOIS, COMPLETE A SEQUÊNCIA COM OS 2 NÚMEROS DESCONHECIDOS.

A) SEQUÊNCIA: 30, 25, 20, 15, 10, ___, ___

DESCRIÇÃO DO PADRÃO: COMEÇA PELO NÚMERO _____ E OS DEMAIS NÚMEROS SÃO OBTIDOS SUBTRAINDO _____ UNIDADES DO NÚMERO ANTERIOR.

B) SEQUÊNCIA: 3, 7, 11, 15, 19, ___, ___

DESCRIÇÃO DO PADRÃO: INICIA PELO NÚMERO _____

E OS PRÓXIMOS NÚMEROS SÃO OBTIDOS _____

_____ UNIDADES AO NÚMERO ANTERIOR.

OS NÚMEROS ATÉ 99 E DEPOIS O 100 (CEM)

1 AS DEZENAS INTEIRAS OU DEZENAS EXATAS

CADA CARTELA ABAIXO TEM 10 BOTÕES OU 1 DEZENA DE BOTÕES. OBSERVE E COMPLETE.

Dezenas	Unidades
1	10 (DEZ)
2	20 (VINTE)
3	30 (TRINTA)
_____	_____ (QUARENTA)
_____	_____ (CINQUENTA)
_____	_____ (SESSENTA)
_____	_____ (SETENTA)
_____	_____ (OITENTA)
_____	_____ (NOVENTA)

2 DEZENAS DE BOLINHAS

A) PINTE CADA DEZENA DE BOLINHAS DE UMA COR.

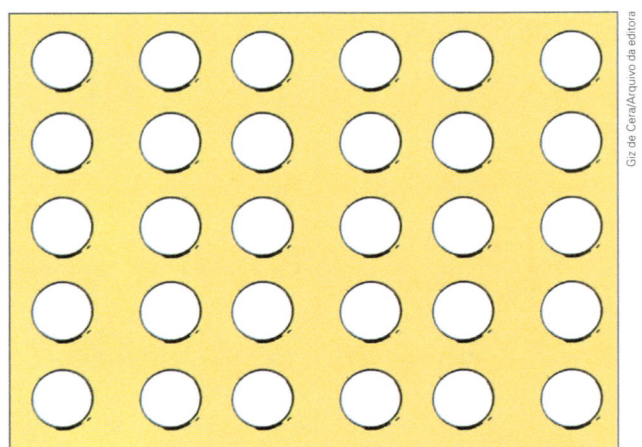

B) QUANTAS DEZENAS DE BOLINHAS VOCÊ PINTOU? _____ DEZENAS.

C) QUANTAS BOLINHAS HÁ NO TOTAL? _____ BOLINHAS.

3 DESTAQUE AS PEÇAS DO MATERIAL DOURADO DA PÁGINA 43 DO **ÁPIS DIVERTIDO** E COMPLETE O QUADRO.

🟨	1 DEZENA	10	10 (DEZ)
🟨🟨	2 DEZENAS	10 + 10	20 (VINTE)
	3 DEZENAS	10 + 10 + 10	
🟨🟨🟨🟨	4 DEZENAS		
	5 DEZENAS		

4 VEJA AS NOTAS QUE ALICE TEM E COMPLETE.

SÃO _____ NOTAS

DE _____ REAIS.

A QUANTIA TOTAL

É DE _____ REAIS.

5 DESCUBRA O PADRÃO E COMPLETE A SEQUÊNCIA.

| 0 | 10 | 20 | | 40 | 50 | | | | |

6 ADIÇÃO E SUBTRAÇÃO COM DEZENAS INTEIRAS

A) MARINA EFETUOU ADIÇÕES E SUBTRAÇÕES USANDO O MATERIAL DOURADO. VEJA.

30 + 40 = ?

60 − 20 = ?

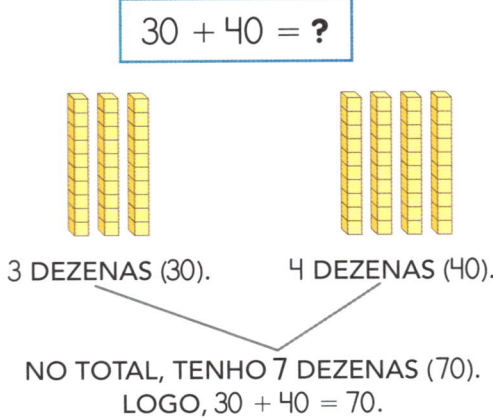

3 DEZENAS (30).   4 DEZENAS (40).

NO TOTAL, TENHO 7 DEZENAS (70).
LOGO, 30 + 40 = 70.

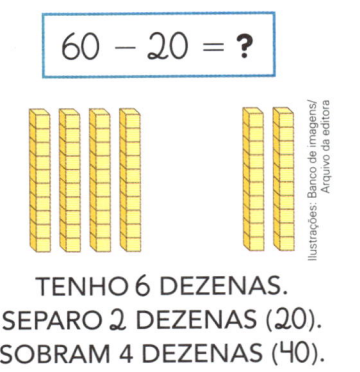

TENHO 6 DEZENAS.
SEPARO 2 DEZENAS (20).
SOBRAM 4 DEZENAS (40).
LOGO, 60 − 20 = 40.

PENSE NAS PEÇAS DO MATERIAL DOURADO, EFETUE MAIS ESTAS OPERAÇÕES E REGISTRE OS RESULTADOS.

20 + 30 = _____   70 + 10 = _____   50 − 30 = _____

B) PEDRO USOU A SEQUÊNCIA DA ATIVIDADE 5 PARA EFETUAR ADIÇÕES E SUBTRAÇÕES. VEJA COMO ELE FEZ.

50 + 40
FALO 50, "ANDO" PARA A FRENTE NA SEQUÊNCIA E FALO 60, 70, 80, 90.

70 − 30
FALO 70, "ANDO" PARA TRÁS NA SEQUÊNCIA E FALO 60, 50, 40.

LOGO, 50 + 40 = 90.   LOGO, 70 − 30 = 40.

USE A SEQUÊNCIA DE DEZENAS INTEIRAS, EFETUE MAIS ESTAS OPERAÇÕES E REGISTRE OS RESULTADOS.

60 + 20 = _____   60 − 30 = _____   80 − 50 = _____

C) NESTAS OPERAÇÕES VOCÊ USA O PROCESSO QUE QUISER.

50 + 30 = _____   40 + 40 = _____   70 − 60 = _____

7 VEJA QUANTAS ESTRELAS MAURO DESENHOU E COMPLETE.

4 GRUPOS DE 10 E MAIS 3 ESTRELAS

OU _____ DEZENAS + _____ UNIDADES

_____ + _____

SÃO 43 **(QUARENTA E TRÊS)** ESTRELAS.

8 ANALISE COM ATENÇÃO.

A) ESSAS SÃO AS MAÇÃS QUE O PAI DE MALU TEM PARA VENDER.

COMPLETE: NO TOTAL SÃO _____ MAÇÃS OU _____ DEZENAS DE MAÇÃS.

B) E SE, ALÉM DESSAS MAÇÃS, ELE TIVESSE MAIS 5 MAÇÃS?

DESENHE AS 5 MAÇÃS NA CENA ACIMA E COMPLETE.

SERIAM _____ DEZENAS + _____ UNIDADES

OU _____ + _____

_____ MAÇÃS

9 **PROBLEMAS** *AS IMAGENS NÃO ESTÃO REPRESENTADAS EM PROPORÇÃO.*

A) MIGUEL TINHA 40 CARRINHOS EM UMA COLEÇÃO. ELE GANHOU MAIS 6 CARRINHOS.

COMPLETE: AGORA ELE TEM _____ CARRINHOS.

CARRINHOS QUE MIGUEL GANHOU.

B) LUCIANO COMPROU 1 LIVRO POR R$ 50,00 E 1 CANETA POR R$ 8,00.

COMPLETE: ELE GASTOU _____ REAIS.

LIVRO E CANETA QUE LUCIANO COMPROU.

10 CONTINUE ESCREVENDO OS NÚMEROS EM ORDEM ATÉ COMPLETAR O QUADRO.

0	1								
								18	
		22							
				35					
40									
							57		
	61								
						76			
			83						
				94					
?									

EXPLORAR E DESCOBRIR

O NÚMERO CEM

- **ATIVIDADE EM DUPLA** REPRESENTEM CADA SITUAÇÃO USANDO O DINHEIRO QUE VOCÊS DESTACARAM DO **ÁPIS DIVERTIDO**. EM SEGUIDA, CADA UM REGISTRA O RESULTADO NO PRÓPRIO LIVRO.

  A) PAULA TINHA ESTAS NOTAS E MOEDAS.

  COMPLETEM: ELA TINHA _____ REAIS.

  B) PAULA GANHOU 🪙 DA MÃE DELA.

  QUANTAS MOEDAS ELA TEM AGORA? _____ MOEDAS.

  C) TROQUEM AS MOEDAS DE PAULA POR 1 NOTA.

  ASSINALEM POR QUAL NOTA VOCÊS TROCARAM AS MOEDAS.

  D) DESENHEM AS NOTAS QUE PAULA PASSOU A TER DEPOIS DA TROCA.

- **ATIVIDADE ORAL EM GRUPO** DEPOIS DO 99 VEM O **CEM** (99 + 1). CONVERSE COM OS COLEGAS SOBRE COMO REPRESENTAR O NÚMERO CEM E, DEPOIS, ESCREVA AQUI: _____

  > BANANINHA PINTADINHA, QUANTAS PINTAS ELA TEM? ELA TEM NOVENTA E NOVE FALTA UMA PARA CEM!

11 ESCREVA NOS QUADRINHOS OS NÚMEROS QUE O PROFESSOR VAI DITAR.

12 **ATIVIDADE ORAL EM DUPLA** CONVERSEM SOBRE COMO DESCOBRIR OS RESULTADOS. DEPOIS, CADA UM COMPLETA NO PRÓPRIO LIVRO.

A) 62 + 3 = _____

B) 81 – 2 = _____

C) 73 + 10 = _____

D) 48 – 4 = _____

E) 88 + 2 = _____

F) 60 – 20 = _____

13 **A GRANDE GINCANA**

ESTAS EQUIPES DISPUTARAM UMA GINCANA NA ESCOLA.

 EQUIPE AZUL.
 EQUIPE VERDE.
 EQUIPE AMARELA.
 EQUIPE VERMELHA.

A) QUANTAS EQUIPES SÃO? _____ EQUIPES.

B) QUANTAS CRIANÇAS HÁ EM CADA EQUIPE? _____ CRIANÇAS.

C) QUANTAS CRIANÇAS HÁ NO TOTAL? _____ CRIANÇAS.

D) VEJA A TABELA COM A PONTUAÇÃO FINAL DE CADA EQUIPE. COMPLETE O GRÁFICO CONSTRUINDO E PINTANDO AS COLUNAS QUE FALTAM. FINALMENTE, COMPLETE A TABELA COM A CLASSIFICAÇÃO DE CADA EQUIPE (1º, 2º, 3º E 4º).

PONTUAÇÃO FINAL DAS EQUIPES

EQUIPE	QUANTIDADE DE PONTOS	CLASSIFICAÇÃO
AZUL	55	
VERDE	40	
AMARELA	60	
VERMELHA	70	

GRÁFICO E TABELA ELABORADOS PARA FINS DIDÁTICOS.

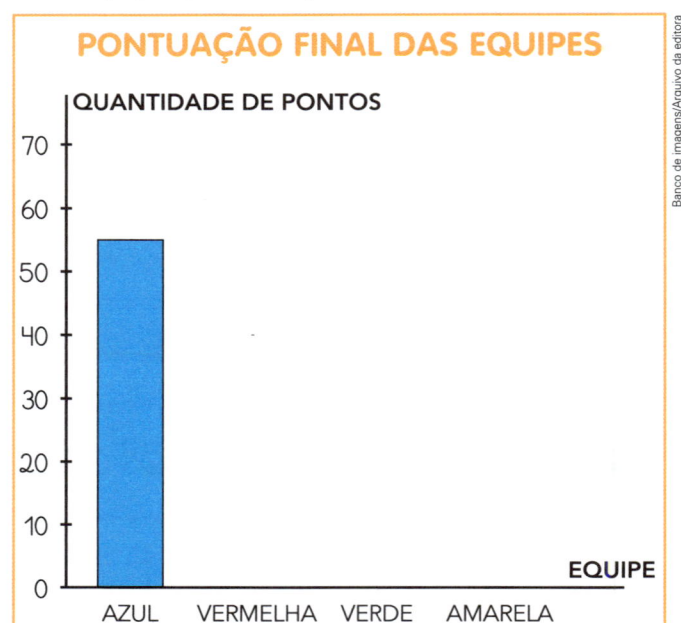

14 APROXIMAÇÕES

OBSERVE QUANTAS BOLAS!

A) RESPONDA SEM CONTAR.

VOCÊ ACHA QUE ESSA QUANTIDADE DE BOLAS ESTÁ MAIS PRÓXIMA DE 10 OU DE 20? _____

B) AGORA, CONTE E REGISTRE AQUI: SÃO _____ BOLAS.

C) CONTORNE NESTA RETA NUMERADA O NÚMERO CORRESPONDENTE À QUANTIDADE ENCONTRADA.

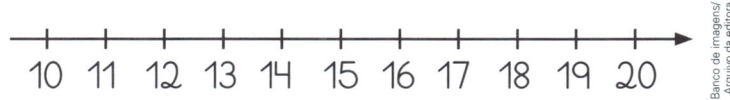

D) CONFIRA SUA ESTIMATIVA E COMPLETE.

_____ ESTÁ MAIS PRÓXIMO DE _____ DO QUE DE _____.

E) OBSERVE AGORA ESTA PARTE DA RETA NUMERADA. DEPOIS, RESPONDA ÀS QUESTÕES PROPOSTAS.

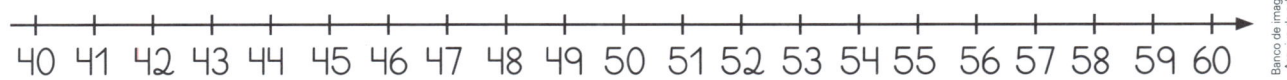

- 46 ESTÁ MAIS PRÓXIMO DE 40 OU DE 50? _____

- 58 ESTÁ MAIS PRÓXIMO DE 50 OU DE 60? _____

- 42 ESTÁ MAIS PRÓXIMO DE 40 OU DE 50? _____

- 53 ESTÁ MAIS PRÓXIMO DE 40 OU DE 60? _____

- 50 ESTÁ MAIS PRÓXIMO DE 40 OU DE 60? _____

15 OUTRAS ESTRATÉGIAS PARA EFETUAR ADIÇÕES

ATIVIDADE ORAL EM GRUPO VEJA AS ESTRATÉGIAS QUE LAURA USOU PARA EFETUAR AS ADIÇÕES E CONVERSE SOBRE ELAS COM OS COLEGAS.

54 + 14
54 + 10 + 4
64 + 4
68

58 + 32
58 + 2 + 30
60 + 30
90

35 + 27
35 + 5 + 22
40 + 22
62

AGORA, USE ESSAS ESTRATÉGIAS E EFETUE MAIS ESTAS ADIÇÕES.

33 + 25   48 + 16   19 + 41   27 + 23

16 PROBLEMA

PAULA COMPROU 1 DEZENA DE MAÇÃS E 1 DÚZIA DE LARANJAS. RESPONDA ÀS QUESTÕES E FAÇA OS CÁLCULOS COMO JULGAR MAIS ADEQUADO.

A) QUANTAS FRUTAS PAULA COMPROU NO TOTAL?

_____ FRUTAS.

B) ELA COMPROU MENOS MAÇÃS OU MENOS LARANJAS? QUANTAS A MENOS?

17 MAIS PROBLEMAS

LEIA OS PROBLEMAS, FAÇA OS CÁLCULOS DA MANEIRA QUE PREFERIR E COMPLETE AS FRASES.

A) A PROFESSORA DE JÚLIO COMPROU ESTES 2 PACOTES COM FOLHAS DE PAPEL SULFITE. EM SEGUIDA ELA SEPAROU 48 FOLHAS PARA DISTRIBUIR ENTRE OS ALUNOS.

- ELA COMPROU _____ FOLHAS DE PAPEL NO TOTAL.
- DEPOIS DE SEPARAR AS FOLHAS PARA OS ALUNOS, ELA AINDA FICOU COM _____ FOLHAS.

B) RAFAEL TINHA ESTAS NOTAS.

ELE GANHOU ESTAS NOTAS DO PAI DELE.

- RAFAEL TINHA _____ REAIS.
- ELE GANHOU _____ REAIS DO PAI.
- ELE FICOU COM _____ REAIS.

18 VAMOS ELABORAR UM PROBLEMA?

COMPLETE O ENUNCIADO DO PROBLEMA PARA QUE A RESOLUÇÃO SEJA FEITA COM A OPERAÇÃO INDICADA. DEPOIS, ESCREVA A OPERAÇÃO COM O RESULTADO E A RESPOSTA.

OPERAÇÃO: 8 + 5

MARIA TINHA A QUANTIA DE _____ REAIS E _____ UMA NOTA DE _____ REAIS DO PAI DELA. COM QUANTOS REAIS ELA _____?

_____ + _____ = _____

RESPOSTA: _____

MATEMÁTICA E TECNOLOGIA

PLANILHA ELETRÔNICA

AS PLANILHAS SÃO MUITO ÚTEIS PARA REGISTRAR DADOS EM TABELAS E PARA CONSTRUIR GRÁFICOS, POR EXEMPLO. VEJA NOVAMENTE A TABELA DA ATIVIDADE 13 DA PÁGINA 214.

VOCÊ CONHECE ALGUMA PLANILHA ELETRÔNICA? JÁ USOU OU VIU ALGUÉM USAR UMA PLANILHA ELETRÔNICA NO COMPUTADOR, NA INTERNET OU ATÉ MESMO EM UM SMARTPHONE?

PONTUAÇÃO FINAL DAS EQUIPES

EQUIPE	QUANTIDADE DE PONTOS	CLASSIFICAÇÃO
AZUL	55	3º
VERDE	40	4º
AMARELA	60	2º
VERMELHA	70	1º

TABELA ELABORADA PARA FINS DIDÁTICOS.

VAMOS USAR ESSA SITUAÇÃO PARA REPRESENTAR AS 2 PRIMEIRAS COLUNAS DESSA TABELA (**EQUIPE** E **QUANTIDADE DE PONTOS**) EM UMA PLANILHA ELETRÔNICA.

1º PASSO

O PROFESSOR VAI FORNECER ALGUNS DADOS DA PLANILHA JÁ PREENCHIDOS, COMO NESTA IMAGEM.

OBSERVE O QUE JÁ ESTÁ PREENCHIDO NA PLANILHA E COMPLETE.

	A	B
1	PONTUAÇÃO FINAL DAS EQUIPES	
2	EQUIPE	QUANTIDADE DE PONTOS
3	VERMELHA	
4	AMARELA	
5		
6		

A PLANILHA JÁ ESTÁ PREENCHIDA COM A COR DAS EQUIPES _____ E _____. AINDA FALTA REGISTRAR A COR DAS EQUIPES _____ E _____.

2º PASSO

ESCREVA A COR DAS DEMAIS EQUIPES. DEPOIS, CONFIRA SE SUA PLANILHA FICOU COMO A DESTA IMAGEM.

	A	B
1	PONTUAÇÃO FINAL DAS EQUIPES	
2	EQUIPE	QUANTIDADE DE PONTOS
3	VERMELHA	
4	AMARELA	
5	AZUL	
6	VERDE	

3º PASSO

AGORA VOCÊ PODE REGISTRAR A QUANTIDADE DE PONTOS QUE CADA EQUIPE FEZ. VAMOS COMEÇAR PELA EQUIPE VERMELHA.

COMPLETE: A EQUIPE VERMELHA FEZ _____ PONTOS.

REGISTRE ESSE VALOR NA PLANILHA. TOME CUIDADO PARA ESCREVER O NÚMERO NA LINHA CORRETA, DA EQUIPE VERMELHA.

	A	B
1	PONTUAÇÃO FINAL DAS EQUIPES	
2	EQUIPE	QUANTIDADE DE PONTOS
3	VERMELHA	70
4	AMARELA	
5	AZUL	
6	VERDE	

4º PASSO

COMPLETE A INFORMAÇÃO SOBRE A EQUIPE AMARELA E REGISTRE O VALOR NA PLANILHA, NA LINHA DESSA EQUIPE.

A EQUIPE AMARELA FEZ _____ PONTOS.

	A	B
1	PONTUAÇÃO FINAL DAS EQUIPES	
2	EQUIPE	QUANTIDADE DE PONTOS
3	VERMELHA	70
4	AMARELA	60
5	AZUL	
6	VERDE	

5º PASSO

TERMINE DE REGISTRAR OS DADOS NA PLANILHA REGISTRANDO A PONTUAÇÃO DAS DEMAIS EQUIPES.

A EQUIPE AZUL FEZ _____ PONTOS E A EQUIPE _____ FEZ _____ PONTOS.

	A	B
1	PONTUAÇÃO FINAL DAS EQUIPES	
2	EQUIPE	QUANTIDADE DE PONTOS
3	VERMELHA	70
4	AMARELA	60
5	AZUL	55
6	VERDE	40

6º PASSO

É SEMPRE IMPORTANTE CONFERIR OS DADOS QUE VOCÊ REGISTROU. OBSERVE A TABELA DO LIVRO E COMPARE-A COM SUA PLANILHA ELETRÔNICA.

SE HOUVER ALGUM DADO DIFERENTE, APROVEITE ESTE MOMENTO PARA CORRIGI-LO NA PLANILHA ELETRÔNICA!

MAIS ATIVIDADES

1 ESTIMATIVA E CALCULADORA

ESCREVA O QUE VOCÊ ACHA QUE VAI APARECER NO VISOR DA CALCULADORA.

DEPOIS, USE UMA CALCULADORA PARA CONFERIR SUA ESTIMATIVA.

A) TECLANDO [2] E EM SEGUIDA [1] → ☐

B) TECLANDO [1] E EM SEGUIDA [2] → ☐

C) TECLANDO [2], DEPOIS [+], DEPOIS [1] E DEPOIS [=] → ☐

D) TECLANDO NESTA ORDEM:

[1] [0] [+] [1] [0] [+] [8] [=] → ☐

E) TECLANDO NESTA ORDEM:

[2] [8] [−] [2] [0] [=] → ☐

2 VAMOS DESCOBRIR O QUE ACONTECEU COM GABRIEL?

A) ESCREVA COMO SE LÊ CADA NÚMERO.

[7]   [1]   [6]   [30]   [8]

B) AGORA, ESCREVA EM CADA QUADRINHO APENAS A PRIMEIRA LETRA DAS PALAVRAS QUE VOCÊ ESCREVEU ACIMA E DESCUBRA O QUE ACONTECEU COM O GABRIEL.

ELE LEVOU UM ☐☐☐☐☐.

3 COM QUAL COR VAMOS PINTAR O VESTIDO DE ANA?

A) EFETUE AS OPERAÇÕES E COMPLETE OS QUADRINHOS.

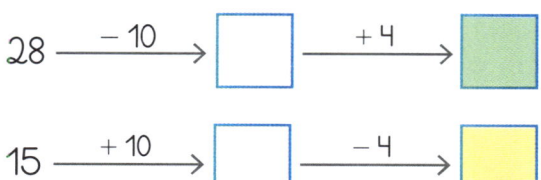

B) A COR DO VESTIDO DE ANA É A COR DO QUADRINHO COM O MAIOR NÚMERO. PINTE O VESTIDO COM ESSA COR.

4 OBSERVE AS ETIQUETAS E ESCREVA OS PREÇOS NA ORDEM, DO MENOR PARA O MAIOR.

AS IMAGENS NÃO ESTÃO REPRESENTADAS EM PROPORÇÃO.

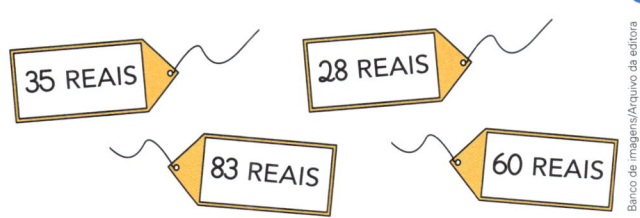

_____ REAIS, _____ REAIS, _____ REAIS, _____ REAIS.

5 **DESAFIO**

QUANTOS CARROS ESTÃO NO PÁTIO DA FÁBRICA? _____ CARROS.

6 VALOR APROXIMADO, ESTIMATIVA E VALOR EXATO

A) MARQUE COM UM **X** SUA ESTIMATIVA SOBRE O NÚMERO DE BOLINHAS NESTE QUADRO.

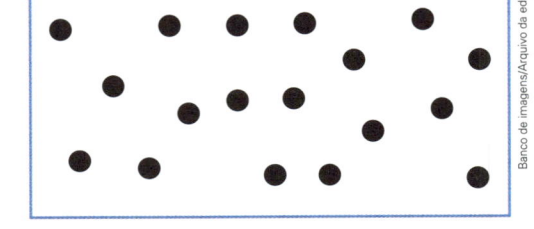

☐ MENOS DO QUE 20 BOLINHAS.

☐ DE 20 A 30 BOLINHAS.

☐ MAIS DO QUE 30 BOLINHAS.

B) AGORA, CONTE AS BOLINHAS, REGISTRE O VALOR EXATO E VEJA SE SUA ESTIMATIVA FOI BOA.

NESTE QUADRO HÁ _____ BOLINHAS, OU SEJA,

_____ .

7 CALCULAR, RELACIONAR E PINTAR

A) REGISTRE O RESULTADO DE CADA OPERAÇÃO DOS QUADROS.

| 30 + 17 = _____ | 67 − 20 = _____ | 30 + 20 = _____ | 51 − 4 = _____ |

| 62 − 12 = _____ | 79 + 2 = _____ | 80 − 30 = _____ | 90 − 9 = _____ |

B) AGORA, PINTE OS QUADROS QUE FALTAM, DE MODO QUE OPERAÇÕES COM RESULTADOS IGUAIS TENHAM QUADROS COM A MESMA COR.

8 LEIA A TIRINHA.

JEAN GALVÃO. REVISTA **RECREIO**, ABRIL, EDIÇÃO ESPECIAL TIRINHAS, MAR. 2006. P. 6.

COMPLETE A SEQUÊNCIA COM O NÚMERO QUE VEM IMEDIATAMENTE ANTES DE 23 E COM O NÚMERO QUE VEM IMEDIATAMENTE DEPOIS DE 25.

| | 23 | 24 | 25 | |

9 PESQUISE

ATIVIDADE EM GRUPO (TODA A TURMA) VOCÊ VAI FAZER UMA PESQUISA COM TODOS OS COLEGAS DA TURMA.
VEJA QUAL É A PERGUNTA DA PESQUISA.

> ENTRE OS PERSONAGENS DA TURMA DA MÔNICA, DE QUAL VOCÊ MAIS GOSTA: MÔNICA, CASCÃO, MAGALI OU CEBOLINHA?

MÔNICA.

CASCÃO.

MAGALI.

CEBOLINHA.

A) PEÇA A TODOS OS COLEGAS QUE VOTEM 1 A 1 E VÁ ANOTANDO OS VOTOS COM MARQUINHAS. VOCÊ TAMBÉM DEVE VOTAR!
NO FINAL, REGISTRE O NÚMERO TOTAL DE VOTOS QUE CADA PERSONAGEM RECEBEU.

PERSONAGEM PREFERIDO

PERSONAGEM	VOTOS COM MARQUINHAS	NÚMERO DE VOTOS
MÔNICA		
CASCÃO		
MAGALI		
CEBOLINHA		

TABELA ELABORADA PARA FINS DIDÁTICOS.

B) AGORA, COM OS COLEGAS, FORMULEM PELO MENOS 10 QUESTÕES SOBRE OS RESULTADOS DA PESQUISA, POR EXEMPLO: QUEM FOI O PERSONAGEM MAIS VOTADO? QUANTOS VOTOS MAGALI TEVE? CEBOLINHA TEVE MAIS OU MENOS VOTOS QUE CASCÃO?
EM SEGUIDA, RESPONDAM ÀS QUESTÕES.
USEM A CRIATIVIDADE!

VAMOS VER DE NOVO?

AS IMAGENS NÃO ESTÃO REPRESENTADAS EM PROPORÇÃO.

1 QUANTAS FIGURINHAS CADA CRIANÇA TEM? ESCREVA OS NÚMEROS.

PRISCILA: TRINTA. ⟶ _____ FIGURINHAS.

MÁRCIO: 10 A MENOS DO QUE PRISCILA. ⟶ _____ FIGURINHAS.

RUI: 7 A MAIS DO QUE MÁRCIO. ⟶ _____ FIGURINHAS.

2 JOANA COMPROU 1 DÚZIA E MEIA DE OVOS PARA FAZER DOCES. ASSINALE QUANTOS OVOS ELA COMPROU.

☐ 16 OVOS.   ☐ 15 OVOS.   ☐ 18 OVOS.   ☐ 20 OVOS.

3 PAULA E OS COLEGAS DE EQUIPE MONTARAM 3 EMPILHAMENTOS USANDO CUBINHOS DO MATERIAL DOURADO.

CALCULE E COMPLETE: FORAM USADOS _____ CUBINHOS NO TOTAL.

4 **CERTEZA, IMPOSSÍVEL OU ÀS VEZES**

IMAGINE QUE VOCÊ E OS COLEGAS VÃO GIRAR UM CLIPE NESTA ROLETA. OBSERVE OS ANIMAIS E O NOME DELES E LIGUE OS QUADROS CORRESPONDENTES.

CAIR UM NOME COM A LETRA INICIAL **G**.	É IMPOSSÍVEL ACONTECER.
CAIR UM NOME QUE TEM 5 LETRAS.	ACONTECERÁ COM CERTEZA.
CAIR UM NOME QUE TERMINA COM A LETRA **O**.	PODE ACONTECER OU NÃO.

5 SEQUÊNCIAS: VAMOS COMEÇAR?

A) EM CADA SEQUÊNCIA, DESCUBRA UM PADRÃO (UMA REGULARIDADE) E, DE ACORDO COM ELE, COMPLETE E PINTE A PRÓXIMA FIGURA.

- NÚMEROS DAS CASAS EM UMA RUA.

- SENHAS FORMADAS POR 2 NÚMEROS.

| 35-07 | 35-17 | 35-27 | 35-37 | |

B) O QUE INDICAM OS NÚMEROS DE TODAS AS SEQUÊNCIAS? PINTE DE VERDE O QUADRINHO CORRESPONDENTE.

| CONTAGEM | MEDIDA | CÓDIGO DE IDENTIFICAÇÃO |

6

LEIA CADA AFIRMAÇÃO E OBSERVE A FIGURA COM ATENÇÃO. COLOQUE **V** SE A AFIRMAÇÃO FOR VERDADEIRA, COLOQUE **F** SE A AFIRMAÇÃO FOR FALSA E COLOQUE ***** SE NÃO FOR POSSÍVEL COLOCAR **V** NEM **F**.

☐ A BOLA **AZUL** ESTÁ ENTRE AS 2 ÁRVORES.

☐ A BOLA ESTÁ ENTRE AS ÁRVORES.

☐ A BOLA **LARANJA** ESTÁ ENTRE AS 2 ÁRVORES.

☐ A ÁRVORE **VERDE** ESTÁ ENTRE AS 2 BOLAS.

☐ O PASSARINHO ESTÁ EM CIMA DA ÁRVORE **VERDE**.

☐ A BOLA **LARANJA** ESTÁ MAIS PERTO.

☐ A ÁRVORE **AMARELA** É MAIS BAIXA.

7 NINO COLOU 2 FIGURINHAS EM CADA UMA DESTAS PÁGINAS DO ÁLBUM.

A) DESENHE AS FIGURINHAS.

B) COMPLETE.

SÃO _____ PÁGINAS E VOCÊ DESENHOU _____ FIGURINHAS NO TOTAL.

8 PINTE DE AMARELO O 5º (QUINTO) PATINHO DA FILA DA ESQUERDA PARA A DIREITA. OS DEMAIS VOCÊ PINTA COMO QUISER.

AS IMAGENS NÃO ESTÃO REPRESENTADAS EM PROPORÇÃO.

9 INÊS REPARTIU IGUALMENTE 10 OVOS NESTAS VASILHAS.

A) DESENHE OS OVOS NAS VASILHAS.

B) COMPLETE: SÃO _____ VASILHAS E _____ OVOS EM CADA UMA DELAS.

O QUE ESTUDAMOS

VIMOS DIFERENTES FORMAS DE CONTAR.

- CONTANDO DE 1 EM 1.

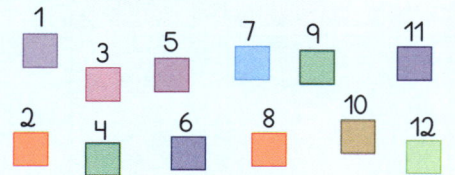

TOTAL: 12 (DOZE) QUADRINHOS.

- FORMANDO GRUPOS DE 10.

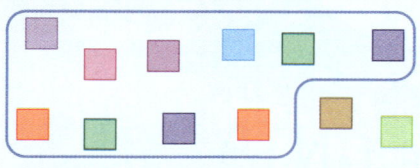

1 GRUPO DE 10 MAIS 2.
12 (DOZE) QUADRINHOS.

VIMOS QUE 10 UNIDADES CORRESPONDEM A 1 DEZENA.

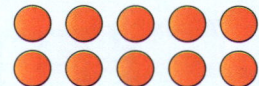

10 BOLINHAS OU 1 DEZENA DE BOLINHAS.

CONTAMOS, LEMOS E ESCREVEMOS OS NÚMEROS ATÉ 100 (CEM).

TRABALHAMOS COM O MATERIAL DOURADO. NELE, O CUBINHO REPRESENTA A UNIDADE (1) E A BARRINHA REPRESENTA A DEZENA (10).

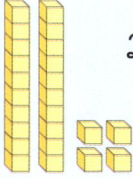

2 DEZENAS MAIS 4 UNIDADES
20 + 4
24 (VINTE E QUATRO.)

RESOLVEMOS PROBLEMAS ENVOLVENDO NÚMEROS MAIORES DO QUE 10. LUANA TINHA 1 NOTA DE 20 REAIS E 1 NOTA DE 5 REAIS. ELA GASTOU 12 REAIS NO SUPERMERCADO. COM QUANTO ELA FICOU? 13 REAIS.

$$20 + 5 = 25 \qquad 25 - 12 = 13$$

- VOCÊ SABE LER E ESCREVER TODOS OS NÚMEROS DE 0 A 100?
- VOCÊ PRECISOU FALTAR EM ALGUM DIA DE AULA? PROCUROU VER COM O PROFESSOR A MATÉRIA QUE PERDEU?

CUIDADO: PERDER AULAS E NÃO RECUPERAR A MATÉRIA PODE PREJUDICAR OS ESTUDOS!

PARA INICIAR

QUANDO FALAMOS EM LITROS, QUILOGRAMAS, METROS, REAIS E HORAS ESTAMOS NOS REFERINDO A DIVERSOS TIPOS DE MEDIDA. MEDIDAS COMO ESSAS SERÃO O ASSUNTO DESTA UNIDADE.

- ANALISE A CENA DAS PÁGINAS DE ABERTURA DESTA UNIDADE. CONVERSE COM OS COLEGAS E RESPONDAM ÀS QUESTÕES A SEGUIR.

- QUAL DOS PRODUTOS QUE APARECEM NA CENA ESTÁ SENDO VENDIDO POR "PESO"?
- QUANTAS HORAS O CURSO DE PAISAGISMO DURA?
- QUANTO UMA PESSOA GASTARÁ NA COMPRA DE 2 LITROS DE TINTA?
- E NA COMPRA DE 2 METROS DE MANGUEIRA?

- CONVERSE COM OS COLEGAS SOBRE MAIS ESTAS QUESTÕES.

    A) COM QUAL "PESO" E COM QUAL ALTURA VOCÊ NASCEU?

    B) EM QUAL DIA, MÊS E ANO VOCÊ NASCEU?

    C) VOCÊ FREQUENTA A ESCOLA EM QUAL PERÍODO DO DIA?

    D) QUAIS DESTAS FRASES ENVOLVEM MEDIDA DE CAPACIDADE?

    PAULO COMPROU UMA CAIXA COM 1 LITRO DE SUCO.

    REGINA CAMINHA 100 METROS PARA IR DA CASA DELA ATÉ A ESCOLA.

    MARA TOMOU 2 COPOS DE ÁGUA.

2 COPOS DE ÁGUA.

GRANDEZAS E MEDIDAS NO DIA A DIA

1 QUEM TEM O CABELO MAIS COMPRIDO? MARQUE UM **X**.

LÚCIA.

PAULA.

2 COMPLETE.

AS IMAGENS NÃO ESTÃO REPRESENTADAS EM PROPORÇÃO.

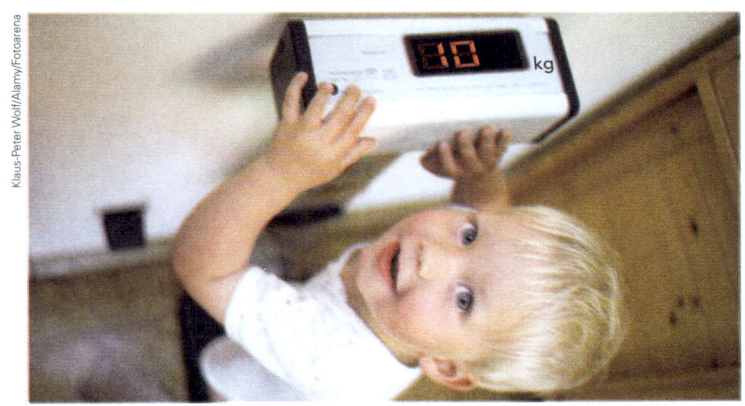

MENINO EM UMA BALANÇA.

O "PESO" DO MENINO É DE _____ QUILOGRAMAS.

3 QUAL HORÁRIO OS RELÓGIOS ESTÃO MARCANDO? _____

RELÓGIO DE PONTEIROS.

RELÓGIO DIGITAL.

4 ASSINALE A JARRA COM MENOS SUCO.

JARRA COM SUCO DE MANGA.

JARRA COM SUCO DE CEREJA.

5 INSTRUMENTOS DE MEDIDA

COMPRIMENTO, TEMPERATURA, INTERVALO DE TEMPO E MASSA ("PESO") SÃO EXEMPLOS DE **GRANDEZAS**. PARA MEDIR AS GRANDEZAS USAMOS DIFERENTES INSTRUMENTOS.

A) LIGUE CADA INSTRUMENTO À GRANDEZA QUE ELE MEDE.

AS IMAGENS NÃO ESTÃO REPRESENTADAS EM PROPORÇÃO.

RELÓGIO.

MEDE O COMPRIMENTO.

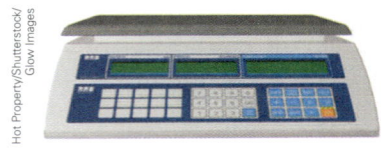
BALANÇA.

MEDE A TEMPERATURA.

FITA MÉTRICA.

MEDE A MASSA (O "PESO").

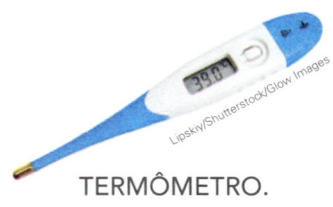
TERMÔMETRO.

MEDE O INTERVALO DE TEMPO.

B) ATIVIDADE ORAL EM GRUPO (TODA A TURMA) CONVERSE COM OS COLEGAS SOBRE SITUAÇÕES DO DIA A DIA EM QUE USAMOS ESSES INSTRUMENTOS.

6 OBSERVE AS FIGURAS. ELAS ESTÃO RELACIONADAS A MEDIDAS.

AS IMAGENS NÃO ESTÃO REPRESENTADAS EM PROPORÇÃO.

AGORA, COMPLETE COM AS LETRAS ADEQUADAS.

- **MEDIDA DE COMPRIMENTO**

    A FITA _____ É MAIS COMPRIDA DO QUE A FITA _____ .

- **MEDIDA DE INTERVALO DE TEMPO**

    NO PERÍODO DA MANHÃ DE UM MESMO DIA, O HORÁRIO _____ VEM ANTES DO HORÁRIO _____ .

- **MEDIDA DE CAPACIDADE**

    NO RECIPIENTE _____ CABE MENOS SUCO DO QUE NO RECIPIENTE _____ .

- **MEDIDA DE VALOR MONETÁRIO**

    A NOTA _____ VALE MAIS DO QUE A NOTA _____ .

- **MEDIDA DE MASSA ("PESO")**

    A EMBALAGEM _____ PESA MAIS DO QUE A EMBALAGEM _____ .

- **MEDIDA DE ÁREA**

    NO TAPETE _____ HÁ MAIS ☐ DO QUE NO TAPETE _____ .

MEDIDA DE COMPRIMENTO

1 **ATIVIDADE ORAL EM GRUPO (TODA A TURMA)** OLHE SÓ! HUMBERTO, XAVECO E CEBOLINHA ESTÃO TOMANDO CHUVA, MAS CASCÃO E ANJINHO NÃO. POR QUÊ? CONVERSE COM OS COLEGAS.

MAURICIO DE SOUSA. CAPA DO **ALMANAQUE DO CASCÃO**, N. 5, 2007.

2 OBSERVE AS PERNAS DE PAU DOS PERSONAGENS DA ATIVIDADE ANTERIOR E RESPONDA.

A) QUAL PERSONAGEM ESTÁ USANDO AS PERNAS DE PAU MAIS COMPRIDAS? _____

B) QUANTOS PERSONAGENS TÊM PERNAS DE PAU DE MESMA MEDIDA DE COMPRIMENTO? _____ PERSONAGENS.

C) ESSES PERSONAGENS ESTÃO ACIMA OU ABAIXO DAS NUVENS? _____

D) QUEM ESTÁ ACIMA DAS NUVENS? _____

E) E QUEM ESTÁ ABAIXO? _____

3 OBSERVE AS IMAGENS COM ATENÇÃO. MARQUE UM **X** NO QUADRINHO DA IMAGEM EM QUE O FIO É MAIS COMPRIDO.

 ☐  ☐

EXPLORAR E DESCOBRIR

MEDIDA DE COMPRIMENTO COM PALMO, PÉ OU PASSO

• **ATIVIDADE ORAL EM GRUPO (TODA A TURMA)** A TURMA ESCOLHE UM ALUNO PARA REALIZAR AS ATIVIDADES PROPOSTAS NOS ITENS ABAIXO. ENQUANTO ESSE ALUNO REALIZA A ATIVIDADE, OS DEMAIS ALUNOS OBSERVAM, VERIFICAM E, NO FINAL, COMENTAM.

A) COLOCAR 2 BORRACHAS SOBRE A MESA, DISTANTES 5 PALMOS UMA DA OUTRA.

B) COLOCAR 2 BORRACHAS NO CHÃO, DISTANTES 3 PÉS UMA DA OUTRA.

C) COLOCAR 2 BORRACHAS NO CHÃO, DISTANTES 2 PASSOS UMA DA OUTRA.

• **ATIVIDADE ORAL** A MEDIDA DE DISTÂNCIA DETERMINADA EM CADA ITEM PODERIA TER SIDO DIFERENTE SE TIVESSE SIDO ESCOLHIDO OUTRO ALUNO DA TURMA? POR QUÊ?

4 RUI QUER PEGAR A BOLA E GUARDÁ-LA NA CAIXA. ELE PRECISA DAR 5 PASSOS PARA A FRENTE PARA CHEGAR ATÉ A BOLA.

A) DESENHE ONDE ESTÁ A BOLA.

AS IMAGENS NÃO ESTÃO REPRESENTADAS EM PROPORÇÃO.

B) RUI CHEGOU ATÉ A BOLA. E AGORA, QUANTOS PASSOS FALTAM PARA ELE CHEGAR ATÉ A CAIXA? _____ PASSOS.

5 UNIDADE PADRONIZADA DE MEDIDA DE COMPRIMENTO: CENTÍMETRO

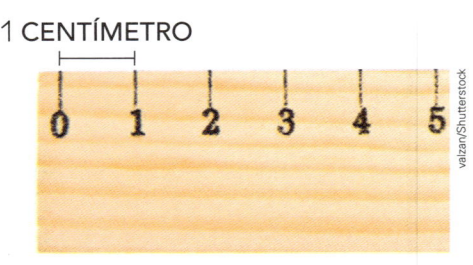

A) VAMOS MEDIR O COMPRIMENTO DO LÁPIS USANDO UMA RÉGUA. OBSERVE A POSIÇÃO DA RÉGUA E ESCREVA A MEDIDA DE COMPRIMENTO.

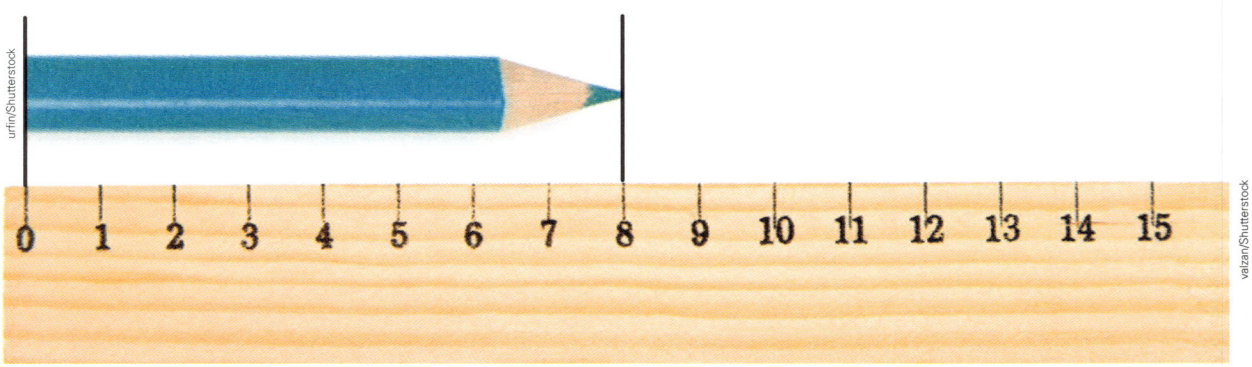

A MEDIDA DE COMPRIMENTO DO LÁPIS AZUL É DE _____ CENTÍMETROS.

B) AGORA, FAÇA UMA ESTIMATIVA DE QUANTOS CENTÍMETROS É A MEDIDA DE COMPRIMENTO DE CADA LÁPIS ABAIXO. DEPOIS, MEÇA O COMPRIMENTO DOS LÁPIS, VEJA SE SUA ESTIMATIVA FOI BOA E COMPLETE.

_____ CENTÍMETROS. ☐

_____ CENTÍMETROS. ☐   _____ CENTÍMETROS. ☐

C) FINALMENTE, MARQUE UM **X** NO QUADRINHO DO LÁPIS MAIS COMPRIDO. DEPOIS, MARQUE UMA • NO QUADRINHO DO LÁPIS MAIS CURTO.

6 MEDIDA DE COMPRIMENTO EM CENTÍMETROS

NO QUADRICULADO ABAIXO, O LADO DE CADA QUADRADINHO TEM MEDIDA DE COMPRIMENTO DE **1 CENTÍMETRO**.

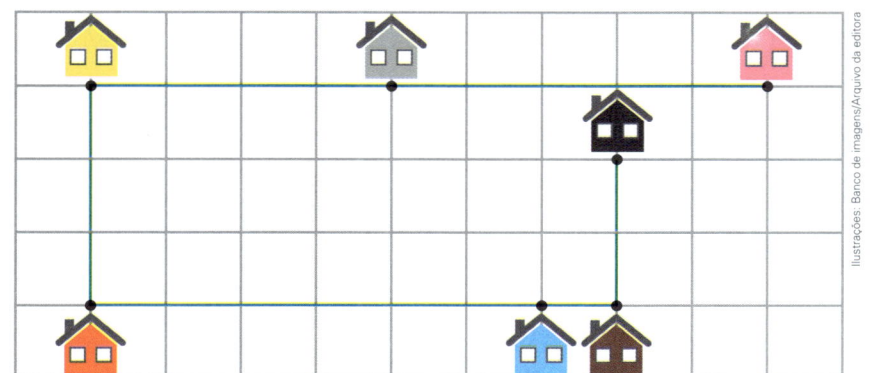

A) OBSERVE COM ATENÇÃO A COR E A POSIÇÃO DE CADA CASINHA. COMPLETE AS MEDIDAS DE COMPRIMENTO, EM CENTÍMETROS, DO CAMINHO TRAÇADO EM VERDE.

- DE 🏠 ATÉ 🏠: _____ CENTÍMETRO.

- DE 🏠 ATÉ 🏠: _____ CENTÍMETROS.

- DE 🏠 ATÉ 🏠: _____ CENTÍMETROS.

- DE 🏠 ATÉ 🏠: _____ CENTÍMETROS.

- DE 🏠 ATÉ 🏠: _____ CENTÍMETROS.

B) AGORA, DESENHE E PINTE NO QUADRICULADO UMA CASINHA COMO ESTA: 🏠.

MAS ATENÇÃO! ELA DEVE FICAR ENTRE AS CASINHAS E

E DEVE FICAR A 2 CENTÍMETROS DA CASINHA .

7 UNIDADE PADRONIZADA DE MEDIDA DE COMPRIMENTO: METRO

O PROFESSOR VAI CORTAR PEDAÇOS DE BARBANTE QUE MEDEM EXATAMENTE 1 METRO DE COMPRIMENTO. CADA ALUNO VAI RECEBER 1 DESSES PEDAÇOS DE BARBANTE.

EM CADA ITEM, FAÇA ESTIMATIVAS E ASSINALE COM UM **X**.

DEPOIS, USE O PEDAÇO DE BARBANTE, FAÇA A MEDIÇÃO E PINTE O QUADRINHO COM A ALTERNATIVA CORRETA.

COMPARE AS MEDIDAS REAIS COM AS ESTIMATIVAS QUE VOCÊ FEZ.

A) LARGURA DA PORTA.
- ☐ 1 METRO.
- ☐ MAIS DO QUE 1 METRO.
- ☐ MENOS DO QUE 1 METRO.

B) SUA ALTURA.
- ☐ 1 METRO.
- ☐ MAIS DO QUE 1 METRO.
- ☐ MENOS DO QUE 1 METRO.

C) ALTURA DA MESA DO PROFESSOR.
- ☐ 1 METRO.
- ☐ MAIS DO QUE 1 METRO.
- ☐ MENOS DO QUE 1 METRO.

D) COMPRIMENTO DA SALA DE AULA.
- ☐ 5 METROS.
- ☐ MAIS DO QUE 5 METROS.
- ☐ MENOS DO QUE 5 METROS.

◂ AS IMAGENS NÃO ESTÃO REPRESENTADAS EM PROPORÇÃO.

8 MARQUE UM **X** NO QUADRINHO DOS OBJETOS QUE GERALMENTE COMPRAMOS POR METRO.

☐ TECIDO.   ☐ LÁPIS.   ☐ BANANA.   ☐ ARAME.

SAIBA MAIS

INDICAMOS O CENTÍMETRO COM O SÍMBOLO **cm** E O METRO COM O SÍMBOLO **m**.

MEDIDA DE MASSA ("PESO")

1 TRAQUINAGENS DE CEBOLINHA

ATIVIDADE ORAL EM GRUPO VEJA OS QUADROS DA TIRINHA E CONVERSE COM OS COLEGAS.

MAURICIO DE SOUSA. **CEBOLINHA**, N. 11. EDIÇÃO HISTÓRICA.

A) O QUE CEBOLINHA TENTOU FAZER?
B) ELE CONSEGUIU?
C) POR QUÊ?
D) O QUE ACONTECEU COM OS BRAÇOS DE CEBOLINHA?

SUGESTÃO DE...
LIVRO
TIÃO CARGA PESADA. TELMA GUIMARÃES CASTRO ANDRADE. SÃO PAULO: SCIPIONE, 2009.

2 COM AS BALANÇAS MEDIMOS A MASSA DE OBJETOS. VEJA 2 TIPOS DE BALANÇA.

BALANÇA MECÂNICA.

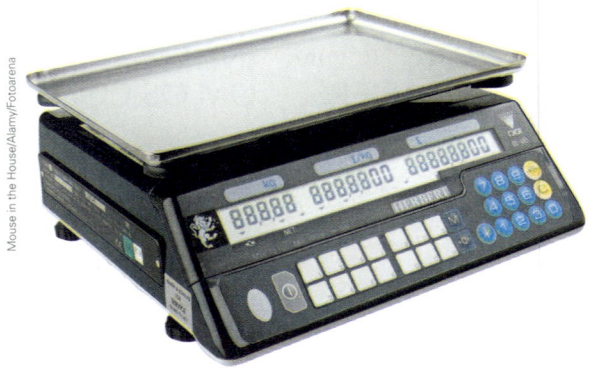

BALANÇA DIGITAL.

MARQUE UM **X** NO QUADRINHO DO QUE, EM GERAL, COMPRAMOS DE ACORDO COM A MEDIDA DE MASSA OU O "PESO".

AS IMAGENS NÃO ESTÃO REPRESENTADAS EM PROPORÇÃO.

ALFACE. ☐

CHUCHU. ☐

ARROZ. ☐

TOMATE. ☐

FARINHA. ☐

CARNE. ☐

LIVRO. ☐

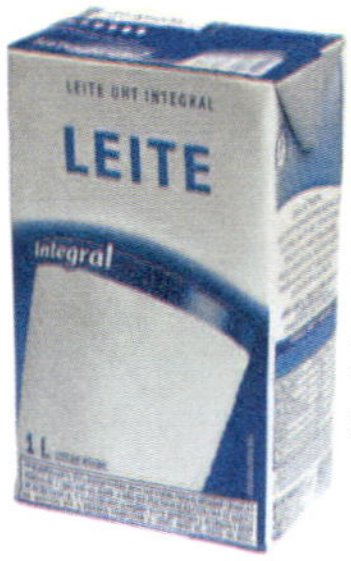

LEITE. ☐

PÃO. ☐

240 DUZENTOS E QUARENTA

3 EM UMA ATIVIDADE NA ESCOLA, RAFAEL E OS COLEGAS PESARAM ESTES MATERIAIS ESCOLARES.

ESTOJO.　　LIVRO.　　CANETA.　　MOCHILA.　　RÉGUA.

ESCREVA O NOME DOS 5 MATERIAIS EM ORDEM, DO MENOR "PESO" PARA O MAIOR "PESO".

_____, _____, _____, _____ E _____.

SAIBA MAIS

PARA MEDIR A MASSA DE OBJETOS E PESSOAS, USAMOS UNIDADES DE MEDIDA COMO **GRAMA**, **QUILOGRAMA**, **TONELADA** E OUTRAS.

É COMUM INDICAR AS UNIDADES DE MEDIDA COM SÍMBOLOS: **g** PARA O GRAMA E **kg** PARA O QUILOGRAMA.

> AS IMAGENS NÃO ESTÃO REPRESENTADAS EM PROPORÇÃO.

4 OBSERVE AS PESAGENS E COMPLETE AS MEDIDAS DE MASSA.

A)

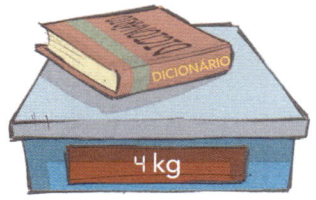  

4 kg　　　　5 kg　　　　?

_____ QUILOGRAMAS.

B)

10 kg　　　　7 kg　　　　?

_____ QUILOGRAMAS.

5 DESAFIO

QUANTO INÊS VAI PAGAR PELOS TOMATES QUE ESTÃO NESTA BALANÇA?

_____ REAIS.

AS IMAGENS NÃO ESTÃO REPRESENTADAS EM PROPORÇÃO.

TOMATES
R$ 7,00
O QUILOGRAMA

6 POSSIBILIDADES

OBSERVE OS "PESOS" DOS 3 TIPOS DE PACOTE DE ARROZ QUE PAULA ENCONTROU EM UM SUPERMERCADO.

5 QUILOGRAMAS.   2 QUILOGRAMAS.   1 QUILOGRAMA.

A) ASSINALE AS POSSIBILIDADES EM QUE O "PESO" TOTAL É DE 6 QUILOGRAMAS.

☐ A E B.   ☐ A E C.   ☐ B, B E B.

☐ B, B E C.   ☐ B, B, C E C.

B) HÁ MAIS 1 POSSIBILIDADE DE "PESO" TOTAL DE 6 QUILOGRAMAS. REGISTRE-A AQUI. _____

7 IMAGINE 3 BOLAS DE MESMO TAMANHO, MAS FEITAS COM MATERIAIS DIFERENTES, COMO AS DAS IMAGENS ABAIXO.

MARQUE UM **X** NA BOLA MAIS PESADA E MARQUE UMA • NA MAIS LEVE.

☐ BOLA DE ISOPOR.   ☐ BOLA DE FERRO.   ☐ BOLA DE MADEIRA.

MEDIDA DE CAPACIDADE

EXPLORAR E DESCOBRIR

ESTIMATIVAS COM MEDIDA DE CAPACIDADE

MATERIAL NECESSÁRIO:

COLHER DE SOPA.   XÍCARA DE CHÁ.   XÍCARA DE CAFÉ.

PARA CADA PERGUNTA, FAÇA UMA ESTIMATIVA E MARQUE UM **X** NO QUADRINHO DA OPÇÃO QUE VOCÊ ACHAR CORRETA. DEPOIS, VERIFIQUE CONCRETAMENTE E PINTE O QUADRINHO QUE INDICA O QUE FOI CONSTATADO.

- PARA ENCHER COM ÁGUA 1 XÍCARA DE CAFÉ, PRECISAMOS DESPEJAR NA XÍCARA A ÁGUA DE QUANTAS COLHERES DE SOPA?

  ☐ 5 COLHERES DE SOPA.

  ☐ MAIS DO QUE 5 COLHERES DE SOPA.

  ☐ MENOS DO QUE 5 COLHERES DE SOPA.

- PARA ENCHER COM ÁGUA 1 XÍCARA DE CHÁ, PRECISAMOS DA ÁGUA DE QUANTAS XÍCARAS DE CAFÉ?

  ☐ 3 XÍCARAS DE CAFÉ.

  ☐ MAIS DO QUE 3 XÍCARAS DE CAFÉ.

  ☐ MENOS DO QUE 3 XÍCARAS DE CAFÉ.

- COM A ÁGUA DE 1 XÍCARA DE CHÁ DÁ PARA ENCHER COM ÁGUA QUANTAS COLHERES DE SOPA?

  ☐ MENOS DO QUE 4 COLHERES DE SOPA.

  ☐ DE 4 A 6 COLHERES DE SOPA.

  ☐ MAIS DO QUE 6 COLHERES DE SOPA.

1 MARISA MEDIU A CAPACIDADE DE UMA JARRA USANDO UM COPO COMO UNIDADE DE MEDIDA. OBSERVE COM ATENÇÃO!

 JARRA.  COPO.

ANTES. → DEPOIS.

AGORA, RESPONDA.

A) QUANTOS COPOS DE SUCO CABEM NA JARRA? _____ COPOS.

B) SE MARISA ENCHER A JARRA COM SUCO E COM ESSE SUCO ENCHER 3 COPOS, ENTÃO, COM O QUE SOBRAR NA JARRA, SERÁ POSSÍVEL ENCHER QUANTOS COPOS? _____ COPOS.

C) QUANTOS COPOS É POSSÍVEL ENCHER COM 2 DESSAS JARRAS CHEIAS DE SUCO? _____ COPOS.

2 MARISA SEPAROU OS SEGUINTES RECIPIENTES.

COPO.   JARRA.   XÍCARA DE CAFÉ.   BALDE.

ESCREVA O NOME DOS 4 RECIPIENTES EM ORDEM, DO RECIPIENTE DE MAIOR MEDIDA DE CAPACIDADE PARA O DE MENOR MEDIDA DE CAPACIDADE.

_____ , _____ , _____ , _____ .

SAIBA MAIS

PARA MEDIR A CAPACIDADE DE UM RECIPIENTE, PODEMOS USAR A UNIDADE DE MEDIDA CHAMADA **LITRO**.

É COMUM INDICAR O LITRO COM O SÍMBOLO **L**.

3 PESQUISE

COM A AJUDA DE UM ADULTO, RECORTE DE JORNAIS OU REVISTAS A IMAGEM DE UM PRODUTO QUE É VENDIDO DE ACORDO COM A MEDIDA DA CAPACIDADE DO RECIPIENTE. COLE-A AQUI E MOSTRE AOS COLEGAS.

4 ATIVIDADE ORAL EM GRUPO (TODA A TURMA)

OBSERVE QUANTOS LITROS DE ÁGUA SÃO NECESSÁRIOS PARA ENCHER CADA VASILHA AO LADO.

TROQUE IDEIAS COM OS COLEGAS SOBRE A TABELA ABAIXO. VEJA COMO A PRIMEIRA LINHA FOI PREENCHIDA E COMPLETE AS DEMAIS.

AS IMAGENS NÃO ESTÃO REPRESENTADAS EM PROPORÇÃO.

 3 LITROS.  2 LITROS.

MEDIDA DE CAPACIDADE DAS VASILHAS JUNTAS

VASILHAS	CÁLCULO	MEDIDA DE CAPACIDADE TOTAL
	••• ••	5 LITROS.
		_____ LITROS.
		_____ LITROS.
		_____
		_____

TABELA ELABORADA PARA FINS DIDÁTICOS.

MEDIDA DE INTERVALO DE TEMPO

1 VAMOS CANTAR E DESENHAR?

ESTA CANÇÃO SE CHAMA **O RELÓGIO** E FOI COMPOSTA POR VINICIUS DE MORAES.

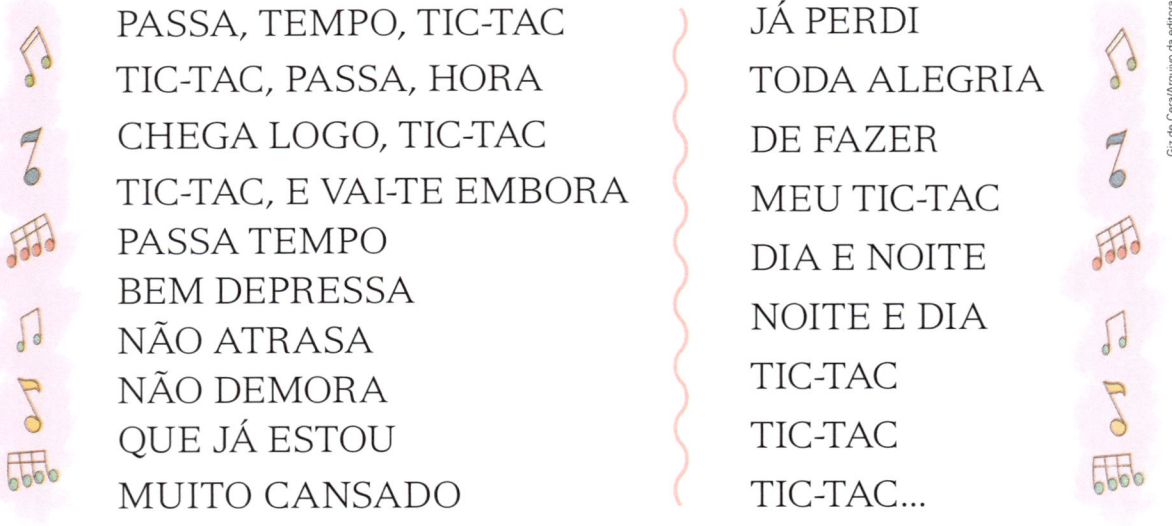

PASSA, TEMPO, TIC-TAC
TIC-TAC, PASSA, HORA
CHEGA LOGO, TIC-TAC
TIC-TAC, E VAI-TE EMBORA
PASSA TEMPO
BEM DEPRESSA
NÃO ATRASA
NÃO DEMORA
QUE JÁ ESTOU
MUITO CANSADO

JÁ PERDI
TODA ALEGRIA
DE FAZER
MEU TIC-TAC
DIA E NOITE
NOITE E DIA
TIC-TAC
TIC-TAC
TIC-TAC...

VINICIUS DE MORAES. DISPONÍVEL EM: www.viniciusdemoraes.com.br/pt-br/poesia/poesias-avulsas/o-relogio. ACESSO EM: 21 AGO. 2019.

DESENHE AQUI O QUE VOCÊ IMAGINOU AO CANTAR ESSA CANÇÃO.

SAIBA MAIS

▶ AS IMAGENS NÃO ESTÃO REPRESENTADAS EM PROPORÇÃO.

AO LONGO DA HISTÓRIA DA HUMANIDADE, O SER HUMANO USOU DIVERSOS INSTRUMENTOS PARA MEDIR E REGISTRAR A PASSAGEM DO TEMPO. VEJA 2 DELES ABAIXO.

ATUALMENTE, COSTUMAMOS MARCAR OS HORÁRIOS EM UM RELÓGIO DE PONTEIROS OU EM UM RELÓGIO DIGITAL.

RELÓGIO DE SOL.   RELÓGIO DE AREIA.   RELÓGIO DE PONTEIROS.   RELÓGIO DIGITAL.

2 MELISSA JOGA BOLA UM POUCO ANTES DE TOMAR BANHO E DE JANTAR.

A) ASSINALE O QUADRINHO DO RELÓGIO QUE ESTÁ MAIS DE ACORDO COM ESSE MOMENTO DO DIA DE MELISSA.

B) ASSINALE O QUADRINHO DO PERÍODO DO DIA EM QUE MELISSA JOGA BOLA.

☐ MANHÃ.   ☐ TARDE.   ☐ NOITE.

O TEMPO PERGUNTOU PRO TEMPO
QUANTO TEMPO O TEMPO TEM.
O TEMPO RESPONDEU PRO TEMPO
QUE O TEMPO TEM TANTO TEMPO
QUANTO TEMPO O TEMPO TEM.
TRAVA-LÍNGUA POPULAR.

3 PENSE NOS SEGUINTES MOMENTOS DE UM DE SEUS DIAS DA SEMANA.

JANTAR   AULAS   ALMOÇO

ESCREVA ESSES MOMENTOS NOS QUADROS, DE ACORDO COM A ORDEM EM QUE ELES ACONTECEM NO SEU DIA.

ESCREVA TAMBÉM SE CADA MOMENTO ACONTECE NO PERÍODO DA MANHÃ, DA TARDE OU DA NOITE.

1º ─ _____ ─ PERÍODO DA _____.

2º ─ _____ ─ PERÍODO DA _____.

3º ─ _____ ─ PERÍODO DA _____.

4 **ATIVIDADE EM GRUPO** ANALISE COM OS COLEGAS OS ITENS ABAIXO E COMPLETE AS FRASES.

A)
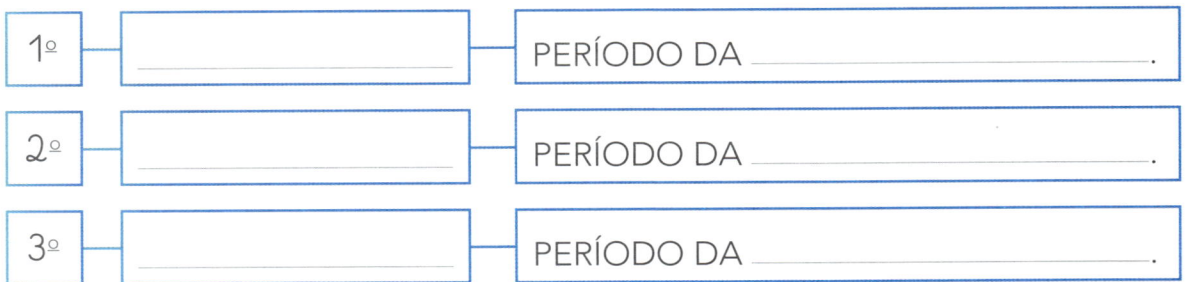
MANHÃ.   TARDE.   NOITE.

ESSES SÃO OS PERÍODOS DE UM _____.

B)

ESSES SÃO OS _____ DE UMA _____.

C)
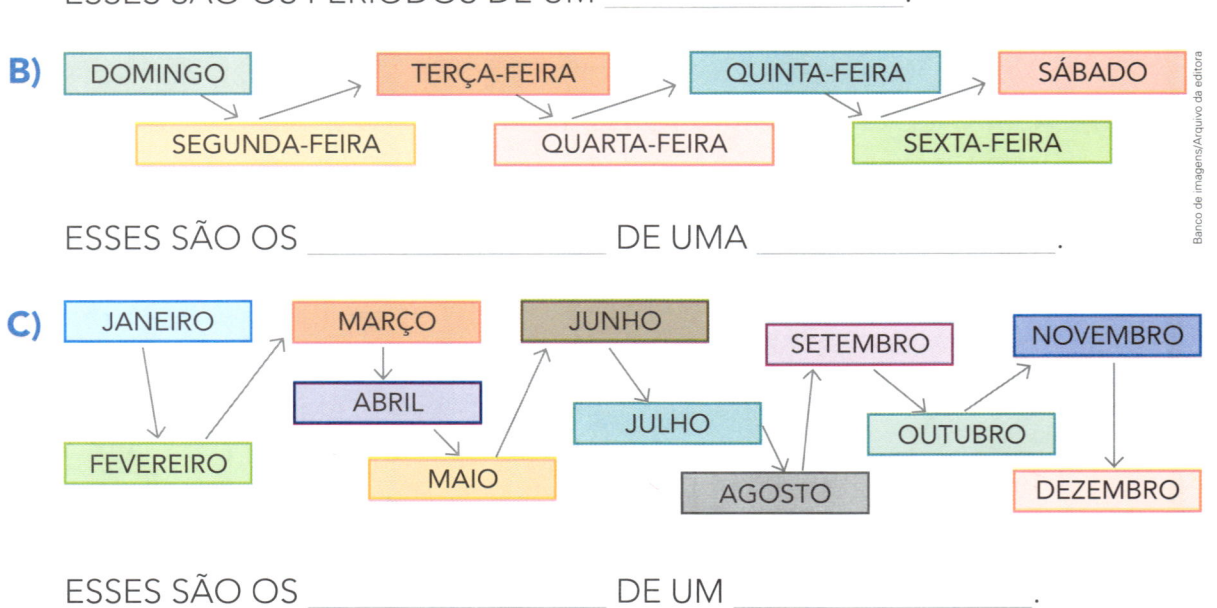

ESSES SÃO OS _____ DE UM _____.

5 ANTES OU DEPOIS?

COMPLETE AS FRASES ABAIXO COM UMA DESSAS PALAVRAS.

A) EM UM MESMO DIA.

- O PERÍODO DA TARDE VEM _____ DO PERÍODO DA MANHÃ.
- O PERÍODO DA TARDE VEM _____ DO PERÍODO DA NOITE.

B) EM UMA MESMA SEMANA.

- A TERÇA-FEIRA VEM _____ DA SEXTA-FEIRA.
- A QUARTA-FEIRA VEM _____ DA SEGUNDA-FEIRA.

C) EM UM MESMO ANO.

- JULHO VEM _____ DE SETEMBRO.
- FEVEREIRO VEM _____ DE JANEIRO.

AS IMAGENS NÃO ESTÃO REPRESENTADAS EM PROPORÇÃO.

6 PESQUISE E CONSULTE O CALENDÁRIO

A) ESCREVA O DIA E O MÊS DE CADA DATA PEDIDA. ESCREVA TAMBÉM O DIA DA SEMANA, CONSIDERANDO O ANO ATUAL.

DIA DO SEU ANIVERSÁRIO:

_____ DE _____.
DIA   MÊS

_____
DIA DA SEMANA

BOLO DE ANIVERSÁRIO.

DIA DO ANIVERSÁRIO DA CIDADE ONDE VOCÊ MORA:

(_____):
NOME DA CIDADE

_____ DE _____.

BEXIGAS.

B) AGORA, REGISTRE AS 2 DATAS NA ORDEM EM QUE ELAS VÃO ACONTECER OU JÁ ACONTECERAM NESTE ANO.

_____ DE _____ E _____ DE _____.

TECENDO SABERES

VOCÊ JÁ EMPINOU PIPA? JÁ VIU ALGUÉM EMPINANDO? AS PIPAS NOS PROPORCIONAM BELOS ESPETÁCULOS.

AS IMAGENS NÃO ESTÃO REPRESENTADAS EM PROPORÇÃO.

PESSOAS EMPINANDO PIPA EM LOCAL SEGURO.

NAS VÁRIAS REGIÕES DO BRASIL, A PIPA RECEBE DIFERENTES NOMES, COMO PAPAGAIO, RAIA E CAFIFA. ELA GERALMENTE TEM 3 PARTES: A LINHA, O CORPO (PAPEL E VARETAS) E O RABO.

MAS ATENÇÃO! AO EMPINAR UMA PIPA, DEVEMOS TOMAR ALGUNS CUIDADOS ESPECIAIS.

- NÃO EMPINAR PERTO DA REDE ELÉTRICA.
- NÃO USAR CEROL NA LINHA.

1 **ATIVIDADE ORAL EM GRUPO (TODA A TURMA)** CONVERSE COM OS COLEGAS SOBRE O PORQUÊ DE SEREM TOMADOS ESSES CUIDADOS AO EMPINAR UMA PIPA.

2 QUAL NOME É DADO À PIPA NA CIDADE ONDE VOCÊ MORA?

_____

3 ESCREVA O NOME DE UM ANIMAL QUE TENHA A MESMA LETRA INICIAL E A MESMA QUANTIDADE DE LETRAS DA PALAVRA **PIPA**.

FAÇA TAMBÉM UM DESENHO DESSE ANIMAL.

4 VEJA NA IMAGEM A PIPA QUE RAFAEL FEZ.

A) ASSINALE A FORMA QUE O CORPO DESSA PIPA TEM.

☐ CIRCULAR.

☐ QUADRADA.

☐ TRIANGULAR.

B) AS 2 VARETAS DIVIDIRAM O CORPO DA PIPA EM 4 PARTES. ASSINALE A FORMA DE CADA PARTE.

☐ TRIANGULAR.   ☐ RETANGULAR.   ☐ CIRCULAR.

C) OBSERVE A CENA E ASSINALE A FRASE CORRETA.

☐ A PIPA DE RAFAEL ESTÁ A UMA ALTURA MAIOR DO QUE A ALTURA DO PORTÃO.

☐ A PIPA DE RAFAEL ESTÁ A UMA ALTURA MENOR DO QUE A ALTURA DO PORTÃO.

AS IMAGENS NÃO ESTÃO REPRESENTADAS EM PROPORÇÃO.

5 DESCUBRA UMA REGULARIDADE NA SEQUÊNCIA DE CORES DESTAS PIPAS E PINTE A ÚLTIMA PIPA.

COM A PALAVRA...

MARCOS VINÍCIUS DE MEIRA MACEDO

HÁ QUANTOS ANOS VOCÊ TRABALHA NO RAMO DE ALIMENTAÇÃO? O QUE VOCÊ FAZ DIARIAMENTE?

TRABALHO COM ALIMENTOS HÁ CERCA DE 10 ANOS. TODOS OS DIAS EU ACORDO CEDO E ÀS 6 HORAS DA MANHÃ JÁ ESTOU NA FEIRA COMPRANDO FRUTAS E VERDURAS FRESCAS PARA FAZER SUCOS E REFEIÇÕES QUE VOU SERVIR NA LANCHONETE DA ESCOLA. DEPOIS, VOU À PADARIA PARA BUSCAR PÃES E SALGADOS. POR FIM, VOU AO SUPERMERCADO FAZER AS ÚLTIMAS COMPRAS E FINALIZO ESSAS TAREFAS ANTES DAS 8 HORAS DA MANHÃ.

MARCOS VINÍCIUS É DONO DE LANCHONETE EM UMA ESCOLA.

QUANTAS PESSOAS TRABALHAM COM VOCÊ NA LANCHONETE DA ESCOLA?

EU, MINHA ESPOSA E MINHA FILHA TRABALHAMOS COM ISSO HÁ MUITO TEMPO. ALÉM DE NÓS, HÁ MAIS 3 FUNCIONÁRIOS, POIS MUITOS ALUNOS COMPRAM LANCHE NO INTERVALO DAS AULAS DA MANHÃ E DA TARDE E PRECISAMOS SER RÁPIDOS NO ATENDIMENTO.

ALGUNS ALUNOS ALMOÇAM NA ESCOLA EM QUE VOCÊ TRABALHA?

SIM, MUITO ALUNOS FICAM NOS PERÍODOS DA MANHÃ E DA TARDE. NÓS SERVIMOS UM POUCO MAIS DE 100 ALMOÇOS POR DIA.

A LANCHONETE SERVE ALIMENTOS SAUDÁVEIS?

SIM, OFERECEMOS SUCOS, SALADAS E SANDUÍCHES NATURAIS. SERVIMOS UM ALMOÇO BEM BALANCEADO E AVALIADO POR UMA NUTRICIONISTA. NÃO VENDEMOS REFRIGERANTES NEM COMIDAS GORDUROSAS, E TEMOS A PREOCUPAÇÃO EM DIVERSIFICAR AS OPÇÕES SAUDÁVEIS PARA OS ALUNOS.

EM QUAIS MOMENTOS DO DIA VOCÊ USA OS NÚMEROS E A MATEMÁTICA?

EM TODO INSTANTE! USO PARA INDICAR O PREÇO DOS PRODUTOS, PARA DAR O TROCO, PARA VERIFICAR A MEDIDA DE TEMPERATURA DA GELADEIRA E PARA FAZER A LISTA DE COMPRAS. TAMBÉM PRECISO FAZER CÁLCULOS DO SALÁRIO DOS FUNCIONÁRIOS, DO LUCRO DA LANCHONETE NO MÊS E DE QUANTO DEVO PAGAR DE IMPOSTOS.

OUTRAS ATIVIDADES COM GRANDEZAS E MEDIDAS

1 MEDIDA DE COMPRIMENTO

OBSERVE COMO FICA O PEDAÇO DE BARBANTE DA ESQUERDA QUANDO ELE É ESTICADO.

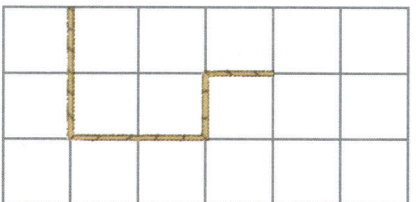 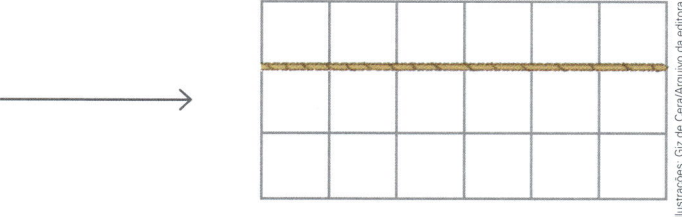

A) ASSINALE EM QUAL DAS IMAGENS ABAIXO VOCÊ VÊ O PEDAÇO DE BARBANTE AO LADO QUANDO É ESTICADO.

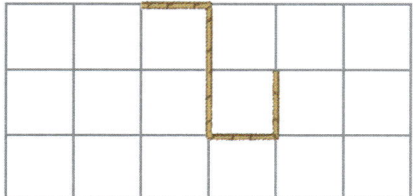

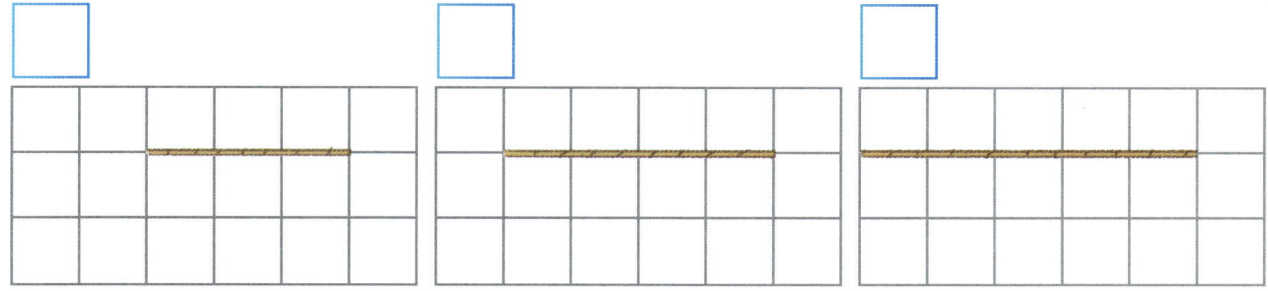

B) E COMO FICA O PEDAÇO DE BARBANTE DESENHADO ABAIXO? DESENHE COMO ELE VAI FICAR QUANDO FOR ESTICADO.

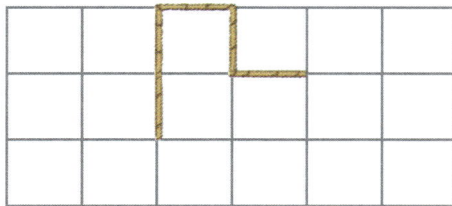 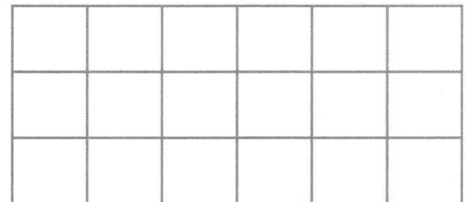

SUGESTÕES DE...

LIVROS

GRANDE OU PEQUENA? BEATRIZ MEIRELLES. SÃO PAULO: SCIPIONE, 2011.

MINHA MÃO É UMA RÉGUA. KIM SEONG-EUN. SÃO PAULO: CALLIS, 2012.

QUE HORAS SÃO? GUTO LINS. SÃO PAULO: MERCURYO JOVEM, 2010.

2 MEDIDA DE MASSA ("PESO")

NESTA BALANÇA HÁ 1 ABACAXI EM UM PRATO E 2 SACOS DE FEIJÃO NO OUTRO PRATO.

ASSINALE O QUE PODEMOS AFIRMAR COM CERTEZA.

☐ OS 2 SACOS DE FEIJÃO E O ABACAXI TÊM O MESMO "PESO".

☐ OS 2 SACOS DE FEIJÃO SÃO MAIS PESADOS DO QUE O ABACAXI.

☐ OS 2 SACOS DE FEIJÃO SÃO MAIS LEVES DO QUE O ABACAXI.

AS IMAGENS NÃO ESTÃO REPRESENTADAS EM PROPORÇÃO.

3 MEDIDA DE INTERVALO DE TEMPO

O RELÓGIO AO LADO ESTÁ MARCANDO O HORÁRIO EM QUE PEDRO SAIU DE CASA PARA IR À ESCOLA, NO PERÍODO DA MANHÃ.

A AULA DE ARTE COMEÇOU 3 HORAS DEPOIS DESSE HORÁRIO. E A AULA DE MATEMÁTICA COMEÇOU 1 HORA ANTES DA AULA DE ARTE.

A) ANOTE OS HORÁRIOS NESTES RELÓGIOS.

INÍCIO DA AULA DE MATEMÁTICA.   INÍCIO DA AULA DE ARTE.

B) AGORA, RESPONDA: QUANTAS HORAS SE PASSARAM DO HORÁRIO EM QUE PEDRO SAIU DE CASA ATÉ O INÍCIO DA AULA DE MATEMÁTICA? _____ HORAS.

4 MEDIDA DE CAPACIDADE

OBSERVE A QUANTIDADE DE ÁGUA NOS RECIPIENTES DESENHADOS AO LADO, QUE TÊM A MESMA FORMA E O MESMO TAMANHO.

DESPEJANDO A ÁGUA DE UM RECIPIENTE NO OUTRO, ASSINALE COMO ELE FICARÁ.

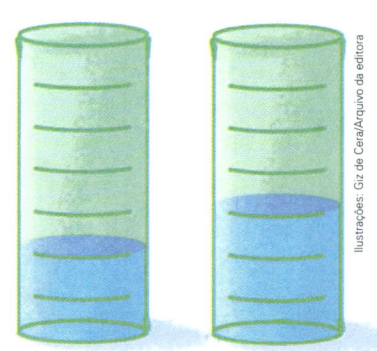

☐ ☐ ☐ ☐

5

OBSERVE AS IMAGENS DE CADA ITEM E PINTE OS QUADRINHOS COM A COR DA IMAGEM PEDIDA.

AS IMAGENS NÃO ESTÃO REPRESENTADAS EM PROPORÇÃO.

A) FITAS.

A FITA MAIS LARGA É A ☐.

A FITA MAIS ESTREITA É A ☐.

B) VELAS.

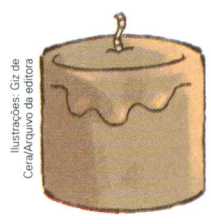  

A VELA MAIS FINA É A ☐.

A VELA MAIS GROSSA É A ☐.

6 OBSERVE O CARTAZ COM OS PREÇOS DO LITRO DE SUCO E DO QUILOGRAMA DE FEIJÃO.

A) COMPLETE A TABELA DE ACORDO COM ESSAS INFORMAÇÕES.

LISTA DE COMPRAS

PRODUTO	PREÇO
2 QUILOGRAMAS DE FEIJÃO	_____ REAIS
3 LITROS DE SUCO	_____ REAIS
5 QUILOGRAMAS DE FEIJÃO	_____ REAIS
_____ LITROS DE SUCO	12 REAIS

TABELA ELABORADA PARA FINS DIDÁTICOS.

B) COMPLETE.

LÍGIA COMPROU 2 LITROS DE SUCO E 1 QUILOGRAMA DE FEIJÃO.

NO TOTAL, ELA GASTOU _____ REAIS.

7 **DESAFIO**

SE 2 LITROS DE GASOLINA CUSTAM R$ 6,00, ENTÃO QUAL É O PREÇO DE 3 LITROS DE GASOLINA? ASSINALE.

☐ R$ 9,00   ☐ R$ 5,00   ☐ R$ 8,00

8 MEDIDAS EM GRÁFICO

OS ALUNOS DO 1º ANO FIZERAM UM EXPERIMENTO NA AULA DE CIÊNCIAS E APRENDERAM A PLANTAR.
PARA ACOMPANHAR O CRESCIMENTO DE CADA PLANTINHA, ELES USARAM UM GRÁFICO. VEJA COMO O GRUPO DE RENATO FEZ.

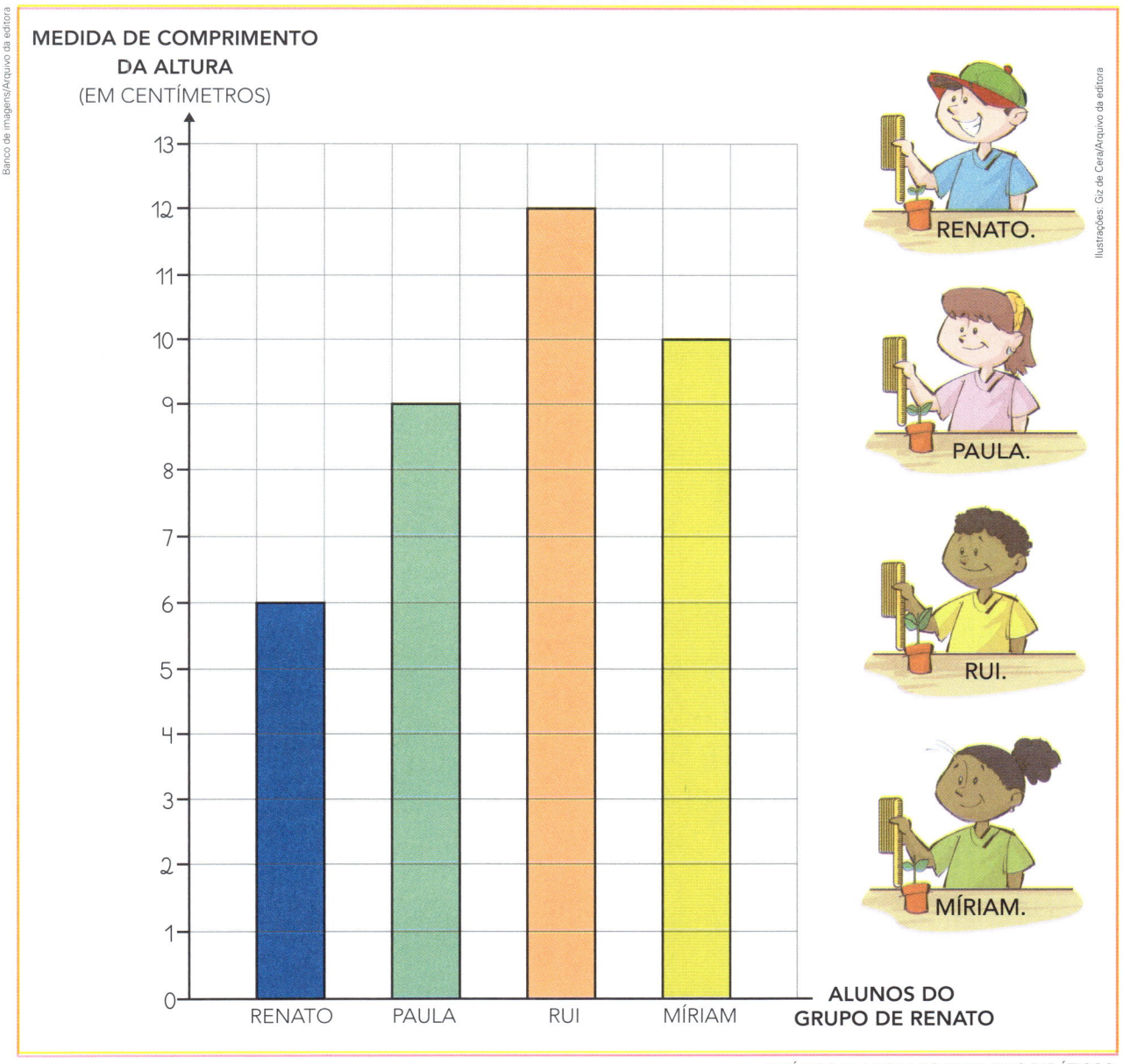

GRÁFICO ELABORADO PARA FINS DIDÁTICOS.

ANALISE O GRÁFICO E, EM SEGUIDA, FAÇA O QUE SE PEDE.

A) MARQUE UM **X** NO ALUNO QUE TEM A PLANTA MAIS ALTA.

B) MARQUE UMA ● NO ALUNO QUE TEM A PLANTA MAIS BAIXA.

C) MARQUE UM ▲ NO ALUNO QUE TEM A PLANTA DE 9 CENTÍMETROS.

9 USE UMA RÉGUA PARA DESCOBRIR QUAL ÁRVORE TEM, NA IMAGEM, MEDIDA DE COMPRIMENTO DA ALTURA DE 4 CENTÍMETROS. PINTE O QUADRINHO DESSA ÁRVORE.

◀ AS IMAGENS NÃO ESTÃO REPRESENTADAS EM PROPORÇÃO.

10 VEJA O HORÁRIO QUE O PRIMEIRO RELÓGIO ESTÁ MARCANDO. EM SEGUIDA, DESENHE OS PONTEIROS NOS OUTROS 2 RELÓGIOS.

AGORA.   2 HORAS ANTES.   3 HORAS DEPOIS.

11 OBSERVE A MEDIDA DE CAPACIDADE DAS 2 VASILHAS, QUE ESTÃO VAZIAS. PEDRINHO VAI ENCHER A VASILHA VERMELHA COM ÁGUA E DESPEJAR NA VASILHA AMARELA, ATÉ ELA FICAR CHEIA. RESPONDA: QUANTO FICARÁ DE ÁGUA NA VASILHA VERMELHA? _____

3 LITROS.   1 LITRO.

12 VERIFIQUE E ASSINALE A ALTERNATIVA CORRETA.

☐ 10 CENTÍMETROS CORRESPONDEM A 1 METRO.

☐ 10 CENTÍMETROS CORRESPONDEM A MAIS DO QUE 1 METRO.

☐ 10 CENTÍMETROS CORRESPONDEM A MENOS DO QUE 1 METRO.

VAMOS VER DE NOVO?

1 PINTE SOMENTE AS 4 CARETAS IGUAIS.

2 A FACE 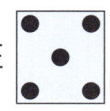 NÃO APARECE NESTE DESENHO DO DADO.

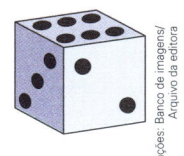

DESENHE AS OUTRAS FACES QUE TAMBÉM NÃO APARECEM.

3 O MENINO ESCREVEU O NOME DELE E CONTORNOU A 2ª LETRA.

RNATO

ESCREVA SEU NOME E CONTORNE A 3ª LETRA.

_____

4 VEJA AS NOTAS QUE JOSÉ E MÁRCIA TÊM.

AS IMAGENS NÃO ESTÃO REPRESENTADAS EM PROPORÇÃO.

JOSÉ.

MÁRCIA.

MÁRCIA VAI DAR 1 NOTA DELA PARA JOSÉ. COMPLETE.

- MÁRCIA TEM _____ REAIS E VAI FICAR COM _____ REAIS.

- JOSÉ TEM _____ REAIS E VAI FICAR COM _____ REAIS.

5 **SIM, NÃO OU PODE SER?**
OBSERVE AS 2 ROLETAS.

AS IMAGENS NÃO ESTÃO REPRESENTADAS EM PROPORÇÃO.

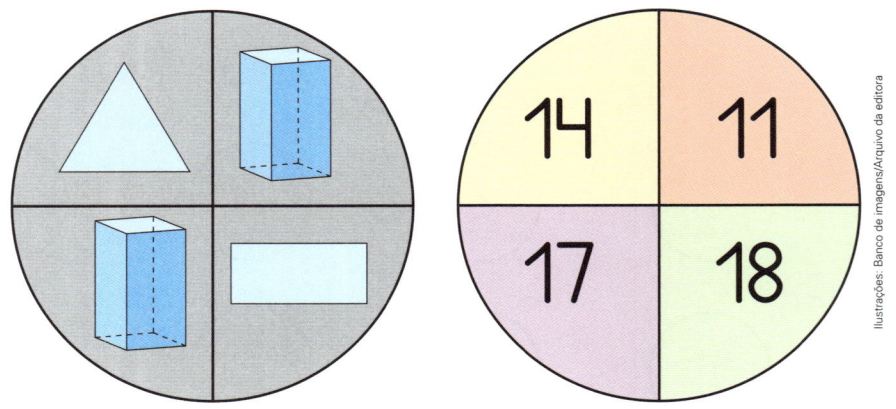

EM CADA PERGUNTA, RESPONDA COM **SIM**, **NÃO** OU **PODE SER**.

A) FERNANDA VAI GIRAR UM CLIPE NA 1ª ROLETA.

- O CLIPE VAI PARAR EM UM SÓLIDO GEOMÉTRICO? _____

- ELE VAI PARAR EM UMA ESFERA? _____

- ELE VAI PARAR EM UMA FIGURA AZUL? _____

- ELE VAI PARAR EM UM BLOCO RETANGULAR? _____

B) MARCOS VAI GIRAR UM CLIPE NA 2ª ROLETA.

- O CLIPE VAI PARAR EM UM NÚMERO QUE FICA ENTRE 10 E 20? _____

- ELE VAI PARAR EM UM NÚMERO MENOR DO QUE 15? _____

- ELE VAI PARAR EM UMA DEZENA EXATA? _____

6 VEJA OS OBJETOS QUE BETO SEPAROU PARA LEVAR À ESCOLA. ASSINALE COM UM **X** O QUADRINHO DO OBJETO QUE TEM A FORMA DIFERENTE DOS DEMAIS.

BRINQUEDO.

APONTADOR.

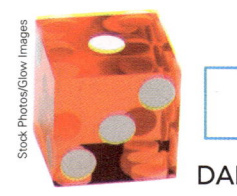
DADO.

7 **LAZER DE CARLOS NO DOMINGO**

COMPLETE INDICANDO OS NÚMEROS E OS PONTEIROS DOS RELÓGIOS.

- NO PERÍODO DA MANHÃ, CARLOS JOGOU FUTEBOL COM OS AMIGOS.

ELE JOGOU FUTEBOL DAS _____ HORAS ÀS 11 HORAS DA MANHÃ.

- NO PERÍODO DA TARDE, CARLOS FOI A UMA APRESENTAÇÃO DE DANÇA COM OS PAIS E A IRMÃ.

AS IMAGENS NÃO ESTÃO REPRESENTADAS EM PROPORÇÃO.

ELE VIU A APRESENTAÇÃO DAS 3 HORAS ÀS _____ HORAS DA TARDE.

8 USE NÚMEROS PARA RESPONDER CADA ITEM.

A) QUANTAS PONTAS TEM A FIGURA GEOMÉTRICA DESENHADA AO LADO?

_____ PONTAS.

B) QUAL HORÁRIO O RELÓGIO AO LADO ESTÁ MARCANDO? _____ HORAS.

C) QUAL HORÁRIO ELE VAI MARCAR DAQUI A 5 HORAS? _____ HORAS.

RELÓGIO.

AS IMAGENS NÃO ESTÃO REPRESENTADAS EM PROPORÇÃO.

D) QUAL QUANTIA ESTÁ REPRESENTADA COM ESTAS NOTAS? _____ REAIS.

E) QUANTOS BALÕES ANA DEVE DAR A JOSÉ PARA QUE OS 2 FIQUEM COM QUANTIDADES IGUAIS? _____

F) SE O PREÇO DE 2 CADERNOS IGUAIS É R$ 10,00, ENTÃO QUAL É O PREÇO DE 3 DESSES CADERNOS? R$ _____

G) NA TABELA ABAIXO, QUANTOS VOTOS AS FRUTAS RECEBERAM?

- A MAÇÃ: _____ VOTOS.
- O ABACAXI: _____ VOTOS.
- A LARANJA: _____ VOTOS.
- AS 3 FRUTAS JUNTAS: _____ VOTOS.

FRUTAS FAVORITAS

FRUTA	QUANTIDADE DE VOTOS
🍊 (laranja)	◨◨◨◨◨◨
🍎 (maçã)	◨◨◨◨
🍍 (abacaxi)	◨◨◨◨◨◨◨

TABELA ELABORADA PARA FINS DIDÁTICOS.

O QUE ESTUDAMOS

VIMOS QUE, PARA MEDIR ALGO, PRECISAMOS DE UMA UNIDADE DE MEDIDA PARA COMPARAR COM AQUILO QUE QUEREMOS MEDIR.

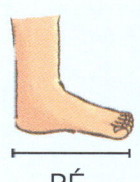

PÉ

MEDIDA DE COMPRIMENTO: 4 PÉS.

AS IMAGENS NÃO ESTÃO REPRESENTADAS EM PROPORÇÃO.

FICAMOS SABENDO QUE EXISTEM VÁRIOS TIPOS DE GRANDEZA E DIVERSOS INSTRUMENTOS DE MEDIDA.

GRANDEZA COMPRIMENTO	GRANDEZA MASSA ("PESO")	GRANDEZA CAPACIDADE	GRANDEZA INTERVALO DE TEMPO
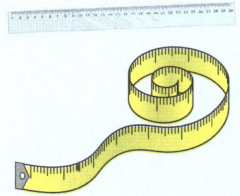			

RESOLVEMOS PROBLEMAS ENVOLVENDO MEDIDAS DE COMPRIMENTO, DE MASSA, DE CAPACIDADE, DE INTERVALO DE TEMPO E DE VALOR MONETÁRIO.

UMA SESSÃO DE CINEMA TEVE INÍCIO ÀS 7 HORAS DA NOITE E DUROU 2 HORAS. A QUE HORAS A SESSÃO TERMINOU? ÀS 9 HORAS DA NOITE.

$$7 + 2 = 9$$

- VOCÊ É PONTUAL NO HORÁRIO DE IR PARA A ESCOLA?
- VOCÊ FAZ A LIÇÃO DE CASA NO HORÁRIO COMBINADO COM SEUS FAMILIARES?
- VOCÊ TEM UMA ALIMENTAÇÃO SAUDÁVEL? TER UMA ALIMENTAÇÃO SAUDÁVEL É UM DOS FATORES IMPORTANTES PARA EVITAR O EXCESSO DE "PESO".

MENSAGEM DE FIM DE ANO

- ESTÁ CHEGANDO O NATAL! VAMOS COMPLETAR A ÁRVORE? FAÇA DO LADO ESQUERDO DA LINHA TRACEJADA AS MESMAS FORMAS E CORES QUE APARECEM DO LADO DIREITO.

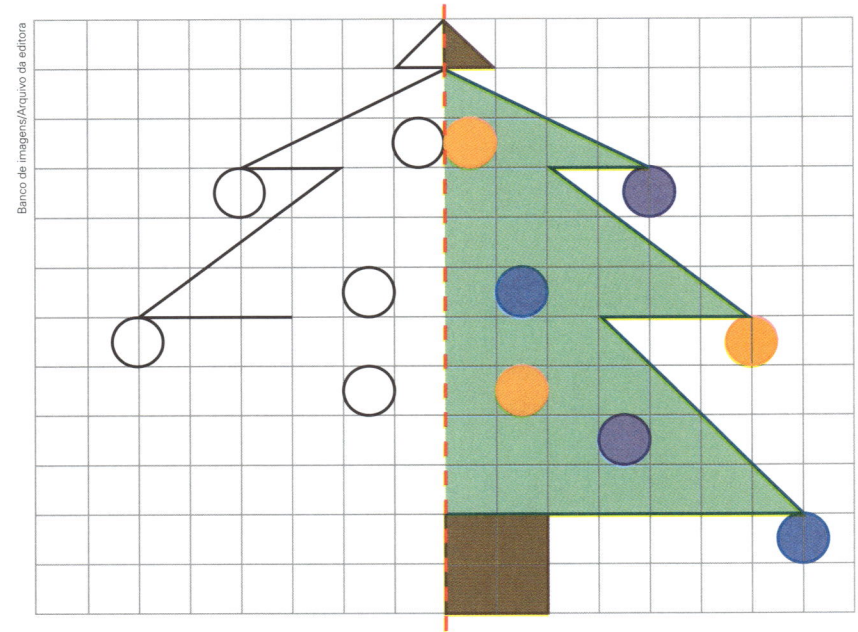

- AGORA, OBSERVE OS NÚMEROS E AS LETRAS NOS QUADRINHOS.

18	20	9	15	8	23	11	19	3	5	25	14	6	17	12
L	G	T	E	A	A	A	E	U	M	L	B	N	M	L

ORGANIZE ESSES NÚMEROS, DO MENOR PARA O MAIOR, E ESCREVA-OS ABAIXO. DEPOIS, ESCREVA EM CADA QUADRINHO A LETRA CORRESPONDENTE A CADA NÚMERO. O PRIMEIRO JÁ ESTÁ FEITO.

QUANDO TERMINAR DE PREENCHER OS QUADRINHOS, VAI APARECER NOSSA MENSAGEM DE FIM DE ANO PARA VOCÊ.

3 ___ ___ ___ ___ ___ ___ ___ ___ ___ ___ ___ ___ ___ ___

| U | | | | | | | | | | | | | | ! |

VOCÊ TERMINOU O LIVRO!

- DO QUE VOCÊ GOSTOU MAIS NESTE LIVRO? EM QUAL ASSUNTO TEVE MAIS DIFICULDADE? CONVERSE COM OS COLEGAS.

- REGISTRE NO ESPAÇO ABAIXO UM POUCO DO QUE VOCÊ APRENDEU. VOCÊ PODE FAZER COLAGENS, DESENHOS OU ESCREVER ALGUMA COISA. FAÇA DO SEU JEITO!

- AGORA, MOSTRE AOS COLEGAS E AO PROFESSOR O QUE VOCÊ FEZ E VEJA O QUE OS COLEGAS FIZERAM. AS OPINIÕES FORAM MUITO DIFERENTES?

NO LIVRO DO 2º ANO VOCÊ VAI REVER MUITAS COISAS QUE ESTUDOU AQUI E APRENDER UMA PORÇÃO DE NOVIDADES.

ESPERO VOCÊ LÁ!

O AUTOR

GLOSSÁRIO

VOCÊ SABE O QUE É UM **GLOSSÁRIO**? É UMA PEQUENA LISTA DE PALAVRAS COM O SIGNIFICADO DELAS.

O GLOSSÁRIO PODE SER CONSULTADO QUANDO VOCÊ TEM DÚVIDA SOBRE O SIGNIFICADO DE UMA PALAVRA.

VAMOS VER?

AS IMAGENS NÃO ESTÃO REPRESENTADAS EM PROPORÇÃO.

A

ADIÇÃO PÁGINA 140

A) QUANDO **JUNTAMOS** QUANTIDADES, DIZEMOS QUE ESTAMOS EFETUANDO UMA ADIÇÃO OU QUE ESTAMOS SOMANDO.

3   2   JUNTOS (5)

$3 + 2 = 5$

B) QUANDO **ACRESCENTAMOS** UMA QUANTIDADE A OUTRA, TAMBÉM ESTAMOS EFETUANDO UMA ADIÇÃO OU ESTAMOS SOMANDO.

$5 + 1 = 6$

B

BLOCO RETANGULAR PÁGINA 101

A FORMA DE UMA CAIXA DE CREME DENTAL OU DE UM BLOCO DE CONCRETO LEMBRA A FORMA DO SÓLIDO GEOMÉTRICO CHAMADO BLOCO RETANGULAR.

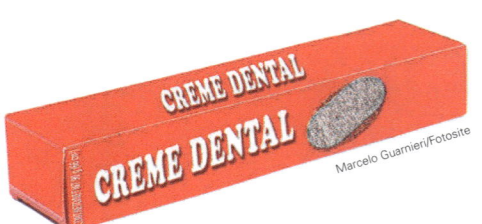

CAIXA DE CREME DENTAL.

BLOCO DE CONCRETO.

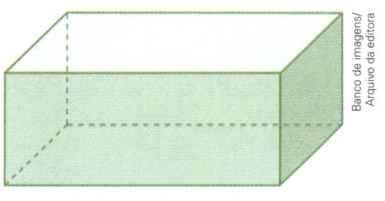

BLOCO RETANGULAR.

AS IMAGENS NÃO ESTÃO REPRESENTADAS EM PROPORÇÃO.

CAPACIDADE (PÁGINA 24)

GRANDEZA QUE SE MEDE UTILIZANDO UM COPO, UMA COLHER, UMA XÍCARA, O LITRO (L), ETC.

NESTA JARRA CABE MAIS SUCO DO QUE NO COPO. ENTÃO A MEDIDA DE CAPACIDADE DA JARRA É MAIOR DO QUE A MEDIDA DE CAPACIDADE DO COPO.

COPO E JARRA COM SUCO.

COMPRIMENTO (PÁGINA 23)

GRANDEZA QUE SE MEDE USANDO O PASSO, O PALMO, O CENTÍMETRO (cm), O METRO (m), ETC.

O MENINO ESTÁ USANDO O PASSO PARA MEDIR A DISTÂNCIA DO VASO ATÉ A ÁRVORE. SÃO **7** PASSOS.

CUBO (PÁGINA 101)

A FORMA DE UM DADO LEMBRA A FORMA DO SÓLIDO GEOMÉTRICO CHAMADO CUBO.

   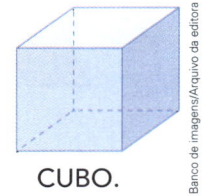

DADO.   CUBO.

DINHEIRO (PÁGINA 122)

QUANDO USAMOS NOTAS E MOEDAS, ESTAMOS TRABALHANDO COM DINHEIRO.

NOTA.   MOEDA.

ESFERA (PÁGINA 101)

A FORMA DE UMA BOLINHA DE GUDE LEMBRA A FORMA DO SÓLIDO GEOMÉTRICO CHAMADO ESFERA.

   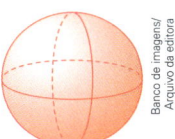

BOLINHA DE GUDE.   ESFERA.

FIGURAS GEOMÉTRICAS PLANAS (PÁGINA 107)

SÃO NOMEADAS DE ACORDO COM A FORMA.

   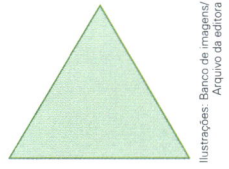

FORMA CIRCULAR.   FORMA TRIANGULAR.

FORMA QUADRADA.   FORMA RETANGULAR.

AS IMAGENS NÃO ESTÃO REPRESENTADAS EM PROPORÇÃO.

FORMA CIRCULAR (PÁGINA 109)

ESTA PLACA DE TRÂNSITO E CADA FACE DE UMA MOEDA TÊM A FORMA CIRCULAR.

PLACA DE TRÂNSITO.

MOEDA.

FORMA QUADRADA (PÁGINA 98)

CADA FACE DE UM DADO TEM A FORMA QUADRADA.

FORMA RETANGULAR (PÁGINA 109)

A CAPA DESTE LIVRO E UMA NOTA DE DINHEIRO TÊM A FORMA RETANGULAR.

FORMA TRIANGULAR (PÁGINA 109)

ESTE SINALIZADOR DE TRÂNSITO E ESTE INSTRUMENTO MUSICAL TÊM A FORMA TRIANGULAR.

SINALIZADOR.

INSTRUMENTO MUSICAL.

INTERVALO DE TEMPO (PÁGINA 23)

TIPO DE GRANDEZA QUE PODE SER MEDIDA EM HORAS, DIAS, SEMANAS, MESES, ANOS, ETC.

- ESTE RELÓGIO ESTÁ MARCANDO 9 HORAS.
- 1 DIA TEM 24 HORAS.
- 1 SEMANA TEM 7 DIAS.
- MAIO É UM MÊS COM 31 DIAS.
- 1 ANO TEM 12 MESES.
- A IDADE DE PEDRO É 6 ANOS.

RELÓGIO.

MASSA (PÁGINA 24)

GRANDEZA QUE PODE SER MEDIDA EM QUILOGRAMA (kg), GRAMA (g), ETC. UM PATO TEM MEDIDA DE MASSA ("PESO") DE APROXIMADAMENTE 1 QUILOGRAMA.

QUANDO USAMOS UMA BALANÇA DE PRATOS, ESTAMOS COMPARANDO A MEDIDA DE MASSA ("PESO") DOS OBJETOS EM CADA PRATO.

NESSA BALANÇA, O "PESO" DA CAIXA É MAIOR DO QUE O "PESO" DA BOLA.

MEDIDA (PÁGINA 23)

NÚMERO QUE INDICA O "TAMANHO" DE UMA GRANDEZA EM RELAÇÃO A OUTRA DE MESMO TIPO (UNIDADE). O NÚMERO VEM SEMPRE ACOMPANHADO DESSA UNIDADE DE MEDIDA.

5 PASSOS.

3 HORAS.

1 LITRO.

O DESENHO INDICA QUE A MEDIDA DA DISTÂNCIA ENTRE AS ÁRVORES É DE 5 METROS.

A CASA AMARELA É A DE NÚMERO 3.

A PROFESSORA É A 4ª (QUARTA) DA FILA.

NÚMERO (PÁGINA 36)

IDEIA MATEMÁTICA QUE EXPRESSA QUANTIDADE, MEDIDA, CÓDIGO E ORDENAÇÃO.

O NÚMERO DE PIÕES É 4.

SÓLIDOS GEOMÉTRICOS (PÁGINA 99)

FIGURAS GEOMÉTRICAS QUE TÊM FORMAS ESPACIAIS.

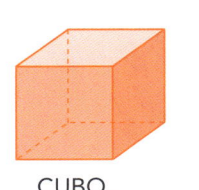

CUBO. ESFERA. BLOCO RETANGULAR.

SUBTRAÇÃO PÁGINA 140

OPERAÇÃO QUE:

A) TIRA UMA QUANTIDADE DE OUTRA.

TENHO 7 FIGURAS:
TIRO 4:
FICO COM 3:

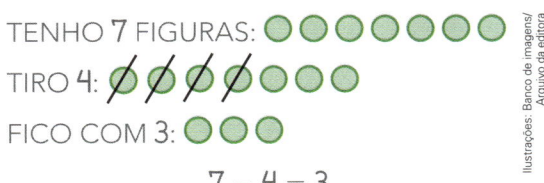

$7 - 4 = 3$

B) SEPARA QUANTIDADES.

TENHO 8 FICHAS:
SEPARO AS 3 FICHAS LARANJA:

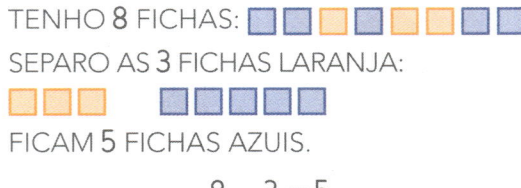

FICAM 5 FICHAS AZUIS.

$8 - 3 = 5$

C) COMPARA QUANTIDADES.

ANA TEM 5 CANETAS.
PAULO TEM 3 CANETAS.
COMPARANDO AS QUANTIDADES:

- QUANTAS CANETAS ANA TEM A MAIS DO QUE PAULO?

    2 CANETAS, POIS $5 - 3 = 2$.

- QUANTAS CANETAS PAULO TEM A MENOS DO QUE ANA?

    2 CANETAS, POIS $5 - 3 = 2$.

D) COMPLETA UMA QUANTIDADE.

QUANTAS CANETAS FALTAM PARA PAULO TER A MESMA QUANTIDADE QUE ANA?

2 CANETAS, POIS $5 - 3 = 2$.

OU

ANA:
PAULO:

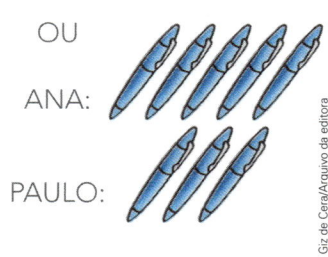

$3 + 2 = 5$

TABELA PÁGINA 55

PARA MARCAR OS PONTOS QUE CADA CRIANÇA FEZ EM UM JOGO, PODEMOS CONSTRUIR UMA TABELA.

TABELA DE PONTOS

NOME	NÚMERO DE PONTOS
VÍTOR	II
PAULA	III

TABELA ELABORADA PARA FINS DIDÁTICOS.

PAULA FEZ MAIS PONTOS NO JOGO DO QUE VÍTOR.
VÍTOR FEZ 1 PONTO A MENOS DO QUE PAULA.

TROCO PÁGINA 124

DINHEIRO RECEBIDO DE VOLTA EM UMA COMPRA.

MAURO COMPROU ESTE FOGUETE E PAGOU COM 1 NOTA DE 10 REAIS.

AS IMAGENS NÃO ESTÃO REPRESENTADAS EM PROPORÇÃO.

FOGUETE.

O TROCO FOI DE 2 REAIS OU R$ 2,00.

$10 - 8 = 2$

BIBLIOGRAFIA

VOCÊ SABE O QUE É UMA **BIBLIOGRAFIA**?
É A LISTA DE LIVROS, DE ARTIGOS E ATÉ DAS LEIS QUE O AUTOR CONSULTOU PARA ELABORAR O LIVRO.

ALFONSO, Bernardo. **Numeración y cálculo**. 3. ed. Madrid: Síntesis, 2000.

ALVES, Eva Maria Siqueira. **A ludicidade e o ensino de Matemática: uma prática possível**. Campinas: Papirus, 2001.

AMARAL, Ana; CASTILHO, Sônia Fiuza da Rocha. **Metodologia da Matemática: aprendizagem nas séries iniciais**. 4. ed. Belo Horizonte: Vigília, 1990. v. 1, 2 e 3.

BORIN, Júlia. **Jogos e resolução de problemas: uma estratégia para as aulas de Matemática**. São Paulo: CAEM-USP, 2007. v. 6.

BRASIL, Luiz Alberto S. **Aplicações da teoria de Piaget ao ensino da Matemática**. Rio de Janeiro: Forense Universitária, 1977.

BRASIL. Ministério da Educação. **Base Nacional Comum Curricular**. Brasília, 2017.

_____. Ministério da Educação. Secretaria de Educação Básica. João Bosco Pitombeira Fernandes de Carvalho (Org.). **Matemática: Ensino Fundamental**. Brasília: 2010. v. 17. (Coleção Explorando o ensino).

_____. Ministério da Educação. Secretaria de Educação Básica. Secretaria de Educação Continuada, Alfabetização, Diversidade e Inclusão. Conselho Nacional de Educação. **Diretrizes Curriculares Nacionais Gerais da Educação Básica**. Brasília, 2013.

_____. Ministério da Educação. Secretaria de Educação Fundamental. **Parâmetros Curriculares Nacionais: Matemática**. Brasília, 1997.

BRIGHT, George W. et al. **Principles and Standards for School Mathematics: Navigations Series**. 3. ed. Reston: NCTM, 2007.

BRIZUELA, Bárbara M. **Desenvolvimento matemático na criança: explorando notações**. Porto Alegre: Artmed, 2006.

BUORO, Anamelia Bueno. **Olhos que pintam: a leitura da imagem e o ensino da arte**. São Paulo: Cortez, 2003.

CARVALHO, João Bosco Pitombeira de. As propostas curriculares de Matemática. In: BARRETO, Elba Siqueira de Sá (Org.) **Os currículos do Ensino Fundamental para as escolas brasileiras**. São Paulo: Autores Associados/Fundação Carlos Chagas, 1998.

CERQUETTI-ABERKANE, Françoise; BERDONNEAU, Catherine. **O ensino da Matemática na Educação Infantil**. Trad. de Eunice Gruman. Porto Alegre: Artmed, 1997.

COLL, César; TEBEROSKY, Ana. **Aprendendo Matemática**. São Paulo: Ática, 2000.

D'AMBROSIO, Ubiratan. **Educação Matemática: da teoria à prática**. 2 e 3. ed. Campinas: Papirus, 2013.

D'AMORE, Bruno. **Epistemologia e didática da Matemática**. São Paulo: Escrituras, 2005. (Coleção Ensaios Transversais).

DANTE, Luiz Roberto. **Formulação e resolução de problemas de Matemática: teoria e prática**. São Paulo: Ática, 2010.

DORNELES, Beatriz V. **Escrita e número: relações iniciais**. Porto Alegre: Artmed, 1998.

DUHALDE, María Elena; CUBERES, María T. G. **Encontros iniciais com a Matemática: contribuições à Educação Infantil**. Porto Alegre: Artmed, 1997.

FAZENDA, Ivani Catarina Arantes. **Didática e interdisciplinaridade**. 17. ed. Campinas: Papirus, 2013.

FERREIRA, Mariana Kawall Leal. (Org.). **Ideias matemáticas de povos culturalmente distintos**. São Paulo: Global/Fapesp, 2002.

FONSECA, Maria da Conceição Ferreira Reis (Org.). **Letramento no Brasil: habilidades matemáticas**. São Paulo: Global/Ação Educativa/Instituto Paulo Montenegro, 2004.

GAZZETTA, Marineusa (Coord.); D'AMBROSIO, Ubiratan et al. **Iniciação à Matemática**. Campinas: Ed. da Unicamp, 1986. v. 1, 2 e 3.

GEOMETRIA EXPERIMENTAL. Campinas: Premen-MEC-Imecc-Unicamp, 1972.

HUETE, J. A. Fernández; BRAVO, J. C. Sánchez. **O ensino da Matemática: fundamentos teóricos e bases psicopedagógicas**. Porto Alegre: Artmed, 2017.

IFRAH, Georges. **História universal dos algarismos: a inteligência dos homens contada pelos números e pelo cálculo**. Trad. de Alberto Munhoz e Ana Beatriz Katinsky. 2. ed. Rio de Janeiro: Nova Fronteira, 2000. v. 1 e 2.

KAMII, Constance. **A criança e o número**. Trad. de Regina A. de Assis. 39. ed. Campinas: Papirus, 2013.

_____. **Aritmética: novas perspectivas – implicações da teoria de Piaget**. 6. ed. Campinas: Papirus, 1995.

_____. **Reinventando a aritmética**. 19. ed. Campinas: Papirus, 2004.

_____; DEVRIES, Rheta. **Jogos em grupo na Educação Infantil**. Porto Alegre: Artmed, 2009.

_____; JOSEPH, Linda Leslie. **Crianças pequenas continuam reinventando a aritmética: implicações da teoria de Piaget**. 2. ed. Porto Alegre: Artmed, 2005.

KNIJNIK, Gelsa et al. **Aprendendo e ensinando Matemática com o geoplano**. Ijuí: Ed. da Unijuí, 2004.

LINS, Romulo Campos; GIMENEZ, Joaquim. **Perspectivas em aritmética e álgebra para o século XXI**. 7. ed. Campinas: Papirus, 2006.

LIZARZABURU, Afonso; SOTO, Gustavo (Coord.). **Pluriculturalidade e aprendizagem da Matemática na América Latina: experiências e desafios**. Porto Alegre: Artmed, 2005.

LOPES, Maria Laura (Coord.). **Tratamento da informação: explorando dados estatísticos e noções de probabilidade a partir das séries iniciais**. Rio de Janeiro: Ed. da UFRJ/Projeto Fundão, 1997.

LUCKESI, Cipriano Carlos. **Avaliação da aprendizagem escolar**. 22. ed. São Paulo: Cortez, 2011.

MACHADO, Silvia Dias (Org.). **Aprendizagem em Matemática: registros de representação semiótica**. 8. ed. Campinas: Papirus, 2011.

MILIES, Francisco César Polcino; BUSSAB, José Hugo de Oliveira. **A geometria na Antiguidade clássica**. São Paulo: FTD, 1999.

MOYSÉS, Lucia. **Aplicações de Vygotsky à educação matemática**. 11. ed. Campinas: Papirus, 2013.

NUNES, Therezinha; BRYANT, Peter. **Crianças fazendo Matemática**. Porto Alegre: Artmed, 1997.

PACCOLA, Herval; BIANCHINI, Edwaldo. **Sistemas de numeração ao longo da História**. São Paulo: Moderna, 1997.

PANIZZA, Mabel (Org.). **Ensinar Matemática na Educação Infantil e séries iniciais**. 2. ed. Porto Alegre: Artmed, 2006.

PAPERT, Seymour. **A máquina das crianças: repensando a escola na era da informática**. Porto Alegre: Artmed, 2007.

PARRA, Cecília; SAIZ, Irma (Org.). **Didática da Matemática: reflexões psicopedagógicas**. Porto Alegre: Artmed, 2010.

PIAGET, Jean. **Fazer e compreender**. São Paulo: Melhoramentos, 1978.

PIRES, Célia Carolino. **Currículos de Matemática: da organização linear à ideia de rede**. São Paulo: FTD, 2000.

_____; CURI, Edda; CAMPOS, Tânia. **Espaço & forma: a construção de noções geométricas pelas crianças das quatro séries iniciais do Ensino Fundamental**. São Paulo: PROEM, 2016.

POZO, Juan Ignácio (Org.). **A solução de problemas: aprender a resolver, resolver para aprender**. Trad. de Beatriz Affonso Neves. Porto Alegre: Artmed, 1998.

SEITER, Charles. **Matemática para o dia a dia**. Rio de Janeiro: Campus, 1999.

SMOLE, Kátia Cristina Stocco. **A Matemática na Educação Infantil: a teoria das inteligências múltiplas na prática escolar**. Porto Alegre: Artmed, 2002.

_____; CÂNDIDO, Patrícia Terezinha. **Brincadeiras infantis nas aulas de Matemática: Matemática de 0 a 6**. Porto Alegre: Artmed, 2000.

_____; DINIZ, Maria Ignez (Org.). **Ler, escrever e resolver problemas: habilidades básicas para aprender Matemática**. Porto Alegre: Artmed, 2001.

_____ et al. **Era uma vez na Matemática: uma conexão com a literatura infantil**. São Paulo: CAEM-USP, 1993. v. 4.

TOLEDO, Marília; TOLEDO, Mauro. **Didática de Matemática: como dois e dois**. São Paulo: FTD, 1997.

ZUNINO, Delia Lerner. **A Matemática na escola: aqui e agora**. 2. ed. Porto Alegre: Artmed, 1995.